危機のプラハ

ペテル・デメッツ著
山下貞雄 訳

訳者まえがき

ミュンヘン協定に関わった四大国（英、仏、独、伊）、およびヒトラーの行動については、莫大な研究努力がなされ、数えきれないほどの著作が残され、これからも出続けるだろう。しかし、ミュンヘンで商品のように扱われたチェコスロヴァキア共和国が辿った運命について、どれほどの研究がなされただろう？　チェコスロヴァキア共和国は、その命運を決定した会議に招かれることすらなかった。現在の研究状況は、その時の大国の眼差しをそのまま受け継いでいるのではないだろうか？　ふと、そのような思いに駆られることがある。

本書は、二〇〇年以上にわたるオーストリアの支配から抜け出して、第一次世界大戦後に「チェコスロヴァキア共和国」という独立国家を建設したが、二〇年後にはドイツの保護領となって、戦時下の特殊な状況に投げ出され、ドイツ人の支配下に過酷な生活を強いられた人々の物語である。

政治や戦争の経緯などにはほとんど触れられず、政治家、ビジネスマン、学者、文人、芸術家、音楽家、映画関係者などが、個人的な側面から取り上げられている。著者自身の家系や学校の友人など、自分史を織り交ぜながら書かれていて、大変ユニークで親しみやすいプラハの歴史書になっている。

「東欧のハリウッド」とも呼ばれるバランドフ撮影所にまつわる話はとりわけ印象的である。映画制作にかけるチェコ人の気迫を感じさせる。バランドフで制作された戦後の作品としては、『007カジノ・ロワイヤル』、『アマデウス』、『ミッション・インポッシブル』などが日本でもよく知られている。

新時代をリードしていた若き詩人イジー・オルテンが、ユダヤ人であったがために死なねばならなかったという不合理を思い知らされた著者の心の奥深くに刻まれた無念さが伝わってくる。

著者のユダヤ人の母が強制収容所で亡くなって焼かれ、その灰が川に捨てられる場面には何度読んでも涙を誘われる。

そしてそれは、戦後のスターリニズム時代の大粛清で処刑された人々が焼かれて、その灰がじゃがいも袋に詰められ川に捨てられた歴史とだぶっている。

本書はチェコ人文学史家による同時代史であり、独特の魅力を持った著作に出来上がっている。無機質な歴史研究書とは異なり、当時のチェコスロヴァキア共和国の人々の生々しい息遣いが聞こえてくる。訳者の力不足で、その魅力を十分にお伝えできなかったかもしれないが、読者にその魅力の一端でも感じていただければ幸甚である。

二〇二〇年　山下貞雄

まえがき

数年前、『暗黒と黄金のプラハ』の中で、私は、六世紀から二〇世紀初めまでの故郷の歴史を書いた。古典的な歴史家や、彼らが王、皇帝、そしてお決まりのゴーレムについて語ったことを研究することは、気分を浮き立たせたことを今でも忘れられない。チェコスロヴァキア共和国の初代大統領、T・Gマサリクの葬儀についての最後のページを書くのはとてもつらい仕事であった。なぜなら、一九三七年九月二一日、群衆の中にいた私は、一五歳の多感な少年で、悲痛な面持ちで、国旗や砲架に乗せられた柩、行進する兵列をみつめていた。その出来事を振り返りながら、六〇年経った今、私はどのように書くべきだろう？　古い新聞のファイルや、専門の歴史家の年代記はあるが、あの重苦しい朝の私自身の経験が、私の目や耳のフィルターを通して、私自身の内部に怒涛のように押し寄せてくる。

一九三九―四五年のドイツによるプラハ占領期間について書こうと決心したとき、これらの巨大な困難に見舞われた。もちろん、私は、歴史家の研究や新聞記事を頼りとしたが、カレル四世やルドルフ二世の時代とは違って、私はその時代に生きており、関わりをもち、歩き、呼吸をし、自分の目で観察をしていたのであった。われわれの祖父、実存主義者は言う、「在ること」とは、「かく在ること」であり、ある言語を喋ることであり、ある民族に属することであり、特定の宗教信条をもつことである、と。しかし、この期間におけるプラハでは、学校の教科書にも掲載された整然とした民族大隊に入隊という段になれば分かるように、事情はもっと複雑であった。チェコ人か、ドイツ人か、あるいはユダヤ人か、純粋な単一の人種でなければならなかった。私のような、多言語多人種の半ユダヤ人をどのように扱うべきか、人々は戸惑った。

私はここでやろうとしている、ドイツ占領期のプラハの様々な一般社会の話と、私の個人史を共時的に記述するというほとんど不可能に近い仕事について明示しておきたい。保護領時代の政治や文化の領域について書くとき、私は歴史家を模範とするが、それでも私の個人史を除外することはしない。必要な時にはいつでも、唐突であっても、見方を変える。私は、戦時中の社会や個人が、厳しい時代に、互いにどのような関係を築くのかということについて、高圧的に解釈を押し付けるつもりはない。むしろ私は、一般の公的出来事と個人史（記憶と忘却の哲学者ポール・リクールに従って、そのような区別が可能であればの話であるが）の叙述を並列するようにした。それによって、これまで受け継いできた語彙を超えた生々しい環境に触れて、生理的な衝撃を含めて、読者が気付かされることがあることを望んでいる。

私の個人史を語るために、私の家族の過去を調べてみて、両親の家系はともに移民であることを知り、非常に驚いた。百年前、私のいとこの一人だけ、そして彼の小さな家族だけが、古の都市プラハに定住したのであった。その後数々のおじ、おば、彼らの姻戚縁者、子供、そして孫たちが住みついた。プラハの長い歴史を考えれば、短い脆弱な出会いではあったが、熱望、個人の運命、そして数々の悲劇に満ち溢れていた。南チロルの祖父は、ガルデナ峡谷の少数民族ラディン人農民であったが、一八八五年頃、北に向かっての困難な旅の末、プラハにたどり着いた。そしてユダヤ人の祖父は、小さなボヘミアの町で荒れ狂うチェコ人の反ユダヤ主義感情から逃れて、一九〇〇年までには、家族とともにプラハにやってきた。そしてオーストリア＝ハンガリー帝国のいたるところから、人々を惹きつけてやまなかったプラハの古い都会の共同体にその住処を見い出した。多様な生まれ、言語そして伝統が、驚くべき運命の悪戯によって、ここに導かれたのであった。

世紀末のプラハは、古いニューヨークの雰囲気を漂わせていたに違いない。多くの人々が、一つの市民法の下に暮らしており、そして後には、マサリクの共和国で、一つの憲法の下の暮らしていたのであった。ドイツ人の占領は、それ自身の民族主義に駆られ、それに呼応して、もう一つの民族主義を呼び覚まして、数世紀に亘って生き続け、生産的であったプラハの多様な社会の遺産を、短期間のうちに掘り崩し破壊した。しかしプラハは不屈の都市であった。毎年、三五〇〇万人の海外からの観光客を迎えるこの都市は、衰えることを知らない生命力をもち、ロシア、ポーランド、ウクライナ、数は少ないが、イタリアやアメリカ（一九九〇年代には、一万四〇〇〇人近く、今は減っている）からの新しい市民を惹きつけ、「新しい」ドイツ人が銀行やビジネスの世界で活動しているという側面はあまり知られていない。

私は本書を、誰よりもハンナ（一九二八―九三）に捧げたい。私たちは、一九四五年のプラハ解放の直後に出会って恋に落ち、互いに多くの説明を必要としなかった。私たちの母親は占領中に亡くなった。彼女の母親は、ユダヤ人の医者が間に合わなかったし、私の母はテレジーンで亡くなった。そして多くの人々が、強制収容所からプラハに戻るとすぐにアメリカやイスラエルに亡命しようとしたが、私たちは、あらゆる形の自由主義者が一九四六年五月の選挙で勝利することを望んでいたし、チェコスロヴァキアで勢力を拡大しつつあったスターリン主義者に対抗して団結した、フェルディナント・ペロウトゥカ、パヴェル・チグリッド、ヘレナ・コジェルホヴァー、そしてミハル・マレシュによって書かれた新聞の論説を読むのが楽しみだった。一九四八年二月二五日の共産主義者によるクーデター後、私たちも出国せねばならなかった。初めの頃は、大いなる西部でどんな車を手に入れることができるだろう（ハンナは赤のスポーツ車、私はダークグリーンの車）などと気軽な夢を語り合っていたが、問題は深刻で、如何にして逮捕を逃れ、七年間の強制労働を言い渡されることなく出国できるか、ということであった。

チェコスロヴァキア＝イギリス協会で秘書として働いていたハンナに対して、彼女のオフィスにおける出来事について情報提供を求める秘密警察からの圧力が次第に強くなっていた。私自身にも心配事があった：フラチャニー丘――フラチャニー城は、数世紀に亘ってチェコスロヴァキアの支配者の居住地となった、プラハの司令部であった――への二〇〇〇人規模の学生デモに参加し、大統領エドヴァルト・ベネシュに、スターリン傀儡政府の言いなりにならないよう嘆願し（彼は、私たちのデモ行進中に、合意文書に署名した）、そして、フランツ・カフカとイギリス文学に関する学術論文を執筆していた。一九四九年の暮れ、ハンナと私は、数人の学生と一緒に、森を抜けてバイエルンに密入国する手引きをしてくれた老年のボーイスカウトに支払うために、ハンナは、彼女の母の婚約指輪を売らねばならなかった。偶々ちょうど、西ドイツの難民キャンプを経て、しばらくラジオ・フリー・ヨーロッパで働き、約二年後に、大きなリュックサックを背負い、文無し同然の様で、ニューヨークのアイドルワイルド空港（現在のジョン・F・ケネディ国際空港）に、無事降り立った。古都プラハは、懐かしく、黄金の彩色をまとい続ける、えも言われぬ魅力について止むことなく語り合った。

その間、公式のプラハにおいては、長期間、党派的な声明書が支配した。一九六〇年代の終わりから一九七〇年代初めにかけて、ようやく、デトレフ・ブランデスの本格的な研究成果（ドイツで）、そして、ヴォイチェフ・マストニーのナチ支配下のチェコの先駆的研究成果（アメリカで）が現れた。ユダヤ人問題の研究は、内紛に巻き込まれた。共産主義体制は、シオニズムに疑問を抱いており、一般的な表現で、「反ファシズム」を好んだ。それで、カレル・ラグスとヨセフ・ポラークのテレジーンに関する本は、反ファシスト闘争連盟から出版（一九六四年）された。そして、小説家でアウシュヴィッツの生き残りであったアルノルト・ルスティクは、アメリカに渡った（一九六九年）。保護領時代のユダヤ人迫害に関する重要な研究、すなわち、H・Gアドラーの『テレジエンシュタット』や、リヴィア・ロートキルヒェンの基礎研究『ボヘミアとモラヴィアのユダヤ人：ホロコーストに向き合って』（以前、チェコで小部数出版したこともあったが）は外国で出版された。幸運なことに、一九九五年に、テレジーン研究所企画会が、ミロスラフ・カールニーの編集のもとに国際的研究の第一巻を出版した。そして多くの企画書がその後に続いた。

チェコスロヴァキアでは、一九七〇年代や一九八〇年代に、多くの独創的な著作家が、ドキュメントとフィクションをメロドラマ風に結びつけた、「文学的事実」Literatura faktu と称されるものを好んで書いた。そしてこの手の作品――たとえば、ミロスラフ・イヴァノフのラインハルト・ハイドリヒに関するベストセラーは、一九八七年に第五版が出版された――がよく読まれ受け入れられた。「正常化」、すなわち、一九六八年の短い「プラハの春」以後の新スターリン主義への回帰は、一九八九年のビロード革命以後に登場した若い世代の歴史家や政治学者の前に立ちはだかった（クシェン、ククリーク、クラル、クヴァチェク、モウリス、パサーク、その他）。その違いを見るのには、一九四五年のプラハ蜂起に関するカレル・バルトシェクとスタニスラフ・ココシカの本を読み比べるだけで十分である。前者（一九六五年）は、何かとカモフラージュされているが、政治的論文であり、後者（二〇〇五年）は、ソ連とアメリカを含む国際的な保管記録に基づいた、歴史的事象の冷徹な分析である。若手のプラハの歴史家が、異国の偏見のない仲間と合流できるのは、価値のある経験である。

本書は、次のような図書館にスラヴ関係の資料を提供していただいた。スターリング記念図書館（エール大学）、大学院生として約六〇年前に勤めたプラハのチェコ国立図書館、オーストリア国立図書館（ウィーン）、そして歴史家ヨゾ・ドゥジャムボ博士の専任助手として務めていたアダルベルト・シュティフター協会図書館（ミュンヘン）に感謝している。プラハのチェコ映画資料館での仕事は特に楽しかった。ヤロスラヴァ・シュレフトヴァー夫人は、私の質問にいつも気軽に答えてくれたし、プラハ劇場会館では、イィトゥカ・ルドヴォヴァー博士が、そこに保管されていた私の父の原稿を研究することを許してくれた。私は、代理人ウィリアム・Bグッドマンに大いに感謝している。彼は常に激励と本質的な助言をくれた。スザンヌ・グレイ・ケリーは、いつも最初に私の英語を読んでくれて、根気よく寛容に、私の堅苦しい英文法の角を削ってくれた（前置詞についても言わずもがなである）。私の編集者エリザベス・シフトンとの仕事は、特にやりがいがあった。彼女は、文章に変化をつけたり、効果的な議論の技法、そしてアメリカの読者の期待しているものを私に想起させてくれたりして、温かく私を見守ってくれた。ボルザノ自治州の言語局に勤めている、いとこの文学修士イングリッド・ルンガルディールが、わたしのラディンの話の部分を丁寧にチェックしてくれた。プラハのいとこペトルは、ブロド家のボヘミアの歴史に関する重要な書類を提供してくれた。そして資料や図版に関して、以前の本の場合にもそうであったが、ルバ・ラシネ＝オルトレヴァの知見に頼ることができた。私の二人のプラハの助手、文学修士エヴァ・フラノヴァーと、文学士リンダ・スコルコヴァーの専門的助力がなければ、私のリサーチを完遂できなかったであろう。フラノヴァー女史は、（カレル大学の）ドイツ語科に属しており、私が第一章と第二章を書いている時に手伝ってくれた。スコルコヴァー女史は、司書で電子情報の専門家であり、第三章、第四章を書いている時に助けてくれた。彼女たちとの仕事は、教わることも多く、楽しくもあった。

私は、妻パオラに格別の謝意を表明したい。彼女は忍耐強く、心を寄せ、そして無言で私を支えてくれた。

二〇〇七年三月、ニューヘヴン、コネティカット州にて

危機のプラハ　目次

目次

第二章　占領の始まり：一九三九―四一年

第三章　テロとレジスタンス

第四章　保護領の終焉

第一章　占領の日

大統領ハーハのベルリン行

ヒトラーは、東方にゲルマン民族の「生存圏」を作り出すという究極の目的の実現のために、その途中にあるチェコスロヴァキアの自由主義国家を破壊することに全く躊躇しなかった。一九三八年のドイツによるオーストリア併合後、英首相ネヴィル・チェムバレンは二度大陸を訪れ、ヒトラーの侵略の意図を和らげようとした。そして再び壊滅的なヨーロッパ大戦の勃発を回避しようとした。しかし成功する見込みは全く無かった。チェコスロヴァキアは、一九二六年にフランスと、一九三五年にソビエト連邦（ソ連）と条約を締結した。これらはまさしくドイツの侵略から身を守るためであった——ソ連は、介入を約したが、フランスが最初に行動を起こしていればという条件付きであった——が、依然として危険は去らず、攻撃を受けやすい立場であることに変わりはなかった。ハンガリー側からの侵略を警戒して成立した、チェコスロヴァキア、ルーマニア、そしてユーゴスラヴィアの小協商国間の相互援助条約は無力であった。

チェコスロヴァキア共和国内では、コンラート・ヘンライン率いるドイツ民族主義運動が、ベルリンの国家社会主義者（ナチス）の全面的支持を受けながら、プラハの支配に抵抗し、チェコスロヴァキアのほとんどのドイツ人が暮らしているズデーテンラントのライヒ（ドイツ帝国）への統合を要求していた。ナチスによるオーストリア併合の二か月後、一九三八年五月、ドイツ軍は越境侵攻の準備を完了し、チェコスロヴァキアは部分的に動員して、暗雲が立ち込めた。九月一九日、フランスとイギリスの大使は、新しい国境線を保証する代わりに、共和国がズデーテン地方をドイツに渡すよう要求したメモを大統領エドヴァルト・ベネシュに手渡した。これは、ドイツ国防軍による即時占領を避けるためであったが、見放されたチェコスロヴァキア共和国といくつかの友好国は、突然、孤立した。九月二三日、絶望的状況に陥って、チェコスロヴァキアはもう一度、陸軍と空軍の動員を行った。ここで、ヒトラーの盟友ベニート・ムッソリーニが、チェコスロヴァキア問題解決のために、四強者会議を提案した。

歴史上有名なこの会議は、九月二九—三〇日、ミュンヘンで開かれた。ドイツ、英国、フランス、そしてイタリアの代表が出席した。チェコスロヴァキア代表の出席は認められなかった。チェムバレン、フランス首相エドゥアール・ダラディエ、ヒトラー、そしてムッソリーニが、ドイツの要求をすべて認めた協定に署名した。ズデーテンラントは、一〇月一日付で、ライヒに統合された。この協定によって、チェコスロヴァキアは、歴史的領土の主要な部分、対ドイツの主要な要塞、そして、鉄鋼および織物工場の大部分を失った。さらに、ズデーテンラント喪失によって、ポーランドやハンガリーが狙っていた東部国境地域も失う恐れが出てきた。動員から一週間後、チェコスロヴァキア軍は、九月三〇日に降服した。

ミュンヘン会議は、チェコスロヴァキアから国境の防衛線を取り払っただけでなく、民主主義的伝統を著しく弱体化した。この国家は、一九一八年一〇月一八日、オーストリア＝ハンガリー帝国の解体から、周辺隣国とは対照的に、強固な議会制度を具備した自由主義的共和国として誕生した。そして、建国者で、初代大統領T・Gマサリクは、彼の忠実な協力者で、若き外相ベネシュとともに、様々な政党間の政治的バランスと相互作用を注意深く観察した。一九二六年までに、ドイツ自由主義者、カトリック教徒、そして社会主義者の代表が入閣し、一二年以上、閣内に留まった。一九三五年のマサリクの辞職の理由は高齢のためであったが、その年、ヨーロッパ情勢が著しく悪化した。そして、ミュンヘン会議とチェコスロヴァキア降服後、ドイツの圧力によって、ベネシュは、マサリクの後継者としての大統領職を辞せざるをえなかった。ベネシュは、二週間後の一〇月二二日、自家用機で国外に脱出した。しかし彼は、マサリクがそうしたように、ヨーロッパ情勢の変化を見極め、国際社会への働きかけを継続して、共和国再建を決意していた。一九三九年、彼はパリで「チェコスロヴァキア国民委員会」を設立した。この委員会は、外交組織ではなく、チェコスロヴァキアの亡命政府であった。一九四〇年の夏に、ロンドンで召集され、最終的に、英国とソ連、さらに連合国全体とアメリカ合衆国によって「亡命政府」として承認された。

ドイツのチェコスロヴァキアに対する作戦行動は、ミュンヘン会議以後、小休止していた。この中断は、英国世論の鎮静化と、早まった紛争を避ける目的であった。しかしズデーテン問題が、ヒトラーの意向に沿って解決すると、今度はスロヴァキア問題が前面に出てきた。ベネシュの後を継いだプラハ政府は、一〇月初めに、チェコスロヴァキアを連邦化してチェコ＝スロヴァキア共和国とすることと、スロヴァキアの首都として、自治政府および立法府（議会）をブラチスラヴァに置くことに同意した。少し遅れて、ヒトラーは、スロヴァキア分離主義者の勢力に目を付けた。彼らは独立の要求と、個人的に、彼らの軍事指導者に、ヒトラーからの十分な共感が得られることを請け合ったのであった。スロヴァキア民族運動の波が急激に高まり、一九三九年の三月初めまでに、プラハの大統領エミル・ハーハは、憲法に沿って、四人の分離主義的ブラチスラヴァ閣僚を罷免せざるをえなかった。そして、プラハに駐留していた軍団に共和国の守備を命じた。分離主義者が反乱を起こしたら、という但し書きがつけられていた。彼の行動は、まんまとヒトラーの計略にはまった。ヒトラーは、直ちに、スロヴァキア政府の首相ヨゼフ・ティソをベルリンに呼び出し、独立を宣言するよう圧力を加えた。あるいは、むしろ、恐喝した。ドイツがスロヴァキアに示したもう一つの選択肢は、ハンガリーによる占領であった。ハンガリーは、一九一八年にスロヴァキアを失って以来、その事実を受け入れることができなかった。面倒なことに、ドイツ軍の時計は既に回っていた。進軍の秘密命令が下っており、ドイツ軍はボヘミアとモラヴィアの国境に集結しつつあった。

この重大事に、大統領ハーハは、総統に、状況の明確な説明を求めて、会見を申し込んでいた。

大統領ハーハの運命的な三月のベルリン行は、チェコ人にとって、入念な外交的準備を整えた行動ではなかったし、有り得なかったであろう。計画の立案と実行は、全てドイツ人の手中にあり、老人はまんまと彼らの罠にはまったのであった。ハーハは、ベルリンで、彼は、スロヴァキア問題を協議するものだと信じていたし、彼の周りの人々は、閣僚も含めて、チェコ＝スロヴァキアが、ヒトラーに楯突くことをしなければ、まだ生き残れるチャンスがあると確信していなかった。彼らは、ドイツ軍による占領が差し迫っているという軍の諜報部本部長フランチシェク・モラヴェツ大佐から発せられた報告を信じようとしなかった。（モラヴェツは、チェコ人ジャーナリスト、フランスの第二局、そしてドイツ軍諜報部将校で二重スパイのA―五四という工作員から情報を得ていた。）モラヴェツは、義務を終えて、彼の記録ファイルを荷造りして、部下の将校を集め、KLM機に搭乗して、プラハからロッテルダムを経由してロンドンに飛んだ。彼らがロンドンの空港に降り立ったほぼ同じ時間に、ハーハの列車がベルリンに到着した。

一九三九年三月一四日、事態は急旋回した。正午に、ブラチスラヴァのスロヴァキア議会は、ドイツの全面的支持を受けて、裏工作もなく、スロヴァキアの独立を決議した。ベルリンの外務省は、在プラハ代理大使を通じて、ハーハに早急のベルリン召喚を通知した。（ヒトラーは、最初は、ハーハが飛行機で来ることを望んだが、結局、汽車で来ることを認めた。）プラハのドイツ大使館から、しかるべき通信手段を通して、ハーハに伝えられた。丁度そのとき、ハーハは、チェコ・カトリック司教と昼食をとっていた。その日の夕方には、国民劇場でドヴォルザークのオペラ「ルサルカ」を観劇の予定であった。

昼食後、急遽召集された関係者の一団は少数であった：大統領、娘のミラダ・ラードロヴァー（彼女はファースト・レディーの役目を果たしていた）、多くのイタリアのファシストから疑いの目で見られていた外相フランチシェク・フヴァルコフスキーと、彼の事務員の一人。ドイツとの協力関係について独自の考えを持っていた大統領秘書官ヨセフ・クリメント博士、大統領マサリクの良き時代を知っていた執事ボフミル・プシーホダ、そして警視正が同行した。数人の政府関係者が、大統領の休暇願いを受け取った後、特別列車はヒベルンスカー駅を、午後四時に出発した。ラードロヴァー嬢は、汽車がチェコ領土外に出た時に、彼女の乗っていた車両の窓に銃弾が撃ち込まれたのをはっきりと感じた（それは汽車に目がけて石が投げられたのかもしれない）。一行は、午後一〇時の数分前にベルリン駅に到着した。予定通りに、儀仗兵、国務大臣オットー・マイスナー博士、およびベルリン駐在チェコ大使ヴォイチェフ・マストニーの出迎えを受けた。

真夜中に、ドイツ外相ヨアヒム・フォン・リッベントロップがホテル・アドロンに挨拶に顔を出した。ハーハは、弱小国家が大国と向き合うときの難しさについて、数語の儀礼的発言をした。そして外相が去って程なくして、ヒトラーが首相官邸でチェコの要人と会見する用意ができた旨の報せがあった。今、午前一時ごろであった。ヒトラーは、いつものように映画を観ていたが、B級西部劇ではなく、もう少し上品な映画、エーリッヒ・エンゲル監督、イェニー・ユゴー、カール・ルードヴィヒ・ディール、そしてアクセル・フォン・アムベサーらが出演していたドイツ・コメディー『絶望の事件』を観ていたのであった。首相官邸の中庭には、もう一人の儀仗兵（軍隊ではなく、ＳＳ）が武器を携えていた。そして、ハーハとフヴァルコフスキーは、ヒトラーと、ちょうどイタリアでの休暇から帰ったばかりのヘルマン・ゲーリングや、国防軍最高司令部のヴィルヘルム・カイテル、外相および翻訳官（ハーハは流暢なドイツ語を喋ったので、翻訳官は不必要であった）、そして議事録の速記録作成のための顧問官ヴァルター・ヘヴェルを含む雑多な一団に迎えられた。

ハーハは、由緒ある学校出の紳士であり、まずはヒトラーに自己紹介を行った。しかしながら、彼が穏やかに謙遜しながら実際にどのように発言したのか、あるいは、会話の中でヒトラーの真意を汲み取る努力をしたかどうかを確かめることは困難である。ジャーナリストや歴史家は、この問題を様々な文脈で捉えてきた。ヘヴェルの速記録（ヘヴェルは、一九四五年に、ソ連兵に捕えられるのを嫌って、ベルリンの街で自殺するほどにヒトラーの忠臣であったが、信じない訳にもいかない）、あるいは一週間後の三月二〇日に書かれたハーハ自身の備忘録、あるいは、四月に、チェコ人作家カレル・ホルキーに許可したインタヴュー記事などから引用されている。ハーハは、どちらかと言えば、自分自身を、ヒトラーの考えに気を使った、政治に関心の薄い公務員として描きたがった。そしてマサリクやベネシュとはあまり親しくなかったことを示そうとした。（このことは間違いないが、マサリクは彼を最高裁判事に任命したし、二人の大統領は彼の法律的手腕を十分に信頼していた。）チェコスロヴァキアにとって独立国家であることが幸福なのだろうかと自問したとも言った。違う場面での発言であれば不敬罪にもなりかねない。最近のスロヴァキア問題での干渉を憲法上の根拠に基づいて弁護した。そして、民族問題をつねに意識して、チェコ人が自律的な民族的生活を維持したいという希望を理解する者として、ヒトラーに訴えた、といった文脈である。

ヒトラーは、ハーハの丁重な言い分を一蹴した。彼は、スロヴァキアの問題など全く興味はない、と無愛想に答えた。そしてチェコ人のドイツ人に対する侮りがたい虐待のゆえに、彼は陸軍に、朝六時きっかりにチェコ領内に進軍し、彼の言うチェコ＝スロヴァキアを第三帝国に併合するよう命令を下した、とハーハに告げた。しかし、と彼は続けた、チェコ人は「オーストリア時代に享受した以上に、完全な自治と自律的生活」を許されるだろう、と。客人は彼に何も反駁できなかった。なぜなら、「如何なる抵抗であれ、最も残酷な結果を招くであろう」と、ヒトラーが喚き始めたからであった。それでもなお、ハーハが対話にこだわり、チェコ軍の武装解除を実現する他の道はないだろうかと問うたが、ヒトラーは、彼の決定は最早取り消せないと主張した。ここで、チェコの大統領は、残された短時間のうちに、チェコの全軍に通知することが可能であるかどうかを問うた。（その時点で、朝の三時近くであった。）ヒトラーは、彼のオフィスの電話を自由に使ってよいと言った。チェコの客人は、別の部屋に移された。ハーハは最初に、プラハに居た防衛相ヤン・シロヴィー将軍を電話に呼び出し、可能な限りドイツ軍への抵抗を止めるように命じた。ハーハとフヴァルコフスキーは、プラハの政府に電話をかけまくった。奇妙な中止命令であった。なぜなら、将校たちは辞表を提出済みであったが、ハーハはまだそれを受け取っていなかったのだから。

その間に、共同宣言の文言が回されてきた。六七歳のハーハは、憔悴しきっていた。彼は、テオ・モレル博士の処方したグルコースの注射を、最初は拒否したが、その後受け入れた。モレル博士は、ヒトラーの侍医で、注射崇拝者であった。善良な警官役を演じたゲーリングは、ハーハを脇に呼んで宥めるように、穏やかな口調で言った：フランスやイギリスに対してドイツ人パイロットの実力を誇示するために、あの美しい都市を空爆破壊せよなどとドイツ空軍に命令を下したくはない、と。

ハーハは、少なくとも、政府の名において共同宣言に署名することは出来ない、と言った。チェコ人の運命は総統の手中にあるとか、ハーハがその文言を挿入したとか、そういったことが言語学的論争に発展したというのは、若干、後からの作り話のように思われる。最終的に、ハーハとフヴァルコフスキー、ヒトラー、そしてリッベントロップが、午前三時五五分に、正式な共同宣言の文書に署名した。ドイツの軍事的占領は一時的であろうと信じていたチェコの大統領は、彼の国民の運命を総統の手の中に委ねることになった（修辞的な記述は、一週間前のスロヴァキアの役人によってもなされていた）。共同宣言の文言は、直ちに電話でプラハに伝えられた。そして、四日前からカイテル将軍によって準備されていた文書に基づいて、七つの追加項目を定めていた。ドイツ軍によるボヘミアおよびモラヴィアの占領に対して、チェコスロヴァキアの軍や警察は一切抵抗しないこと、航空機はすべて地上に着機し、対空砲はすべて撤去すること。公共生活や経済生活は継続すること。公共メディアには厳しい制限がかけられた。三月一五日の午前一一時に汽車がベルリン駅を出発するまで、ハーハと側近たちがどのように時間を過ごしたのか未だに不明である。しかし、確かなことは、ヒトラーが（特別列車に乗り、自動車パレードを行うために）ハーハよりも先にプラハに着けるように、ドイツ当局がハーハらの出発を数時間遅らせた（悪天候を理由に挙げているが）ことである。

エミル・ハーハ：裁判官と大統領

ハーハは、ファシストの協力者か、あるいは英雄的愛国主義者か、あるいはその両方か、という延々と続いてきた議論は、客観的な歴史学の研究を困難にした。この問題は、五〇年以上たってようやく、トマーシュ・パサークとロベルト・クヴァチェクの著作の中で論じられた。しかし、非人道的で凶暴な秩序の破壊者であるヒトラーを、国民の最も高尚な裁判官で弁護士でもあったエミル・ハーハに対峙させた一九三九年のドラマは、シェイクスピア的様相を呈し、悲劇と最も残酷なアイロニーを生みだしたと言わざるを得ない。美徳と無知、頑固さと救い難い自己憐憫の人として、ハーハを断固として擁護しているヴィート・マハーレクによって書かれた伝記から学べば学ぶほど、国家政体よりも国民の救済に尽力している老裁判官の不屈の精神をみるような気がする。そして、チェコの歴代の諸王の城で過ごした最後の年月の間に、彼が被った恐るべき肉体的精神的変化に同情を禁じ得ない。

ハーハの先祖はボヘミア南部の小土地所有農家、ビール製造業の親方、森林官、そして彼の父親の代で土地を離れて税務官を勤めた。長男エミル（一八七二年七月一二日生、トゥルホヴェー・スヴィニにて）は、小さな町のギムナジウムを含めて、進級が早く、父親の期待を超えて、プラハ大学の法学部の学生となった。弟テオドルは、アメリカに留学して、ニューヨーク（ロングアイランドで暮らしていた）のクーパーユニオンで工学を学んだ後、一九〇四年、アメリカ市民権を得て帰国し、プラハで職を得た。当時の写真からは、エミルが美男子で上品な学生であり、母親譲りのふっくらした唇とエネルギッシュな鼻といった特徴が窺える。（これらは、彼が目立って背が低いということを示すものではなかった。）そして当時の時代を考慮に入れれば、彼が文学や音楽への興味を持ち続け、母方の従妹で将来の妻マリエがピアノを弾き、ワーグナー歌曲（イゾルデ）を歌うときに、熱心に聴き入っていたのは驚くにあたらない。

エミルとマリエ（後に、彼女の親友からクイーンメアリーと呼ばれた）は、一九〇二年二月二日に、プラハで結婚した。そして彼らの一人娘ミラダが、一九〇三年の初めごろに生まれた。若い法律家は、結婚後、司法雑誌に学術論文を発表する傍ら、精力的に詩作や文学研究（特に英文学を好んだ）に傾注していた。彼の詩は、傑作というよりも堂々とした出来栄えであり、当時の新進芸術を感じさせる。象徴主義あるいは世紀末と呼ばれた潮流であった。デカダン派芸術家では、ヤロスラフ・ヴルフリツキーやイジー・カラーセク・ゼ・ルヴォヴィツとの交際があり、ベルギーの象徴主義者エミール・ヴェルハーレンを称賛していた。詩の中で、彼はいつもマリエに語りかけ、彼の夢を散文的職業と対比した――「翼の代わりに、松葉づえ／私の旅はありきたりの平原へと続く／水源から水をすくって飲むことはまれである／露の滴を手に受ける」――彼は、花嫁に深く魅せられた心情を詠った：「ラファエル前派[1]の女性たちの化身であるあなたの肉体／あなたの素晴らしい目と古金色の髪／あなたの美しい歌声にわたしは身動きもとれなくなる。」一九〇二年、ハーハは、旧オーストリアとは違った法体系の研究と、現代文学を学ぶためにイギリスに渡った。そして、「アメリカ市民」であった彼の弟と一緒に、翻訳本を出版した。ジェローム・Kジェロームの人気小説『ボートの三人の男たち』、R・キプリングの詩『もしも』、そしてロバート・Lスティーヴンソンのフランソワ・ヴィヨンに関するエセーの翻訳を、一九〇二年のほぼ同時期に出版した。一九〇三年、イギリスの著作出版事情について、プラハの有力雑誌に投稿するための原稿作成で忙しかった。そして一九〇四年、コナン・ドイル、キプリング、H・Gウェルズ、そしてブラム・ストーカーに関する長大な論考を発表した。教育を受けたチェコ人読者に、イギリスの文学界の動向を報告したのであった。

しかし、文学者としての生涯は貫けなかった――法律の勉強と職業に妨げられて――そして、ハーハはイギリスの法律学と文学の両方に生涯共感を持ち続けたが、彼の望みであった文学者にはなれなかった。（一九三八年一一月一〇日、ロンドンのベネシュ宛ての英語の書簡の中で、一九三八年一〇月三〇日にチェコスロヴァキアの大統領に

1　Pre-Raphaelite ラファエル前派：一九世紀中ごろ、イギリスの三人の芸術家によって興された芸術革新運動。ラファエロ以前のイタリア初期ルネサンス芸術への復帰を提唱し、象徴主義の前駆となった。その後、ヨーロッパ全体の芸術、文学に影響を与えた。

選ばれた後、「全力を尽くします」と誓った。）しかし、少なくとも、生涯に亘って収集し続けた近代彫刻、絵画、そしてグラフィックアートにおける興味を、法律の仕事に結びつけようと努力した。周知ではないが、中年以降も、彼は森のハイキングや、ボヘミアの川での水泳が好きだった。それも寒い時期を好んだ。彼のいとこで、プラハ＝ジシコフの教区司祭は（間違った考え方で）、彼に（休日の多くを、オーストリアやスロヴェニアのアルプスで過ごすことを好む）登山家になるよう、そして、仕事に厳格な男性のみで構成されるチェコ・アルピニスト協会の創立メンバーになるよう勧めた。

研究生活を終えた後、ハーハは、三年間、ある法律事務所で働いたが、そこは窮屈な職場であった。一八九八年までに「ボヘミア王国オーグスト行政評議会」の会員となり、ロブコヴィッツのイジー公の監督下に一八年近く働き、年々、そこでの仕事内容や地位が向上した。彼の理想は、法律には忠実であるが、不偏不党のイギリス風の真の「公務員」になることであった。（公務員は、政党からの忠誠の要求に腹立たしさを覚えるであろう、と共和国時代に書いていた。）一九一六年にウィーンに招喚され、宮中顧問官となり、オーストリア＝ハンガリー高等行政裁判所に配属された。しかし、祖国への忠誠心は衰えることなく、一九一八年にチェコスロヴァキア共和国が誕生したとき、彼はウィーンからプラハに戻り、チェコスロヴァキア高等行政裁判所に勤めることになった。国民の政治的、行政的、そして経済的体制上の、そして憲法上の権利を奪われていると感じた人々が補償を求めて裁判に訴えている時、一九二五年一月二二日、人々の正当な権利を守るために、マサリクはハーハを裁判長に任命した。

一九〇九年までに、ハーハの法学の学術論文が専門雑誌に掲載されるようになった。すなわち、「イギリス議会主義における訴訟手続き」がそのひとつであった。彼はプラハ大学の法学部の講師を務め、著名な教授の委員会のメンバーでもあった。一九二六年以降、試験委員会のメンバーに加わり、大部のチェコスロヴァキア公法辞典の編集に携わった。彼自身は一二項目以上について執筆を担当した。そのうちのひとつが労働法であった。一九三四年に、自治体行政に関する新プロシア法とチェコ法の比較論を書いた。その中で、民主主義と代議制を信じる者は、総統の独裁を受け入れることはできないという考えを明確にした。

一九三八年九月末の、ミュンヘン協定という恐るべき出来事は、自由主義的共和国の全市民生活に影響を及ぼし、恐らく、エミル・ハーハにとって人一倍大きな衝撃であったであろう。彼は引退を希望していたし、ボヘミア南部の小さな町で弁護士として、研究生活、芸術作品の収集、そして二月に亡くなった妻の思い出に耽るつもりでいたが、時代はその夢を許さなかった。共和国、あるいはその遺残物は、チェコ＝スロヴァキア連邦国家となった時に、劇的な変化を被った。以前三二以上の政党がしのぎを削っていたが、国民統一党（保守的で、右派）および国民労働党（左翼自由主義者、社会民主主義者、そして数人の共産主義者）からなる二つの党組織のコンセンサスに基づいて、権威主義的民主制とも呼ぶべき矛盾した体制が登場した。降服した軍はドイツの命令に従って武装解除された。ドイツの圧力下に、大統領ベネシュは、一〇月五日に辞職し、一〇月二二日にイギリスに亡命したので、憲法に従って、議会は新しい大統領を選出せねばならなかった。候補者は真に偉大な人物でなければならないという点で、世論は一致していた。候補者リストには多くの名前があり、様々であった。チェコスロヴァキアの最も裕福な資本家ヤン・バーチャの名前や、有名な作曲家J・Bフェルステルの名前も挙がっていた。

ハーハの名を大統領候補として挙げたのは、保守的な農民党の老練な党首および国民統一党の新しい党首でもあったルドルフ・ベランであった。ベランは、新大統領は法律、秩序そして国家再建といった重大な問題に取り組まねばならない、と信じていた。ハーハは、元来、指名に抵抗していたが、国民労働党を含む他の政党の賛同も得られた（恐らくは、ベランの根回しがあった）。一九三八年一一月九日、プラハのルドルフィヌム（音楽公会堂）で開催された両院の議会で、二七二票の賛成票（三九票のスロヴァキア賛成票を含んでいた）を得て、ハーハが大統領に選ばれた。そのホールで大統領就任式が執り行われ、ハーハは厳粛な宣誓を行い、直ちにフラチャニー城の大統領府に入った。彼はそこで、あるいは近くのラーニイ城で、一九四五年五月一三日まで大統領職にとどまったが、チェコ警察が死期の迫ったこの男をストレッチャーに乗せてパンクラーツ刑務所に運び、そこで彼を犯罪者として裁判にかけることになった。彼の娘ミラダは、父親と一緒に連行されたが、レトナー公園で、突然、放り出されて、帰る当てのない彼女は、混血ユダヤ系の内縁の夫のアパートを訪ねた。男は何も言わず、彼女を家の中に入れた。

公務員で高等裁判所判事である彼が、劇的な瞬間で、政治過程に介入するチャンスが一度だけあった。（ヴィート・

マハーレクの弛まぬ研究がなければ、ほとんど知られることがなかったが。）ミュンヘン協定の数日前、ハーハは私信の中で、チェムバレンの平和への努力は、残念ながら、チェコスロヴァキアの犠牲の上に成し遂げられるであろう、という見解を述べていた。共和国は、過去数年間は幸運であったが、今はどうだろう？　ハーハはこの懸念から、ベネシュに電話をかけ、貴重な時間をとらせて申し訳ないこと、そして大統領がフランスやイギリスとの交渉を打ち切って、ベルリンに代表を送り、ヒトラーと直に諸問題を話し合って、最悪の事態を回避することを提案した。これは長年のチェコスロヴァキアの外交政策に叛いていたが、ベネシュは、ハーハの提案を考慮すると丁重に返答した。ミュンヘン会議が終わったあと、ハーハは、ベルリンに代表を送ることが、少なくとも熟慮の末であったかどうかを歴史自体が判定を下すであろうから、ベネシュは彼の提案を無下には扱わないであろうと私信で表明した、「彼は、獰猛な怪物に立ち向かった、と言われるであろう。」ハーハは、五か月後に、彼自身がその怪物に直面することになろうとは夢にだに思わなかった。

一九三九年三月一五日：占領の日

ドイツ軍と警察によるチェコ諸邦の占領計画は、一〇月一〇日と一二月一七日のヒトラーの極秘命令に沿って抜かりなく準備されていた。ヒトラーは、軍に、援軍を動員することなく「和平」行動を遂行するよう命じた。そして、天候は、時々吹雪となる荒れ模様であったが、事は滞りなく運んだ。チェコ＝スロヴァキア共和国は解体され、三月一五日の朝、プラハの新聞は、スロヴァキアが独立を宣言したことを伝えた。ザカルパッチャ・ルテニア（大半がウクライナ西部で、スロヴァキアやポーランドの一部を含む歴史的地域）がそれに続いたが、すぐにハンガリー軍によって占領された。

侵略は、事実上、三月一四日の夕刻から始まっていた。その日の夜中から翌朝にかけて、ドイツ軍は北、北東、同時に南部ボヘミアやモラヴィアを通ってオストマルク——すなわちオーストリア——から侵攻した。正規軍とＳＳは、石炭と鉄鋼の重要な町オストラヴァを確保するために、北東のコブロヴ、ペトシコヴィツェ、そしてスヴィノフ近郊で国境を越えた。ただし、これらの軍の行動は、ドイツ外交筋によってきっぱりと否定された。あるいは、スロヴァキアとの開かれたコミュニケーションを維持するためであるという言い逃れがなされた。午後六時過ぎ、ドイツ軍はミーステクの近くの町を占領した。そこで彼らは、オストラヴィツァ川に架かる橋の近くで、工場跡のチザヤンカ兵舎に駐留していた第八歩兵連隊の第三大隊のチェコスロヴァキア軍と遭遇し、その日の夕方から夜にかけて戦闘が行われた。正規軍が行った唯一の戦闘であった。三月一五日早朝までに、第三および第五陸軍部隊、および他の混成部隊からなる約三五万人を擁するドイツ師団が、四方面から襲いかかった。ほぼ同時に、ケッセルリング、シュペーレ、そしてレーアら三人の将軍指揮下のドイツ空軍がチェコの領空に侵入し、プラハの飛行場ルズィニェ空港を占領した。侵略者は、近くに駐留していた第一砲兵連隊の司令官ヨセフ・マシーン（後に、レジスタンスのメンバーとして射殺された）が、命令を無視して飛行場を守るつもりでいたことを知らなかった。彼は降服の道を選んだ上司と衝突したが、結局、折れてしまった。

午前七時四五分までに、北部から侵攻したドイツ軍はムニェルニーク・ラジオ局（チェコスロヴァキア共和国によって、ナチのプロパガンダに対抗して、ズデーテン・ドイツ人向けの、より自由な見解を報道するために、数年前に創設された）を制圧し、ドイツ軍は間もなくプラハ人民放送局として、放送を開始した。プラハでは、数人のドイツ人大学生が、国防軍兵士を出迎えようと、都市の境界まで繰り出した。ドイツ軍の隊列は、午前九時前に、プラハに入城した。警察車両を先頭にして、その後ろに、自動車に乗った歩兵隊、オートバイ、そして機関銃を装備した装甲車が続いた。その間に、プラハ本駅では、重砲や戦車が降ろされ、ちょうど午前一〇時四二分に、都市の中心で守護聖人像のあるヴァーツラフ広場に集結したことをリドヴェー・ノヴィニ（かつての自由主義新聞）が報じた。他の隊列がデイヴィツェの国防省と、チェコ軍の儀仗兵によって監視されていたフラチャニー城に現れた。大統領は不在であった。

「プラハは平穏である」と、新聞は口をそろえて報じた。チェコの都市民の混乱、絶望、そしてショックは全く見られないことを示すために繰り返された言葉であった（あるいは、ファシストの迅速な権力奪取の決意表明であった）。現存の写真を見ると、通りや広場は、ドイツ軍隊列の行進を見ようと詰めかけた黒山の人だかりである。群衆に紛れて、数人の熱烈なドイツ婦人が、スミレや勿忘草の花束を投げ込んでいる。チェコ人の男女（子供たちは学校であった）は、その様子を無言で見守っていた。涙、険しい顔、こぶしを固めて突き上げているが、しかし、その日の遅くには、ドイツ軍の武器やオートバイが好奇心の対象となった。黒っぽいコートとヘルメットを身に着けたチェコ人警官は、時折、感情を隠しきれない様子であったが、大勢で民衆を舗道に押し戻したり、交通整理を行っていた。ドイツ人は、本国と同じように右側通行であったが、時折、チェコ風に左側通行に切り替えたりした。

陸軍第三部隊隊長であり、今や占領プラハの指揮官でもあったヨハネス・ブラスコヴィッツ将軍は、市民に向かって、公共生活および経済生活はこれまで通りに妨げられることはないという趣旨の宣言書を、ドイツ語と正確なチェコ語で発行した（赤い字で書かれ、多くのコピーが街中に貼られた）。チェコ警察署長は、即座に、午後九時から朝六時までの夜間外出禁止令を発令した。カフェ、劇場、そして映画館を含む公共の場についてであったが、労働者の出勤や帰りの時間はその限りではなく、寄り道しないように命じた。（夜間外出禁止令は二四時間以内に解除された。）ドイツ人将校は礼儀正しかったし、ほどなく舞踏会に招待されるようになった。歩兵隊のヘルマン・ガイヤー将軍は、国防省の司令部を訪問し、もうひとりの将軍は、大統領ハーハの城内大統領執務室の室長イジー・ハヴェルカ博士を訪ねた。そしてもうひとりの将校は、プラハ市長に賛辞を述べた。この市長は後に処刑されたが。

外国大使館の観察者は、最初の数日間、プラハ占領は単なる軍事行動の一環であると解釈した。少なくとも、一年前のウィーンで起こったことと比較してそう思われた。ウィーンでは、ユダヤ人が暴行を受け、さらにナチ市民仲間によって舗装道路の掃除（時には、歯ブラシを使って）を強制された。しかしプラハでは、軍隊がしばらくの間、街を支配しただけであった。そして、オーストリアでは、ゲシュタポの先発隊が、前もってリストに挙がっていた七万人の人々を素早く逮捕したが、チェコでは、あまり知られてはいないが、一九三八年一月六日の協定に基づいて、チェコ警察がドイツ保安部隊と協力して、ドイツ人反ナチ亡命者や共産主義者を処分することになっていた。四六三九人がリストアップされ、ゲシュタポは、そのうちの一二二八人の活動家を捕えた。いわゆるアクチオン・ギッテル（大量逮捕）である。

三月一六日と一八日、軍事情勢や世界情勢に関するニュースの間に埋没してしまったが、新聞に掲載された二件の短い記事が、来るべき事態を予告していた。これらの記事は、弁護士会と医師会に関する報道であった。これらの協会では、最近、露骨な反ユダヤ主義的決議がなされていた。当面、チェコ政府はユダヤ人問題をできる限り回避したかったのであるが。チェコ弁護士協会は、非アーリア人会員（「ユダヤ人」という表現は注意深く避けられた）は、業務を継続するために、アーリア人風の名前を名乗るべきであると通達した。もしも二四時間以内に所与の返答がなければ、協会の権限に於いて処遇を決めることになると。チェコ医師会組織は、迷わず、国への義務を意識し、チェコ人とドイツ人医師が過去において忠実に協力し合って働いてきたことを思い浮かべながら、全ての非アーリア系の医師は、公共の医療施設の職場から直ちに追放されるべきであると宣言した。

これらの通告は、弁護士協会や医師会組織内での小ファシスト集団、とりわけ「民族再生行動」（ANO：Akce

národní obrody）の未確認活動による、先を見越した処置であった。そして占領者はまだ如何なる圧力もかけていなかったが、これら二つの専門家組織は、チェコスロヴァキア社会の正義と健康を守るために、迷うことなく、彼ら自身の手で物事を進めたのであった。ともかくも、ゲシュタポは、内部の回覧で、いくつかの偶発事を除いて、チェコ人はこれといった抵抗を見せなかったと報告した。だが様相は変化していった。

プラハのヒトラー

ヒトラーはハーハに、チェコ人の「自治権」について語った。個人的には見下していたが、将来の公的条件は決めておかねばならなかった。ハーハがベルリンを発った直後に、ドイツ外務省の法的部門の部長フリードリッヒ・ガウスは、覚書を作成した。その中で、二つの「保護領」、ひとつはボヘミア、もうひとつはモラヴィアを置くこと、そして両者に、ドイツ帝国の利益を代表する「総領事」が設置されるべきであると提案した。明らかに、ヴォイチェフ・マストニーが分析してみせたように、外務省は、この問題が前年のミュンヘンのような国際会議の場に持ち込まれることを回避したかったし、ガウスの表現によれば、あくまでもプラハ政府との合意に基づいていたという「フィクションを維持」したい、と望んでいた。

出来心で、三月一五日の朝、ヒトラーは自分自身でプラハに行くことを決心した。党職員、軍人、そして外務省の専門家が同行し、ズデーテン地方で特別列車を降りて自動車行列に変更し、凍てついた道をプラハに向かい、側近たちを狼狽させた。この行列を先導したのは、ズデーテン・ドイツ党の指導者のひとりヘルマン・フランクであった。彼はほどなくヒトラー政権の不可欠の人物となった。午後八時、一行がフラチャニー城に到着した時には、どっぷりと夜が暮れていた。豪奢なビュッフェが、流行の料理店主リッペルトによって準備されていた。自分たちのために用意されたと思い込んでいたドイツ人占領将校でごった返していたが、リッペルトは融通を利かせていた。すぐに新しい食料品が送り届けられ、ヒトラーは、彼の主義に反して、チェコのビールとハムにありついた。大統領ハーハは、ヒトラーの到着に気づかずにいたが、フラチャニー城の他翼でチェコ政府関係者と会った時に、招かれざる客が同じ屋根の下にいることを聞かされた。

三月一五日から一六日の夜にかけて、ドイツ外務省専門家は、ボヘミア、モラヴィア保護領に関する総統令の最終草稿作成の準備にとりかかった。文書は最終的にヴィルヘルム・シトゥッカルトによって手直しされた。彼は一九二二年以来のナチ党のメンバーであり、一九二三年のミュンヘン一揆の参加者でもあった。ナチスの突撃隊の創設者でもあった。そして内務大臣として、占領地域の統率に手腕を発揮した。

総統令は、大統領ハーハのベルリン滞在中に作成されたものではなく、一三条あり、新しく占領された地域の法体制を規定し、ライヒの当局者が、必要とあらば、被占領者の権利や特権を剝奪することを可能にした。第一条は、国防軍に占領されたボヘミアとモラヴィアは、今や、「ライヒの領土である」と規定した。ドイツ人はドイツ帝国公民となり、ドイツ人の血と名誉は法律によって守られる。ドイツ人以外の市民は保護領の諸民族と定められる（第二条）。保護領は、「自治権を有し、自らを統治することになる」（第三条）。そして大統領は、「国の長の資格を有する」（第四条）。（後に、せいぜい儀仗兵程度の、小さな国民軍の総司令官に限定された。）チェコ政府は、国民自治の法的実体であることを主張したが、総統令は、ライヒが地域の外交権や防衛権を専有すると主張した（第六および七条）。また、総統によって任命され責任を負う「総督」府がプラハに置かれ、ライヒの利益を守り、「総統やライヒ政府の政策が遵守されている」かどうかをチェックする役目を与えられた。総督は「ライヒの利害に関わる政策を監督」し、法律、法令、その他の命令が、利益を阻害したり、あるいは、「ライヒの抱懐する守護の精神に背く」場合には、それらの公布を差し止める権限を有する（第一二条）。

この総統令は、三月一六日の午前中に、リッベントロップによって、ラジオ放送で読み上げられた。（ハーハは、この宣言を、城内の彼の部屋で聞いた。）ヒトラーはどこかの建物のバルコニーにしばらく姿を見せ、歓喜に沸くドイツ人に手を振った。城の中庭で、（チェコ人による暴行の犠牲者としての役を演じた）ナチ学生の集まりを視察し、チェコ政府関係者や大統領ハーハから話を聴いた。そしてすぐに帰路についた。総統の心は、プラハの魔法にかかることがなかった。彼はズデーテンラントで睡眠をとり、翌日、オロモウツやブルノを経由してウィーンに移動した。そこでは、ホテル・インペリアルに宿泊し、コンスタンチン・フライヘル・フォン・ノイラートを保護領の総督に、K・H・フランクを総督代理に任じたことを発表した。

第三帝国は突然に（個人史）

ある日、モラヴィアの州都ブルノにある私たちのアパートの外で、誰かが、「Pol[l]ak さん、旗を掲げなさい。ドイツ人がいるよ！」と叫ぶ声が聞こえた時、私にとっての第三帝国が始まった。私はまだ、彼の名前のつづり字で、lが二つ（そうであれば、ユダヤ人）なのか、あるいはlがひとつ（そうであれば、チェコ人）なのかは知らなかった。私は後に、その日、地域のナチ党が、周辺地域と結託して、昼までにやってきた国防軍より先にその都市を掌握したことを知った。前日、ナチの連中は街頭でチェコ人と衝突し、夜中に混乱と不穏な騒音が絶えなかった。私の継父は、ユダヤ系の外科医で活動的な社会民主党員であったが、慌ただしく姿を消した。私は、彼がロンドンに行こうとしていたことを母に告げたかどうかは知らなかった。彼は私にプラハに行くと告げたのであったが。ひとり物怖じしない母は外国には行きたがらなかった。というのも、彼女のユダヤ人家族、とりわけプラハにいる母親の近くに留まっていたかったからであった。

私は一六歳であった。もうじき一七歳になろうとしていた。政治、女の子、映画、そしてジャズ（多分、この順番で）について興味をもっていたが、誰もが口にしていた厳しい危険な時代が突然やってきたことを理解できる年齢であった。私は継父を愛していなかった（性的な事柄に関する彼の臨床的語り口にぞっとして）が、彼の政治的理念や実践活動には共感した。彼はモラヴィアの小さな町の出身であった。ウィーンの学生時代に社会主義を学び、一九三四年のオーストリア内戦の後、モラヴィアに逃れてきた多くのオーストリア社会主義者と個人的に親しくしていた。ブルノ郊外で、彼らの新聞編集やその他の地下出版に協力した。そして、これらの出版物を臨床用の車に積んで、国境を越えて密かにオーストリアに運んだ。小さなタトラ自動車に私が乗っていたのは、単に我々が家族旅行をしているという偽装のためであったのだろう。私は彼の執筆した新聞記事を読んだ——民族主義の学者ヴェンツェル・ヤクシュ博士よりは、当時、チェコスロヴァキア政府の一員であった伝統主義者ルードヴィッヒ・チェヒ博士に近かったモラヴィアの『民族の使者』、それと同様に、オーストリア社会主義の最も有名な社会主義者オットー・バウアーが、私の理解を超えた専門用語で状況分析の論説を掲載していた月刊誌『デア・カンプフ』など。そして、かつて武装した「社会主義オーストリア防御同盟軍」を率いたことがあり、現在はスペイン共和国軍の将軍であるユリウス（フリオ）・ドイッチュが寄こした挨拶の手紙などを継父が受け取ると、私はとても誇らしかった。私の中産階級のチェコ人学校の友人たちは、この話をしても、一体私が何の話をしているのか理解できなかった。

私の政治的知識は、スペインの内乱やミュンヘン協定によって大いに深まった。私は共和国スペインを支持して街頭デモに参加し、チェコスロヴァキアがミュンヘン後に、ドイツに対して軍隊を動員したときも、直ちに国民軍に志願兵として入隊した（私は正規軍に入隊できる年齢に達していなかった）。一九一八年型ライフルを渡され、銃の構え方を教わり（戦場では最も重要なこと）、辺鄙な路面電車の駅からあまり遠くない丘を登ったり下ったりして護衛の訓練を受けた。私の新しい学友は、女の子も含めて、一九三八年九月初めごろのある朝、私がぼろぼろの軍服を着て、腰に長いロシア式の銃剣をぶら下げて登校したときに、驚いた。母は、私をドイツ人学校からチェコ人学校に転校させたところであった。そして私のチェコ語の動詞活用型はまだ不十分だったので、チェコ民族主義で有名な国民軍に入隊した経緯をみんなに分かってもらうのは容易なことではなかった。民族的信条からではなく、チェコスロヴァキア共和国が危機に瀕しているがゆえに入隊したことを説明した。私は今でも、この決心を誇りに思っている。私は直感的に、民主的共和国の理念を、言語や民族性よりも上位に置いたのであった。そして数日後に国民軍が動員を解かれたとき、再度、街頭デモに参加し、国防を捨てて国境の要塞から撤退するように命じたチェコ政府の即時退陣と、もっと勇敢で堅固な政府の樹立を要求した。

学校の入学許可を得るとすぐに、私たちはプラハに引っ越して、祖母や叔父（伯父）叔母（伯母）と合流した。私たちは祖母と一緒に、カレル広場近くの近代的なペントハウスマンションに転居した。母と祖母は寝室で、私は居間のソファーで寝た。このマンションを貸してくれた叔父が、私の継父と一緒に（私の予想通り）オランダを経由してロンドン行き最終便で亡命して居なくなったので、部屋のスペースは十分であった。叔父は、亡命先で、弾薬工場およびロンドン・ミッドランド鉄道の検査官として、戦争期間を通じて働くことになった。チェコ人かドイツ人か、（ユダヤ人であることを公言する人は周りにいなかった）自分の人種的アイデンティティを明確にすることが重要な時代に、私には、明確なアイデンティティをもった民族団体と繋がりを持つ機会はあまりなかった（国民軍の中にいた期間を考慮しないで）。私は多くの新しいチェコ人学校の友人に受け入れられて満足であった。溶け込もうと努力した変わり者ではあったが、彼らと（多かれ少なかれ）政治的姿勢を共有した。

二者択一的に平準化が求められた時代に、私の特殊な民族的帰属を説明するのは非常に困難であった。母方のユダヤ系家族は、ボヘミアの村からポジェブラディ（カフカの母親の生誕地）の小さな町へ転居した。そして一九〇〇年にはもっと安全性の高い町プラハに転居した。（レオポルド・ヒルスナーと名乗る失業者が、チェコ人少女「儀式殺人の罪（冤罪）に問われ、地方のユダヤ人の店はチェコ人の暴徒に襲撃された。）私の父方の家族は、生活に窮して、今日ではドイツやイタリアの観光の中心地となっている南チロルのガルデーナ渓谷を去った。彼らは伝統的な意味で南チロル人ではなく、ラディン語を話す農民[2]であった。彼らは歴史的意味を深く考えることもなく、上オーストリアのリンツ、そして一八八五年までにプラハに移住してからドイツ語を使い始めた。父方の祖母だけがラディン語を使い続けた。

これら二つの家系は、出自、宗教、そして語法の違いによる相互不信や齟齬から脱却できなかった。ニュータウンのユダヤ系家族では、数人の叔父さんたちがチェコ文化に同化し、ラディンの家系は、バロック・カトリックで、オールドタウンの最も古いごみごみした地域の共同住宅に住み続けた（逆説的であるが、フランツ・カフカの家族は、その片隅に住んでいた）。ラディン人と暮らしていた少年時代のことであるが、私が母方の家を訪問して帰らなかったとき、ラディン人の叔母は警察に訴えた。彼女は、クリスチャンの少年（私は洗礼を受けていた）が「ユダヤ人に」殺されはしないかと恐れていた。なぜならクリスチャンの血が必要とされていたから。その夕べにセデルの祭り[3]が

2　ラディン人については本文一〇四頁を参照されたし。
3　セデル：ユダヤ人の出エジプトを記念して、ペサハ（過越し）の夜と翌夜に行う祝祭。

あり、正餐のテーブルでヘブライ語の祈りを唱えていたことを知ったら、彼女は発狂したに違いない。

即興と適応　チェコのファシストと民族の団結

占領の最初の数週間は、矢継ぎ早に多くの政策が実行された。夜間外出禁止令が解除され、若者は再び映画を見に行けるようになった（優雅なシネマ街では、六本のアメリカ映画が上映され、一本のドイツ・ミュージカルが上演中であった）。グリーンの軍服を着たドイツ人兵士や将校がプラハの店に押し寄せて、有利な為替レートを利用して、キャンディ、ホイップ・クリームをのせたケーキ（大変人気があった）、土産物、そして布地を買っていた。商店のなかには、新たな客層に合わせて開店時間を変更するところもあった。チェコ人は、ジョージ・F・ケナンが書き残したような、「新しい秩序が確立して仕事やパンが行き渡るまで飢餓状態に陥る人々の全員」に食糧を届けるために、バイエルンからやってきたトレーラーすなわちバイエルン食糧救援列車の件をせせら笑った。チェコの貧民はドイツ人の恩を仇で返すつもりであったし、チェコの当局者は、以前、一八万人のチェコ人、ユダヤ人、そしてミュンヘン協定の時にズデーテンラントからやってきたドイツ人難民に無償で分配した支給品を、利潤を上乗せしてドイツ人に売りつけたのであった。プラハは飢餓都市ではなかった。多くのドイツ人兵士は、クシェメンツォヴァー街のビア・ガーデン「ウ・フレクー」に出かけた。そこでチェコ人とドイツ人は、テーブルは違ったが、競って、たらふく食べ搾りたてのビールを痛飲した（チェコの諺にあるごとく、「西洋わさびのごとく味わい深いビール」）。

新しい統治者は急がなかった。占領地とベルリンとを往復しながら、新しい管理職に就くドイツ人の仕事場を、ライヒあるいはズデーテンのどちらに設置するか（前者が優勢であった）という問題を論じていた。大統領ハーハは、ヒトラーと会談した夜に彼が行ったことをやり直そうとしているかのごとく、突然有能な活動的政治家に変身した。そんな彼が、権力を欲しがっていたチェコのファシストを扱う機会があった。占領者と被占領者は四八時間以内に、チェコのファシストやその他の極右グループを政治の舞台から排除する、ということで意見の一致をみた。ベルリンは、チェコの統治が、「冒険者」（ドイツ人とチェコ人の両方で用いられた言葉）の活動に基づくのではなく、広く支持を得たコンセンサスに基づいて行われることを望んでいた。以前、チェコ人ファシストは急進的な反ドイツ、親イタリア主義者であった。ヒトラーが権力を掌握した後に、彼らはドイツ国家社会主義者（ナチス）との関わりを求めるようになった。本質的な政治的課題は、ロシアやシベリアで一九一四―一八年にチェコスロヴァキア民族国家樹立のために連合国の側に立って戦った、チェコスロヴァキア軍の英雄ラドラ・ガイダ将軍[4]や過激派ヴライカ（＝旗）の政治的エネルギーを逸らせ、吸収し、あるいは麻痺させることであった。

座業の生涯を送りがちなチェコの将軍の中で、ガイダは多彩な人生を送った。彼に好意的な伝記作者でさえ、彼は冒険好きな傭兵とまではいかないが、プラハという環境に置かれても、バルカンやシベリアでの経験によって育てられたアウトサイダーであり続けた、と信じていた。究極的に、彼をチェコ・ファシズムの指導者へと押し流したのは、自由主義体制に対する絶え間ない、そして全く根拠無しとは言えない不安であっただろう。彼は、一八九二年、クロアチアのコトルでオーストリア＝ハンガリー海軍基地勤務の下士官であったチェコ人の父のもとに生まれた。母はおそらくイタリア人であった。ガイダは、学校を途中退学し、気まぐれに化学の勉強をしたこともあったが、オーストリア＝ハンガリー陸軍に志願した。世界大戦の初めに、ガイダは、国境を越えてモンテネグロ陸軍に入隊した。混乱のさ中に、好意的なセルビア人将校団に救われた。彼らはガイダをロシア陸軍のセルビア人部隊の兵籍に入れてくれた。一九一七年、彼はチェコスロヴァキア軍団に属し、ズボロフとバフマチにおいて、オーストリア軍部隊を相手に勇敢に戦って、一気に階級を駆け上がった。そして、一九一八年、マサリクによるボリシェヴィキとの戦闘中止命令を無視した。アレクサンドル・コルチャック提督の左翼シベリア政府で軍役に服していた彼は、一九一九年にウラジオストックでコルチャックが自分自身の地方独裁制を樹立すると、これに失望した社会主義者と共謀して反乱を起こしたが、失敗に終わった。この大胆な行動は多くの人にとって驚きであったに違いない。

一年後、ガイダは再び帰国した。プラハ近くのジチャニィに住宅を購入し、ロシア人の妻と暮らし、美術品を収集し

4　ラドラ・ガイダ将軍。本名は、ルドルフ・ガイドル。

た。（法律上、彼は重婚者であったが、チェコ人妻には手切れ金を支払った。その金を受け取ると、彼女はさっさと小さな町の弁護士と結婚した。）新しいチェコスロヴァキア共和国は、彼の処遇については明確な方針を示さなかった。彼は最初、パリのフランス戦争大学に送られ、そこでは学生の立場から軍人教師に説教を垂れた。綿密な研究調査から判明したところでは、プラハで副幕僚長に任命される前に、彼は歩兵師団の指揮官としてスロヴァキア東部でハンガリー軍と敵対した。ガイダの反対者――マサリク、ベネシュ、そしてプラハにいたフランス軍事使節団の将校たちを含めて――は、彼を不信の目で見ていた。彗星のごとく現れ、華々しく散っていった。一九二六年までに、彼は、（希薄な証拠であったが）ソ連のスパイ容疑と、共和国転覆の陰謀を企てたとして告発された。調査委員会の調査結果に反して、彼は階級と年金受給資格のほとんどを剥奪された。彼は、身に着けたツァーリの将軍の制服を、フランスや英国から贈られた最高の軍の徽章（ミュンヘン後に返却した）で飾り立ててこれに応じた。そして国家ファシスト共同体を指導した。彼はその代表として、二度、議員に選ばれた。（一九三五年の国民選挙で、ファシストは一六万七四三三票を獲得した。）

チェコのファシズムは大衆的基盤を持たなかった。しかし、小規模ながら、扇動者グループは、協力しあったり反撥しあったりしながら活動を継続していた。統一組織の結成を試みては、また分裂していた。一九三〇年代の終わりには、少なくとも三つの組織が存在した：ガイダの周囲に集まった国家ファシスト共同体、知識人の特に攻撃的分子の集まりＡＮＯグループ（民族再生行動）、一九三九年二月以降、ＡＮＯが共通の目標を掲げることになるヴライカ（旗）。一九三九年三月三日、ドイツ人の占領前に、ガイダは大統領ハーハに受け入れられて名誉回復がなった。彼は以前の軍の階級に戻り、年金も完全に支払われることになった。しかし復職にあたって、ガイダは、政府に忠誠を誓う誓約書にサインしなければならなかった。チェコの大義を守るために、ドイツへの派遣が検討された。しかし状況は急速に変化した。彼は、当面、約束に縛られることはないと感じるようになった。ドイツ人の侵攻前夜、彼は新任の人間として、ドイツ大使館に姿を現し、新しい国の指導者であると公然と言い放った。そしてドイツ人が到着したあと、彼はプラハのファシストたちを招いて、今後の活動をめぐって、ウヘルニー（石炭）市場で会合をもった。およそ三〇〇人が会合に参加した。

　ガイダは、抽象的な言葉ながらファシスト委員会を励ましてくれたドイツ占領軍の副司令官エッカート・フライヘル・フォン・ガブレンツ将軍を直ぐに訪問した。二四時間以内に、ガイダは、ハーハとドイツ人が合議の上でとった行動によって裏をかかれたことを悟った。三月一七日、彼は大統領執務室に呼ばれ、新規のチェコ市民の統一組織「国民の団結」が結成されたこと、彼の入会を歓迎する旨を告げられた。（彼は指導的委員会には指名されなかった。そこには自由主義第一共和国で活躍した人々が指名された。）翌三月一八日、ブラスコヴィッツ将軍とチェコ政府の共同コミュニケが発表され、公的権限は占領軍と合法的チェコ政府の手の中にあることが明らかにされた。私的組織やどのような種類の団体（ファシストあるいはヴライカの人々を意味する）であれ、公共の問題に口をはさむことは許されなかった。驚いたことに、元々ドイツ人が好きでなかったガイダは、年金で購入した田舎の製粉所に引き籠り、ドイツ人の占領に敵対的なチェコ人将校たちが、ポーランド経由で西側に逃れる手助けに見事な手腕を発揮した。

　ヴライカの団員は、占領軍との積極的協力や、ゲシュタポに情報提供者として役立つことに何の躊躇いも無かった。元はと言えば、ヴライカは、プラハのカレル大学の哲学部と法学部の右翼学生が集まって、大恐慌時代の一九三〇年四月に立ち上げられ、その機関誌が発行されたクラブであった。保守的な詩人ヴィクトル・ダイクの束の間の共感を得たこともあり、自由主義体制に対する決然とした対決姿勢を示した。その組織は、後に小さな町の学校の教授となったヤン・ヴルザリークに率いられ、ドイツ人、ユダヤ人、マルクス主義者、フリーメーソン、そしてほとんど誰に対しても反対するイタリア風の明白なファシスト集団としてスタートした。しかし、ドイツでヒトラー内閣が誕生すると、ヴルザリークは、ヒトラーを称賛し始め、ドイツ人に対する意地悪をやめて、ヴライカの矛先はもっぱらユダヤ人、プラハの左翼亡命者に向けられた。一九三四年の秋に勃発した市街戦の首謀者の中にはヴライカの学生も含まれていた。この時は、すべてのカラーのチェコ民族主義者が足並みをそろえて、プラハのバラバラになった大学の古来の印章は、ドイツ人の学部からチェコの学部に返還されるべきであると主張した。

　ミュンヘン以後、彼らは超愛国者としてのカードを切った。ヴライカのメンバーはビラを片手にプラハに繰り出し、村のシナゴーグを叩き壊し、街のカフェでユダヤ人を追い詰めたり、そしてユダヤ人の店やアパートの建物に焼き討ちをかけたりした。ドイツ人が国境を越えて侵攻してきたとき、ヴライカは直ちに権力を掌握できるという強い希望を抱いた。プラハのレストラン・ブンブルリーチェクやカフェ・テフニカ（伝統的な学生の溜り場）に集まり、権力を引き継ぐ人物のリストを作成した（その中には、政府の長とみられたヤン・リス＝ロズセーヴァチの名前もあった）。しかし、ガイダともども、彼らは除け者にされた。新聞で自由主義者やユダヤ人を非難することによって、占領者体制側は彼らを政府に対する圧力として利用しただけであった。

ハーハは、最初の演説で、全チェコ人を代表する統一組織の設立案を発表した。三月二六日までに、設立の準備にむけた運営委員会を設置した。統一組織「民族の結束」（NS）は、民族の連帯感とキリスト教精神に基づく緩やかな綱領によって規定された。そしてこれは、ファシスト集団を、これに参加するグループと参加しないグループとに分断する効果があった。実際問題として、ハーハは、抜け目なく、チェコスロヴァキア共和国の伝統的な勢力を頼りにしていた。国民統一党と国民労働者党のそれぞれの党首の意見を聞いたあと、自己弁済的手法で、彼はミュンヘン以前の第一共和国時代に業績をあげた実力者を指名した。農業党の党首アドルフ・フルビーが議長、前諜報部のシモン・ドラガーチ陸軍大尉が事務総長（数か月以内に、抵抗運動に関与したという理由でゲシュタポに逮捕された）であった。そして、ハーハは、ミロスラフ・ヒーセク教授を文化委員会議長に指名した。ヒーセクは、チェコ民族を「読書の民族」として称揚した人物であった。しかし、後に彼は民族の文化的独立性の幻想（批評家ヴィンツェンツ・チェルヴィンカが指摘したように）に対する代価を支払わなければならなくなった。新しいファシスト・ヨーロッパというナチの理念を称賛することになったのである。人々は、「民族の結束」を、旧チェコスロヴァキア政党の次席レベルの党職員によって支配される地域単位の防衛組織として理解したのであった。モラヴィアでは、カトリックが管理していた（ファシストの圧力は強かったが）。プラハの地方組織は、ベネシュの国民自由党の党職員によって支配されていた。この党は、メラントリッヒ出版社と、一日に一〇〇万部を超える新聞チェスケー・スロヴォ（チェコの言葉）を通じて、大きな影響力を保持していた。

活動内容を油断なくチェックしていたドイツの保安本部（SD）の報告によれば、「民族の結束」は革命的な革新運動ではなく、昔ながらの有名人に依存した組織であった。

その魅力に惹かれて市民がそこに参加した。そして一カ月以内に、チェコ人成人男子の九七％が会員登録した。（NSのバッジを上下逆さまにすると、SN、すなわちSmrt Němcům（ドイツ人に死を）と読める、と人々は囁き合った。）ユダヤ人は締め出された。ヴライカの情報屋は、「民族の結束」が、ドイツ人によって投獄されたり強制収容所に送られた人々の家族を支える仕事に誇りを感じていることを、目敏く察知した。「民族の結束」は、振り込みには地方銀行支店の目立たない口座を使った。ゲシュタポはその流れを掴んで、一三七人の職員を逮捕し、そのうちの四三人を処刑した。その後、「民族の結束」は、政治的事柄には関与せず、文化的活動に集中すると発表された。そして、一九四〇年六月までに、プラハ市長オタカル・クラプカと、「民族の結束」のプラハ書記官ヨセフ・ネスターヴァル博士（彼はブラチスラヴァとブダペシュトを経由してベオグラードとの連絡網の確立に成功した）が逮捕されたあと、プラハにおける「民族の結束」の活動は完全に停止した。それでも民族組織は、反旗を翻す時まで、その影を引きずりながら微かな命脈を保った。

難民の天国と地獄

「我々は、深夜に、この街をドライヴした」、とアメリカ大使ジョージ・F ケナンは、三月一六日に記した。「いつも賑わっているこの街は、今、果てしなく空漠としている。このようなプラハには違和感を禁じ得ない。夜間外出禁止令は、長期の悲劇を告げる弔鐘のごとく……私たちの心に鳴り響く。」ケナンは、その日の早朝、英国やアメリカ大使館の中庭で、恐怖に駆られた群衆が保護を求めているのを目撃した。突然の事態に見舞われた人々の中でも、ドイツ語話者の反ナチ亡命者が最も危険な状態にあった（アクチオン・ギッテルが示したように）。プラハは、かつて天国であったが、今や地獄であった——マサリクの共和国に避難所を見い出したユダヤ人、第三帝国で焚書となった本の非ユダヤ系知識人の著者、あるいはドイツ人左翼、共産主義者、社会民主主義者（敗北したオーストリア社会主義者は、一九三四年以降、ブルノに逃げ込んだ）。

一九三三年、ヒトラーが権力を掌握した時、ボヘミアとドイツの国境は穴だらけで、モラヴィアの鉄道は社会主義者の乗務員によって運行されることが多かった。チェコスロヴァキア共和国は、当時、強力な左翼政党、多くのドイツ語新聞、劇場、そして学校を備え、ヒトラードイツの敵対者にとって、ピウスツキのポーランドやホルティのハンガリーより魅力的であった。非公式には、一九三三年以後のドイツからの亡命者数は、毎年一五〇〇人（全員が登録されたとは限らない）と推定された。プラハで、活動的な支援委員会が、ほぼ自然発生的に立ち上がった。その中には民主主義亡命者支援組織とユダヤ人亡命者支援組織があり、その二年後に、共産主義者赤色支援組織も創設された。これらの組織は、食糧、住居を手配し、合法非合法を問わず、僅かではあったが小遣い銭もあった。更に、ドイツ語話者の亡命者が、チェコスロヴァキアの手強い官僚的形式主義と対決する機会でも後ろ盾になった。

亡命者の最初の波は、一九二〇年代に生まれ故郷のチェコスロヴァキアを去った人々が多かった。彼らの目的は、自由主義ドイツで、執筆、出版、あるいは重要な新聞を編集することであった。そして今、大切なチェコスロヴァキア市民権を胸に、彼らはプラハに戻ってきた。幸運であれば、引き続き元の職業で生計を立てることも可能であった。そして、元々彼らの所属していたプラハのドイツ文学界に溶け込むことも可能であった。これらの著作家のほとんどは一九三三年の初めごろにやってきて、一九三七―三八年までに、遅くとも一九三九年までに英国、アメリカ、あるいはパレスチナに向けて発った。それらの地で、彼らの多くは引き続きドイツ語で出版した。例えば、フリーライターのエゴン・エルヴィン・キッシュは、コミンテルン組織と親密であったが、しばしばプラハを訪れて、メラントリホヴァ通りの古い家に住んでいる老母の面倒をみていた。ブルノ・アドラーは、英国に渡る前に、いわゆる「ヒルスナー事件」(世紀の変わり目の「儀式」殺人)を扱った重要な小説を出版した。批評家ウィリィ・ハースは、文学雑誌の編集を続けた(ちょうど、インドに渡ったところであった)。小説家ハンス・ナトネクは、その作品はプラーガー・ターゲブラットから出版されていたが、最終的に、彼はパリを経由してアリゾナに渡った。ワルター・チュピクは、プラハで外務省の支持を受けた週刊新聞を出版していたが、一九四〇年になって、ロンドンに渡った。不幸にして逃げ遅れた人たちは、自殺するか、強制収容所で死んだ。エルンスト・ヴァイスは、小説家、劇作家、そして医師であったが、フランスに逃避し、一九四〇年、パリがドイツの手に落ちた時に自殺した。新聞編集長エミル・ファクトルは、一九四一年、ウーチで死んだ。そして詩人カミール・ホフマンは、長年、チェコスロヴァキア外交部の職員で、ウィーンやベルリンで働いていたが、テレジーン収容所に送られ、後にアウシュヴィッツに移送されて、一九四四年、そこで死んだ。それは難民カフェ・コンチネンタルで食事をしながら交わすようなニュースではなかった。

亡命地までの途中の宿駅として、プラハは、ヒトラーの帝国から疎外された多くの著作家を魅了した。彼らの中には、ベルトルト・ブレヒトのように、数日、数週間、あるいは数か月と、何度もここで息抜きに過ごした人もいた。エーリヒ・マリア・レマルクは後に、プラハでの経験を書いた。他には、友好的な聴衆に公開講演を行った者もいた。その中には、リオン・フォイヒトヴァンガー、ハインリッヒ・マン、トーマス・マンがいた。トーマス・マンは一九三六年にチェコスロヴァキアの市民権を得た時に、善良なドイツ人かつチェコスロヴァキア市民であることは大変幸せなことだ、と言った(彼は後にアメリカ市民となった)。その他、多くの人々が数年間過ごし、亡命者仲間、チェコ人知識人や芸術家と親交を深め、創造的な連帯感を育んだ。その中には、プルーストのドイツ語訳を行ったフリードリッヒ・ブルシェル、小説家ブルーノ・フランク、チャペック兄弟から気に入られ、後に東ドイツで有名になった、若きステファン・ハイム、アヴァンギャルドの擁護者フランツ・プフェムフェルト、そしてウィーンの作家フリードリッヒ・トルベルクは、ボヘミア育ちで、チェコ語を自由に操った。

作家たちは、かなり異質な芸術家と出会った。ベルリンからやってきたジョン・ハートフィールド（生名はヘルムート・ヘルツフェルデ）は、モンタージュ写真製作者で、六年間滞在し、「労働者図説新聞」の編集を手伝い、非ファシスト・ヨーロッパとソ連に配布した。オーストリアからはオスカル・ココシュカがやってきた。彼は、一九三五年にチェコスロヴァキアの市民権を獲得し、マサリク大統領との長時間にわたる会談を行い、かの有名なマサリクのモダンなポートレートを描いた。若きペーター・ヴァイスは、美術アカデミーで絵画を学ぶためにプラハにやってきた。マサリクの葬列を目撃し（このときの模様を感動的なエセーで描写した）、それから四年後にスウェーデンに移り住み、その地で、戦後の最も重要なドイツ語劇作家のひとりとなった。

ドイツ語話者で、政治的に活動的な亡命者、中には共産党の組織に組み込まれ、操られるものもいたが、これらの人々に対するチェコスロヴァキア当局者の姿勢は、分裂とまではいかないが、一貫性がなかったので、状況は錯綜していた。プラハでは、自由主義的な外務省と、農業党が支配する保守的で民族主義的な内務省とは、その見解に隔りがあった。マサリク、ベネシュ、そして外務省は、国際的な場で、チェコスロヴァキアの民主的価値観を誇示したがった。そしてしばしば、政府が助成していた定期刊行雑誌社に雇って、亡命作家を援助した。内務省の指示を受けた警察は、プラハの多くの外国人の政治的活動を監視していた。「隣人」ドイツが、うるさく不平を言いだすと、速やかに介入した。

一九三三年四月には、早くも、警察がプラハにおける反ファシスト労働者会議の活動を禁じた（コペンハーゲンやパリに場所を移さざるを得なかった）。そして後には、チェコ芸術家たちの集まりであるクラブ・マーネスによる政治的カリカチュアの国際的展示に対して、第三帝国の神経を逆なでするようなものは何であれ排除するために、監視の目を光らせた。警察の行動は、チェコの保守的、右翼新聞によって十分にバックアップされていた。それらの新聞では、反ドイツと反ユダヤの議論が、妙な具合に入れ替わったりしていた。一九三〇年代の推移の中で、圧力は次第に増し、内務省と警察は、亡命者の政治活動の監視を強化し、短期間のうちに多くの逮捕者が出て、彼らをボヘミアやモラヴィアの中の一定の地域に閉じ込めるための新しい政令を準備していた（自由主義者の反発もかなり強烈であり、公布されることはなかった）。

プラハの経済的政治的環境は日々増悪していたが、亡命者たちは集合住宅やムシェツの荒れ果てた城で友人たちと一緒に暮らしていた。彼らは忍耐強くかつ生産的であった。彼らは、自分たちの手で城を修復したが、一九三七年に、チェコスロヴァキア軍の駐屯地に指定され、立ち退きを余儀なくされた。プラハにおける彼らの存在は、敵の中傷の的になったが、ドイツとチェコの知識人や著作家の間の文化的連帯の喪失を記した一章である。もしも、一八四八年の短い幼芽期に、チェコ人とドイツ人が革命のために力を合わせたのであれば（一八四八年五月には民族的に分裂してしまったが）、一九三〇年代半ばには、確固とした目的意識をもって、長年に亘る連帯から互いに大いに学ぶことがあったであろう。

亡命者の大義名分は、チェコ人の賛同を得た。同世代で最も重要な文学批評家F・Xシャルダは、チェコ救援委員会を効率的に動員し（事務所はヴァーツラフ広場のフェーニックス宮殿に置かれていた）、ゲーテのファウストをチェコ語に翻訳したオトカル・フィッシャー教授、作家ヨセフ・コプタやマリエ・プイマノヴァー、国民劇場の俳優ヴァーツラフ・ヴィドラ、画家では、エミル・フィラ、自由劇場のイジー・ヴォスコヴェツやヤン・ウェリフその他から支持を得た。E・Fブリアンは、独創的な左翼プロデューサーで、彼の劇場に、有名なヴォイスバンドを招いたり、合唱をとり入れたりした。それは、亡命者ヘッダ・ツィナーやフリッツ・エルペンベックらによって結成され、戦後の東ドイツ（GDR）の劇場で重要な存在となった、ドイツスタジオ三四に引き継がれた。ベルト・ブレヒト・クラブは、筋金入りの共産主義者の組織であったが、ポピュラーフロントの名前で、チェコの詩人イジー・ウォルカーやマサリクの講演を企画したりした。チェコ人クラブとドイツ人観劇会は、言葉、テキスト、俳優、そして劇場を共有するプログラムを組んだりした。一九三六年五月二三日、後者は、バイリンガルのコメディ『チェコ人とドイツ人』

（一八一二年）（劇作家ヤン・ネポムク・シュチェパーネク（一七八三―一八四四）の作品）を、チェコ領地劇場で上演した（大統領ベネシュが観劇した）。一週間後には、新ドイツ劇場で上演された。この英雄的偉業は、以前に試みられたことはなかったし、その後も、チェコ＝ドイツの文化的関係の長い不安定な歴史の中で、再現されることもなかった。

ドイツ語話者の亡命者にとって、元々プラハの生活は決して楽ではなかったが、ミュンヘン以後、多くのチェコ人、ユダヤ人そしてドイツ人がズデーテン地方を捨てて共和国の新たな場所に保護を求めたとき、状況は絶望的になった。新しいチェコ＝スロヴァキア政府の保守的、民族主義的方向転換によっても改善しなかった。人々は合法的、非合法的に出国を図った（数人のユダヤ人の若者が、ウィーンのグループと合流して、ドミニカ共和国に移住して、集団農場を計画した）。ある者は、ベスキディ山脈[5]を超えてポーランドに入り、そこからフランスへ渡った。しばらくそこに滞在して、さらに英国に渡る者もあった（特にチェコスロヴァキア陸軍将校や、空軍隊員）。あるいはおんぼろ貨物船で、ドナウ川を下り、ハンガリー、ルーマニアを通過して、パレスチナを目指した。しかし、厳格な軍の規律はこれを禁じていた。カフカの友人マックス・ブロートは、三月一四日の夕刻に、ポーランド国境に向かう最終列車に乗ったが、翌朝、オストラヴァ駅は既にドイツ軍の監視下にあった。なんとかこれを潜り抜けて、ポーランドを横断し、エルサレムにたどり着いた。彼はいつも机の上に、一九三八年版のプラハの電話番号帳を置いていたと言われている。

5　Beskid Mountains：ベスキディ山脈。カルパティア山脈の北東部の、スロバキア、ポーランド、ウクライナの国境地帯を北西‐南東に走る部分の名称。

プラハの自由主義的ドイツ施設の破壊

プラハにおける一九三八―三九年の劇的な出来事は、チェコ人かドイツ人かという狭量な民族感情の色眼鏡によって曇り、フェアな描写に徹することが困難である。プラハの自由主義的施設の成果に貢献したユダヤ人の痕跡は、跡形もなく消されたとは言わないまでも、無視された。とりわけ、ドイツの文化的伝統から生まれたものについては、ユダヤ人の貢献が完全に無視された。一九三〇年代後半が、ドイツ語話者の知識人や芸術家の存在によって（ユダヤ人であろうがなかろうが、全員が自由主義的チェコ人と反民族主義的思想に賛同していた）、チェコ＝ドイツ文化協調のもっとも生産的時代を顕現させたが、同時に、プラハの自由主義ドイツの機関や施設の急速な崩壊と破滅をもたらした。多くの集団的および個人的悲劇が生まれ、その興隆と没落は、消えていく世代の意識の中にはわずかな痕跡を残したが、書かれた歴史には残らなかった。ミュンヘンは終わりの始まりであった。その後、ドイツ人の劇場は閉鎖され、プラハのドイツ人の大学はライヒに合併された。マサリクと繋がりをもつ自由主義的チェコスロヴァキア政府のドイツ語新聞であった『プラハ新聞』、および民族自由主義的『ボヘミア』は、一九三八年一二月三一日をもって廃刊となった。経済的分野の報道や文学的貢献で有名な『プラハ日刊』は、もがき苦しみながら刊行し続けたが、一九三九年四月四日、占領当局によってねじ伏せられた。

一八八八年に設立され、一九三一年以降、スイス・ポール・エガーによって運営されていた新ドイツ劇場が、ミュンヘン協定がチェコスロヴァキア政府によって受諾される五日前に閉館となったことはあまり知られていない。『プラハ劇場組合』は、しばらくの間、借金を抱えながら運営されたが、もはや設備を支えきれなくなった。当劇場は、ナチス・ドイツが禁じた多くの作家の作品を上演していた。アルトゥール・シュニッツラーからベルトルト・ブレヒトまで、同様に、フランチシェク・ランゲル、フラーニャ・シュラーメクそしてカレル・チャペク（例えば、彼の反ファシスト劇、『母』など、有名なティラ・デュリューが主役で）

など、重要なチェコ人の作品が、ドイツ語訳で上演された。そして、亡命者であるなしを問わず、当時の最高の俳優・女優を採用することを誇りとしていた。しかしながら、チケットの潜在的購買者数が一万人という言語の孤島で上演しなければならなかったことや、国の補助金が、国の言語で上演される劇場に与えられた額よりも実質的にかなり低かった（一二％）ことなどは、悲運であった。その差異は私的なスポンサーに起因していた。大小こもごも、多くはユダヤ人であった――例えば、ペチェック銀行と堂々たる眼鏡商モリッツ・ドイッチュのオーナーであったファミリーは、数十年間、ポケットマネーで劇場を支えてきた。しかし、この不安定な時代に、劇場の資金が底をつき、給料の支払いがストップしたとき（ただちに俳優たちや劇場職員が新聞で抗議したが、無駄であった）、建物を国に売却することで、火急の破産手続きはとられなかった。大統領ハーハは、上手に、これらの手続きを無期限延期とした。初春に、侵攻してきたドイツ人の帝国保護領事務局はそこに新しいドイツ劇場を設立した。

ドイツ・プラハ大学は、一年以内に、第三帝国の施設に成り下がったが、チェコ・カレル大学は、占領下にあっても、存続する限り、共和国に忠誠であり続けた。プラハの大学は元来、一三四八年、カレル四世によって、「彼の王国の全ての住民」のために奉仕するという意思に基づいて創設された。しかしながら、二つの構成民族、チェコ人とドイツ人は、一八八二―八三年に袂を分かった。そして一九二〇年、チェコ人の学部がカレル大学の真の相続者であると宣言した共和国の「レックス・マレシュ」（大学条例）によって、民族間の対立が熾烈になった。一九二二年、ドイツ人学生によるユダヤ人学長サミュエル・シュタインへルツに反対する反ユダヤ主義ストライキや、一九三四年の大学徽章をめぐるプラハの市街戦が、いやがうえにも民族的政治的緊張を高めた。

ミュンヘン前後の状況は混沌としていた。一九三八年九月一八日、チェコスロヴァキア教育相は、大学のドイツ人教授たちに、ズデーテンの民族主義者ヘンラインやその同調者たちに反対するよう要請した。その頃には、教授の半数近くがウィーンやバイエルンに去って、ナチ組織からの命令を待っていた。大学をズデーテンラントに移転する話もあったが、ヒトラー自身は、大学をプラハから動かすつもりはなかった。一一月九日、チェコ人による復帰の要請を無視していたドイツ人教授は、勝ち誇った顔で戻ってくるとすぐに自分たちのイメージに沿って大学をいじくり回し始めた。一九三九年一月二七日、チェコ政府は、もはやユダヤ人は国への奉仕ができない旨を宣言したが、ドイツ人の大学は、一九三八年秋と冬の間に、ほとんどの学部長を通じてユダヤ人学生（登録学生の約一〇パーセント）を追放していた。七七人の教員が一時帰休ないし免職となった。彼らの半分近くが医学部の職員であったので、大学病院は悲惨な状態になった。一九三九年九月一日、ドイツ・プラハ大学は、法律によって帝国の教育施設と定められた。その一〇週間後、一一月一五日の学生デモのあと、チェコ・カレル大学は閉鎖された。

一九二一年に創刊し、マサリクとの深い関係をもっていたプラーガー・プレッセ（『プラハ新聞』）がミュンヘンを生き延びることができなかったことは、もはや見識のある人々にとって衝撃的な出来事ではなかった。編集長アルネ・ラウリンは、一級の批判精神をもっており、翻訳家オットー・ピック（フランツ・カフカの友人のひとり）から堅い支持を受けていた。ピックは、最高のヨーロッパの精神を説得することに成功していた。その中には、アルベルト・アインシュタイン、フーゴー・フォン・ホフマンスタール、そしてヘルマン・ヘッセらがいた。彼らはその文芸欄に寄稿して、ドイツ人読者が目を開けて見さえすれば、一九二〇年代、三〇年代における自由主義的チェコ、スラヴの文化の豊かさや生命力を感得できることを訴えていた。ドイツとオーストリアでインフレが荒れ狂っていたとき、『プラハ新聞』が厳しいチェコ王冠諸邦の中で何とか経営を継続できたのは、政府からの援助抜きにはありえなかった。読者との悲しい別れにあたって、『プラハ新聞』は、共和国で奉仕した一八年間を回顧して、不偏不党の立場を貫いたこと、そして政治的対立にバランスをとるべく努力したこと、とりわけ、チェコ人の知的生活の多くの徳を示す決意[6]を貫いたことを自賛した。

一九三八年一二月三一日の暗黒日に、『プラハ新聞』と同時に、プラハの旧家ハース・ファミリーの所有する『ボヘミア・ドイツ新聞』も発行を停止した。創刊当初の

6 （原注）文学史家ラディスラフ・ネズダジルは、『プラハ新聞』によって出版された現代チェコ詩の八四五篇の翻訳のうち、少なくとも四〇〇篇はパヴェル・アイスナーの寄与であることを示した。その中には、ヴルフリツキー、マーハ、ネズヴァル、トマン、ホラ、そしてソヴァらによる詩が含まれていた。この点で、有名な新聞『プラーガー・タークヴラット』ですら及ばなかった。

一八二八年、そしてとりわけ、一八四八年革命時、生産的であったその民族主義的自由主義的志向は、九〇年経った今、時代錯誤とまでは言えないが、もはや義理人情の世界であった。自由主義者は新しい民族主義に懐疑的であった。そして新民族主義者は、彼らの政治的要求をライヒに訴えた。続々と叢生する理念を結び付けることの困難が、『ボヘミア・ドイツ新聞』の二〇世紀の歴史に鮮やかに反映されていた。一九一九年、短期間ではあったが、ズデーテンラントの自治の理念を支持したことを理由に、チェコスロヴァキア検閲によって、発行停止処分を受けた。一九三三年以降、多くの反ナチ亡命者が寄稿したので、ドイツで押収された。小説家で編集者ルードヴィヒ・ヴィンダー（後にロンドンに亡命した）は、チェコスロヴァキア共和国への忠誠を「幻想を抱かず、真実で、純粋であるもの」として定義した。

『ボヘミア・ドイツ新聞』は、堂々と、そして何物にも屈することなく舞台を去った。「我々の時代の悲劇的な宿命の中で」、と編集者は宣言した、「我々は、感傷に浸っていることは出来ない。」チェコスロヴァキアで最も古い新聞であり、オーストリア＝ハンガリー二重帝国では二番目に古い新聞であったが、今や、新聞関連で三〇年から五〇年働いている多くの人々――著作家、編集者、印刷業者、印刷工――が、生計を失い、人生の意味を喪失したりした。編集者たちは、『ボヘミア・ドイツ新聞』が自由主義政党や社会主義政党の共和国政府参加を唱えた最初の「行動主義」新聞であったことを誇りにしていた。この新聞を狂信的愛国主義と決めつけたひとたちは、ドイツの国益に背いていると信じているひとたちと同様に間違っていると主張した。「行動主義は、チェコ語に取り込まれた最も新しい形である」、すなわち、ドイツ人とチェコ人という二つの民族の有機的共同体である、と編集者は言った。新聞の最終号で、一九世紀初頭のドイツ政治哲学者ヨハン・ゴットリープ・フィヒテの警告を引用し、読者に大いなる感動を呼び起こした。彼は、誤った民族の自己拡大に反対し、自由と法に基づく正義に信を置き、自由の輝きは、今はほとんど死にかけているが、決して完全に消えてしまうことはないと予言した。

『プラーガー・タークブラット』は、尊敬に値する『ボヘミア・ドイツ新聞』よりも若いが、ヨーロッパ通信員の一大ネットワークを築き、チューリヒ、ロンドン、そしてニューヨークの証券取引所を含め、国内外の政治経済情勢に関する通信手段として、電話を用いた新しい技術の可能性を切り開いた。『プラーガー・タークブラット』は、一八七五年一二月二四日に、自立した新聞として登場した。最初のオーナーは、南ドイツ出身で、ミラノを経由してプラハにやってきたハインリッヒ・マーシーであった。彼はこの新聞の権利を弟のヴィルヘルムに譲渡し、弟はその二人の娘に譲り渡した。娘のひとりはノスティィッツ伯爵夫人となり、もうひとりの娘はベニース男爵夫人になった。彼女らは、一九三〇年代の政治的圧力に逆らうことはせず、編集長のユダヤ人ジギスムント・ブラウの契約を更新しなかった。それでも、『プラーガー・タークブラット』は、華々しい編集者や寄稿者の歴史を持っていた。カール・チュピックに始まり、エゴン・エルヴィン、カフカの最も忠実な友人マックス・ブロート（一九二四―二九）、エミール・ルードヴィッヒ、リヒャルト・カッツ、そしてルドルフ・トーマス。そして、T・G・マサリクに対しては常にスペースを確保して、議会の内外を問わず、彼の演説や政治的決定に関するコメントに特別の配慮を行った。

ミュンヘン後の悲劇的数か月間、『プラーガー・タークブラット』は、自由主義的諸党が解散した後も、マサリクの共和国の立場を忠実に守り続けた。そして、大統領ベネシュの辞職や、彼の亡命地での生活など、抗いがたい変化に関して冷静に報道した。編集者は、読者の当然ながらの恐怖心を和らげるように努めた。そして、一九三八年一〇月一日、「共和国の切断」が民族的、政治的結束をもたらすという「良い側面」に鋭い分析を加えた。「反民主主義的ズデーテン・ドイツ人」の「変節」について公然と語り、新しい状況は、究極的には、「共和国の民主主義的性格」を強靭なものにし、ファシズムの高潮の後に、民主主義が再び勝利者として現れるであろうと示唆した。編集者は、彼らの文化的政策を変更する理由など認めなかった。文芸欄はベルマン＝フィッシャー、アレール・ド・ラング、そしてアムステルダムのケリドなどの出版社からの反ファシスト出版物を満載した。ハインリッヒ・マンやトーマス・マン、フランツ・ヴェルフェルそしてステファン・ツヴァイクの新刊本を論評した。一九三八年一二月二八日、多くの人々に第一共和国の象徴とみなされ、国際的評価を受けていたチェコの作家カレル・チャペックの死に関する思慮深い追悼文が掲載された。大統領ハーハがチャペックの妻に宛てた電報文も掲載された。

恐怖心を宥めようとする新聞の努力は、ユダヤ人であろうとなかろうと、国外退去を迫られていた大方の読者の志向とは逆向きであった。広告を掲載している新聞の後半の数ページと、前半の編集欄とのギャップは際立っていた。広告欄は、読者が海外でも役立つ技能技術の再教育を望んでいたことを窺わせたが、三ページ目には、プラハの『ユダヤ人無料給食協会』（ユダヤ人貧者に無料の食事を提供していた）の定例総会の広報が掲載されていた。広告には次のようなものであった。海外向けのハンカチーフ製作者の求人。英国、バッキンガムシャー、メドウスクールで、若いユダヤ人女性向けの割引手数料を約束していた（年四期に分けて、一二八ポンド、約一一五ドル）。南アメリカで「資本家」や職人を探している居住者。そしてパナマやパレスチナで商売を始めたい人々。中秋までに、こういった現実的な問題が新聞の半分のスペースを占めるようになった。ヨゼフ・ヴェックスベルクは、多くの啓蒙的記事を書いた：アメリカ合衆国への割安運賃の予約の取り方、必要な宣誓供述書に関する疑問への回答、そして当地での最初の仕事探しの方法として、前向きの姿勢で、清潔な服を着ることなど。不吉な出来事は、新任の編集長ルドルフ・トーマスと彼の妻の自殺であった。彼らは、一〇月一〇日、将来に希望を見い出せず服毒自殺した。寄せられた多くの賛辞は、彼の博識と幅広い興味を賞揚したが、彼と妻が自らの手で命を絶ったことは注意深く伏せられた。

一九三九年三月一五日に彼の新聞に降りかかることをトーマスはうすうす知っていたかのようであった。それ以後、ユダヤ人の同僚は事務所に顔を出さなくなった。占領の日に、『プラーガー・タークブラット』はその華々しい過去を捨てて素早く忠誠の相手を切り替えて、第一面トップに帝国情報部長オットー・ディートリッヒ宛ての宣言を掲載した。すなわち、編集者と従業員は、総統支配を受け入れる旨を表明し、「ハイル・ヒトラー！」で結んで署名した。二週間近く、『プラーガー・タークブラット』は、突然、ナチの亡霊に憑りつかれたように占領者の見解を代弁し、占領はドイツの歴史的行為であるとして称賛し、総統のベルリンからプラハへの旅程を報告し、そして、ユダヤ人をポストから外すための最初の人事異動の登録を行った。文芸欄では、プラハ・グループの作家の代わりに、オーストリアの血と土の著者カール・ハインリッヒ・ヴァガールが不気味な姿を現した（ブルーノ・ブレーム、ハインリッヒ・ツィリッヒ、その他の同類への門戸を開いた）。広告では、失業中の「アーリア人」が、ローンや職を熱心に求めていた。逆説的に、商業欄は変化がなく、ヒトラーは第一面を占めていたが、実業家や経済学者は、ブダペシュト、パリ、そしてニューヨークの証券取引所の動きを知るよい機会が得られ、シカゴでの綿や油の値動きを知ることができた。しかし、もしも『プラーガー・タークブラット』の経営陣が、ナチにおもねってでも新聞を維持したいと、無節操な望みを抱いていたとしたら、それは間違っていた。占領者当局は違った計画を持っていたからである。四月四日、『プラーガー・タークブラット』は廃刊となった。四月五日、総督は、その施設を使って、占領者のお抱え新聞として、日刊紙『デア・ノイエ・ターク』を創刊した。マーシー・エンタープライズの建物や印刷機は、新しい『ボヘミア＝モラヴィア出版印刷会社』に引き継がれた。こうしてプラハの最後の自由主義的施設の痕跡も地上から姿を消した。

私の新しい学校にて（個人史）

　私の新しい学校、「アカデミック・ギムナジウム」は、華々しい歴史のあるエリート校であった。教育言語は、旧君主国のようにドイツ語か、あるいは共和国になってからのチェコ語かのどちらかであった。町の中心に位置する、古い教育施設であったピアリスト修道院の中にあった。私の学生仲間は立派な家系出身であった。（ひとりは警察署長の息子で、気立ての優しい上品なお坊ちゃんであった。その他、弁護士や医者の息子息女がいた。）辺鄙な郊外の工場に勤めるサラリーマンの子供は滅多にいなかった。この伝統的な学校は、ギリシャ語やラテン語の日々の修養を実践し、愛国主義、伝統文化、そして学問の砦であることを誇りにしていた。そして、現代文学を含むチェコ文学の濃密な授業が行われた。ドイツ人の占領は些細な問題としてあまり考慮されなかった。私は数学の先生にすっかり無視された。彼は私の背景について知っていたが、私に難癖をつけたわけではなかった。何語であっても彼の代数の公式を理解できないことを知って、何も言わずに合格点をくれた。私には、若い学問的な教授の授業で新しいチェコ文学を読むのが楽しみであった。彼は私がオトカル・ブジェズィナの神秘的な詩をR・Mリルケの詩にたとえたことに気が付いていた。ドイツ語と歴史の先生は、カレル大学の卒業したてで、私がドイツ語で悪戦苦闘している状況を見かねて、密かに休戦を申し出ていた。彼女がドイツ語の統語論の詳細に立ち入る時はいつでも、私が理解できているかどうかを確認するために、私の方にチラッと視線を向けるのだった。彼女は我々の後方席にまでは滅多にやってこなかった。なぜなら、隣の席に座っていた私の友人ヴラジミールは、彼女が机の上に手を置くと、そっと彼女の手を撫でるのであった。私の勉強に関しては、幸いなことに、親切な私の級友カリ（公）ロブコヴィチが、彼の数学の試験答案をカンニングさせてくれた。そして我々は生涯の友となった。

　ある日、チェコ文学教授が授業中に、当校は伝統的に文学や歴史に関する長文のエッセイを書くよう学生に勧めていると言った。学校長の賞がもらえるとあって、私は即座に書く決意をした。しかしそれには適切なテーマを決める必要があった。下校の途中、私は作家のヨハネス・ウルズィディルを思いついた。彼は、イギリスに亡命する直前に私の母を訪ねていた。彼のゲーテとボヘミアに関する本をぱらぱらとめくっていた時に、私は、ゲーテが多くのプラハの知識人と手紙を交わしていたことに気付いた。その中には、国民博物館の創設者カスパル・ステルンベルク伯もいた。そこで、私は、ゲーテと（and）プラハの関係について書こうと決心した。しかしながら、この“and”は弱かった。なぜなら、ゲーテはボヘミアの素晴らしい保養所をよく訪れたが、プラハに立ち寄ることはなかったからである。ボヘミアの首都訪問は、必ずや政治的難事を惹き起こすであろうと考えられたからである。ドイツ人とチェコ人は、彼が敬意を払っている人物に目を光らせているであろう。私のエッセイが二等賞（優勝は、もっと愛国主義的作品であった）をもらったとき、私は文学的歴史作家になろうと決心した。もしもナチの学校監査官がこのコンテストのチェックに入った場合のことを考慮して、偉大なドイツの詩人ゲーテに関するエッセイを校長が大変気に入っていた、と教授が教えてくれた。（監査が入っても、参考文献に挙げたウルズィディルの名前に監査官が気づかないことをひたすら祈っていた。ウルズィディルは、亡命地ロンドンで、ちょうど名を挙げたところであった。）六五年後、私はプラハ・ウルズィディル国際会議で講演を行った。そして旧オーストリア時代にウルズィディルが通ったギムナジウムの校門の横に建てられた記念碑の除幕式に出席した。最近、その建物の中に、ジャン＝ポール＝ゴルチエのプラハ支店がオープンした。

映画館でのデートと私たちの「コルソ」（個人史）

新しい学校で、映画の日は貴重であった。教育を受けた一七歳の紳士は、厳格な儀式を重んじ、あえてそのしきたりを破ろうとする者はいなかった。我が校の一六歳から一七歳の若い女生徒は全員、コイフで頭を包み、ネクタイ、ジャケット、そして清潔なシャツを身に着け、流行の映画（アメリカ、フランス、あるいはチェコ映画）の切符（席は中列から後列であった）をもっていた。映画館は、ヴァーツラフ広場に面したシネマ・ユリシュか、あるいはその近くの高価なシネマ・ブロードウェイであった。割勘は野暮であり、不適切で粗暴な関係を疑わせた。そして若い男は、長い休憩時間の間に、こざっぱりとした制服姿の案内嬢が売っているエスキモー・ブリックという優雅な名前のアイスクリームをおごることになっていた。女性の手に触れてはならなかった。彼女が、薄暗い路上で煙草を吸うときには褒めてあげること、そして彼女を家まで電車で送ること（一・四〇チェコクラウン、八セント以下がかかる）がきまりであった。幸い、私はこの中産階級の儀式に囚われることはなかった。ヴァーツラフ広場のアーケードの中のアレシュとか、ヴォディチコヴァ通りの上にあるビオスカウト（私はそこで初めて、マルクスブラザーズの映画を観た）など、いつも大して人気のない映画の切符売り場を回るリブシュカがいたからであった。彼女は、恐らくは一六歳以下で、母親に借りた服で身を包み、蒼白で年齢よりは年に見えたが、入り口の案内係は、午後であっても本物のチケットさえ持っていれば年齢には寛容であった。これはある種の初対面のデートであった。なぜならリブシュカは、チケットと小さな紙袋に入った安物のチョコレートを買ってくれるハイスクールの男子生徒が現れるのを待ち受けていたからである。チョコレートは貴重品であり、彼女はひっきりなしにそれをポリポリと食べた。映画はエスコートよりも重要であった。彼女は座席にしゃんと座り、食い入るようにスクリーンの画面を観ていた。私が（恐る恐る）彼女の膝や胸に触れても全く気に掛けている様子はなかった――完全な相互理解の行為であった。数年後、私はヤン・ネルダの一九世紀末の物語「三本の百合の家」を読んだ。そこに描かれている労働者階級の娘が経験する、安っぽいプラハのダンスホールに漂う無邪気な官能性は、非常な生々しさをもっている。ネルダのフィクションと私の行き当たりばったりのリブシュカ（一九三九年頃）の記憶は、私の心の中で符合している。

ヒトラーはダンツィヒを要求してポーランドを恐喝していた。その頃私たちは、よく午後五時から六時ごろに、学生の「コルソ」、すなわち、一九二〇年代初めごろのチェコ構成主義の記念建造物であるカフェ・ユリシュから、ヴァーツラフ広場の左の角にあるバーチャまでの街区を、アイロンのかかったブラウスを着て髪に大胆な花を挿した少女たちに、私たちの新しいネクタイを誇示し、ぎらぎらとした眼差しを向けたりしながら闊歩した。しかし、余所者が、私たちの「コルソ」を出て、左手に「ナーロドニー・トゥシーダ」（プラハの大通り）、右手に「プシーコピ」を見ると、すぐに人々の服装の違いに気づくであろう。それは多くのドイツ人の制服が目立つからだけではなかった。民族性とイデオロギーは服装に表現されていた。そして中立的な服装で消えようとしていた人たちは、何か隠し持っていた（と、私は思った）。

ショートヘアあるいは長いお下げ髪の、丈夫な（少なくともチェコ人の目にはそう見えた）靴を履いたドイツ人の少女は、街中では化粧をしなかった。（「ドイツ人女性は化粧しない」と総統が言った。）ズデーテン地方からやってきた少女たちは、バイエルンやオーストリア風のダーンドルスカート（ギャザーなどを入れた、ゆったりしたスカート）をはいていた。ボヘミアの工業都市では全く場違いの印象であった。あるいは、所属する地方組織を表す袖に黒い三角形模様のある「ドイツ女子同盟」のライトブラウンの制服ジャケットを着ていた。若いズデーテンドイツ人は、占領の最初の数か月、ヘンラインの「ズデーテン党」の制服でもあった白シャツに黒ネクタイを着用し、誇らしげにスポーティな服装、あるいはぶくぶくのニッカーボッカーズと、これみよがしの白いストッキングを履いた軍服に近い服装（元々これは農民の服装であった）で歩いていた。チェコ人は、黒っぽいスーツや帽子など、もっとフォーマルな服装を好んだが、週末のブルタバの森への遠足のときは別であった。西部劇の「浮浪者」やカウボーイのなりをしたり、一九二〇年代初めごろの三文小説に登場する人物の風采をそっくり真似たりした。

チェコ人少女は、フランスやアメリカ映画に出てくる若い女性のような、洒落た服装を望んだ。彼女らにとって、薄化粧は罪ではなく、礼式上必要であった。同様に、ハイヒールや高価なストッキングも必要であった。占領の最初の数年間、彼女らのドレスやブラウスをスラヴ民族の意匠、あるいはスヴェーラーズ（我流）と呼ばれるスラヴ模様で装飾した。ドイツ人の象徴的なダーンドルとは対極的であった。下層階級に属するチェコの若者は、逞しい優美さを強調して、ダブルのジャケットやぴっちりとしたズボンを身に着けた。彼らは自分たちのことを「ポタープキ」（潜水鳥：アビ属）と呼び、スイングバンドのカフェにたむろした。後年、彼らはドイツの強制労働に駆り出された。

民族間の乖離は、より厳しくなった。チェコ人少女がドイツ人男性とデートしているシーンはみられなくなった。ヴァイト・ハーランは、田舎から出てきたドイツ人少女（ヒロイン役はハーランの妻クリスチーナ・ゼーダーバウム）が、プラハのひねくれた若いチェコ人（この役は、スマートなオーストリアの男優が演じた）に近づかないように警告した映画（チェコ人には鑑賞させなかった）を作成した。チェコ人は少女の最も貴重な持ち物を奪おうとし、挙句の果てに見捨ててしまう。言うまでもなく、妊娠したクリスチーナは、映画の中で演じたように、入水自殺する。妥当な理由で、彼女は、ドイツ人映画ファンからも、「帝国の水死体」と呼ばれた。

しかし、これらの人々はいつも同じ映画館に行き、テーブルは違っても、同じ高級レストランで食事をした。そしてその他、「黄金の泉」のような人気のある、魅力的なレストランに通っていた。このレストランでは、マラー・ストラナ（小地区）にある小さな屋根付きの庭で、簡素な食事をしながら、眼下に町の明かりを見ることができた。（ヴァイト・ハーランにはその権利があったが、完全ではなかった。彼の映画の中で、ドイツ人少女とチェコ人騎士は一緒に高級レストランに行くが、最初に彼は、不幸なカップルを同席させるために、他の客全員をその場から立ち退かせる必要があった。）プラハは、民族的宗教的多様性によって、少なくとも潜在的に、二重、あるいは三重の共同体からなる都市であった。チェコ人とドイツ人、そしてユダヤ人は、それぞれのカフェを好み、それぞれの生活圏をもっていた。チェコ人は決して「ドイツ人カジノ」（後の「ドイツ人の家」）には行かなかった。ドイツ人が「カフェ・スラヴィア」に顔を出すことは滅多に無かった。そこは何十年もの間、チェコの知識人が集まる老舗であった。そしてフランツ・カフカが大いに称賛したイディッシュ語の巡業劇団のメンバーは、老舗のカフェ・サヴォイでいつも観客と出会うことができた。占領は運命を分ける分割線をより太くし、一九三九年の初夏に、最初の反ユダヤ主義的市条例が発令された。昨日まで、万人に解放された空間であった近代都市プラハは、再び、中世とまでは言わないが、無法な地理的区割りと残忍な排他主義のキルトに変貌した。

総督の任命

ヒトラーがノイラートを保護領総督に任命したことは、ナチ党職員には不興であったが、国際的によく知られた熟練の外交官を、分かりやすく責任ある地位に復帰させる機会を与えたことによって――あるいは彼らとノイラートがそう思い込んだ――、外務省の古参の不安をいくらか和らげる効果があった。一九三九年三月九日、ノイラートは、個人的にヒトラーと夕食を共にし、チェコ問題に関する自説を述べる機会を得た。すなわち、ドイツはチェコの経済と外交関係をコントロールし、その見返りとして、チェコ人にある種の自治を認めることで満足すべきである、と。

大統領ハーハが、三月一六日、ヒトラーに、ズデーテン・ドイツ人を総督にしないように頼んだとき、ヒトラーは人事をまだ決めていなかった。彼は、恐らく、その日の夜遅くか、あるいは翌朝に決めたのであろう。任命に至る経過は、ノイラートのアメリカ人伝記作家ジョン・L・ハイネマンによって明らかにされている。ノイラートが会談後にヒトラーと交わした電話による私的会話について、インタヴューやレポートをもとにハイネマンが書いたものである。内閣官房長官ハインリッヒ・ラマースとヒトラー自身は、保護領の設立に対する国際的な、特に英国の反応を気にしていた。そして、ラマースによれば、「諸外国の嵐のような怒りの噴出を宥める」ために、ヒトラーは、「外国で一目置かれて、知名度の高い人物…大ドイツ帝国の中で、チェコ人とドイツ人の平和的共同関係を、外交的手腕を用いて穏便に構築するという仕事のできる人物」を任命する気になっていた。ゲッベルスの強い反対を押し切って、ヒトラーは、「ノイラートが最も相応しい人物である」と結論した。ノイラートは、早急に、ヒトラーが彼に会いたがっていることを知らされ、三月一八日、ウィーンのホテル・インペリアルで、私的会談がもたれた。

ノイラートは、ヒトラーとの会談に臨む前は、多少の幻想を抱いており、ヒトラーの権力行使の冷笑的手腕を過小評価していた。ヒトラーが穏便で平和的交渉のできるポストを打診した時に、ノイラートは最初に拒否した（後年、彼はそう言った)。年も年であるし、プラハで必要な行政的経験に乏しいという理由からであった。当たり障りのないやりとりの後、ヒトラーは耐えきれない様子で、もしもノイラートがこの申し出を受け入れてくれないのであれば、このポストをズデーテン・ドイツ人、あるいはリッベントロップのクルーの誰かに命じなければならないと言った。結局ノイラートは受諾したが、ただし、彼のやり方にライヒの他の部局（SSやSDのこと）が干渉しないという約束を取り付けた。ヒトラーは、総督は総統の唯一の代表であるという辞令を読み上げた。ノイラートはそれ以上の保障を求めなかった。彼は、直ちに、控えの間で待機していた総統付次官であり国務相でもあった人物と顔を合わされた。この人物は、ヘンラインのズデーテン党のもっとも過激な役員で、チェコ人を憎悪していたK・Hフランクであった。

四月五日、ノイラートは初めてプラハを訪れた。状況の視察と、被占領民と外国のオブザーバーに、彼が総督に任命されたのは決して中身のない形式的なジェスチャーではないことを示すためであった。彼は鉄道駅で、急遽派遣された陸軍総司令官ヴァルター・フォン・ブラウヒッチュ将軍からの歓待を受けた。祝砲が放たれ、プラハ市長が、「チェコ人の豊かな才能の自由な発現」を保障してくれることを願って、総督に歓迎の意を表した。そしてチェコ人政府代表が見守る中、重砲や戦車を連ねた軍事パレードが行われた。

その日は、大成功という訳ではなかった。子供たちは家に閉じ籠っており、学校の教師と一緒に道端に居並ぶことはなかった。総督を歓迎するために渡された紙の旗は投げ捨てられて川面に浮かんでいたし、行列の見物よりは、ヴァーツラフ広場を遊歩して、軍事パレードは無視された。翌日の公式の宴会の席で、総督はチェコ人ゲストに向かって、彼の使命は、ドイツ帝国の生存圏の中で、ボヘミア＝モラヴィアの人々の幸福と安寧を保障することであると言った。そしてこの「困難な仕事」を成就するための協力を要請した。

個人的には、ノイラートはもっと懐疑的であった。友人のゲアハルト・レプケへの手紙の中で、ドイツ人の反チェコ分子とズデーテン・ドイツ人の両方を抑制しなければならないと書いていた。そして、「ヒトラーの仕打ちを受けた後で」なぜ彼がこの仕事を引き受けたのか、と彼の娘から問われた時に、「まずは義務であった」、リッベントロップは無能であった、そして状況に働きかけて「戦争の勃発」

を回避したかった、と彼は答えた。プラハで、ドイツの占領に対する決然とした反対の最初の兆候が現れたのは、四月一六日、彼が軍から施政権を引き継いだ数日後であった。

第二章　占領の始まり：一九三九―四一年

新鮮な花

四月二〇日、占領者側はヒトラーの誕生日を祝った。多くのチェコ人は、それに対して、チェコスロヴァキア初代大統領T・Gマサリクの記念像の前に集まって、小さな春の花束を供えた。その年の暮れ、一二月二八日、ウッドロウ・ウィルソンの誕生日に、同様の花束が、プラハ本駅の向かいにある彼の記念像の前に添えられた。チェコ人の独立獲得のために尽力したマサリクをサポートしたアメリカ大統領の熱意に対する感謝の気持ちが込められていた。

被占領後の一九三九年の不安定な時期に、チェコ人は、彼ら自身の歴史と言語を祝うことを通じて、自治権を主張する彼らなりのやり方を自然発生的に作り出した。（チェコ人歴史家は、常に、ヨハン・ゴットフリート・ヘルダーを熟読玩味した。彼は、民族、文化、そして言語は固く絡み合っていると信じていた。）象徴的な意味をもつイベントや人物に集まる人々は、自然発生的に、何万人もの市民をプラハの街々に繰り出す大衆デモへと変貌した。そして、新しく誕生した抵抗グループは、占領体制に対する恒常的な抵抗運動組織として、大衆デモを通じて彼らの影響力を行使するべきであると考え始めた。地方聖人や殉教者の祝祭、山岳礼拝堂や教会への聖地詣、ドイツチームとのサッカーゲームなど。これらのことが、突然、かつてなく重要な意味を帯びるようになった。一九三九年春、プラハの共同墓地（ヴィシェフラット民族墓地）におけるロマン主義詩人カレル・ヒネク・マーハの改葬は、大規模なデモへと変貌した。

一九三九年五月六—七日、何万というプラハ市民が、黙々と行列をなし、マーハに敬意を表した。彼は、一八三六年に二六歳で夭逝した。彼の遺体は、当時の彼の生活の場であった町リトムニェジツェの墓地に埋葬された。チェコスロヴァキア国民銀行総裁フランチシェク・エングリシュは、ミュンヘン会議の場で、ドイツ軍がドイツ=チェコ国境近くの丘に位置するリトムニェジツェに到着する前に、マーハの遺体を掘り出し、チェコの伝統的な他の偉大な詩人、作曲家、芸術家が埋葬されているプラハの墓地に改葬すべきであると政府に提唱した。地方の墓堀人とその助手――二人ともドイツ人であった――が、町の医師立会いの下、墓を掘った。詩人の遺体は金属の柩に入れられ、この地域から撤退することになっていたチェコ人兵士の協力を得て、トラックに積み込まれた。トラックはプラハに向かって出発し、先ずはストラシュニツェ火葬場に立ち寄り、そこから大学の霊長類研究所に到着した。そこで、イジー・マリー教授による検査があり、柩は著名な企業家から寄贈されたビロードとシルクに包まれた。（企業家の中には、スナップや安全ピンで財を成したイィンドジフ・ワルデスが含まれていた。彼は、地下新聞を財政的に援助したという罪状で、ダッハウの強制収容所で三年間を過ごすことになった。）

五月六日、プラハ行政官の代表団が霊長類研究所の門まで行き、そこから国旗に包まれたオーク材の柩に納められた遺体を、篝火に照らされた民族博物館のパンテオンまで運んだ。多くの花輪が、柩を乗せた棺台の周りに置かれていた。最も目立った花輪は大統領ハーハから贈られたものであった。そして午前半ばに、教育相ヤン・カプラスとプラハ市長が表敬に参列した。その少し後に、ハーハ自身が続いた。彼は発言することなく黙想に終始した。その間に、門が開かれ、市民や学校生徒の長い列が、柩の横を通って別れを告げた。午後五時までに門は再び閉じられた。そして市民に見守られながら、車列は、ペテロとパウロ両聖人のヴィシェフラット大聖堂の守護者モンシニョール＝アントニーン・スタシェクによって開設されたヴィシェフラット共同墓地に向かった。

五月七日（日曜日）、「プラハ全域で」、「郊外でさえも」、民族の三色旗が掲げられた。新聞は誇らしげに報道し、そしてヴィシェフラットの丘に通じる狭路は、儀式をちらっとでも見ようと待ち構えていた老若男女で埋め尽くされていた。大聖堂では、柩は、サーベルを掲げた学生たちや、手に春の小枝を持った白装束の少女の一団に守られていた。午前一一時までに、公式の代表団が到着したが、一般の人々が自由に出入りできるように門が開いていたので、誰もが儀式の模様を目撃することができた。あるレポーターは書いた、「数知れない足音で…聖歌隊の伴奏は聞き取れなかった。」ドヴォルザーク作曲のチェロソナタが、交響楽団のメンバーによって演奏された。モンシニョール＝スタシェクは、彼の説教の中で、マーハを、得難い確実性の実体を求めて世界の迷路を彷徨っている巡礼者にたとえた。共和国の国歌「私の家は何処？」が、儀式を結んだ。

改葬は、午後早くから執り行われる予定であった。大学の派遣団や、劇場（マーハはアマチュア劇団員であった）や芸術科学アカデミー（歴史家ヨセフ・シュスタや有名な彫刻家マックス・シィヴァビンスキーも含まれていた）の代表が到着した後、柩は再度祝福され、葬列は教会を出て、共同墓地に隣接したスラヴィーンに移動した。ここは何十年もの間、チェコ民族の偉人たちが葬られた墓地であった。国民劇場のヴァーツラフ・ヴィドラは弔辞の中でマーハの最後の最も有名な詩「五月」から引用し、保守的作家でチェコ軍団の前将校ルドルフ・メデクが追悼演説を行い、マーハはチェコ民族とチェコ語の不滅を信じ、「チェコ語に詩的な響きを与えた」最初の人であり、チェコ語の擁護者であると称揚した。二〇世紀の最も重要な四人のチェコ詩人――フランチシェク・ハラス、ヨセフ・ホラ、ヤロスラフ・ザイフェルト、そしてヴラジミール・ホラン――が柩を持ち上げ、革紐で吊るされた柩は、ゆっくりと墓穴の中に降ろされた。柩は瑞々しい花で覆われた。厳粛な哀悼の瞬間であった。

マーハの同時代人は、一人の軍団兵による再解釈についてで訝ったであろう。なぜなら、詩人は、彼の時代およびそれ以後の純粋な愛国主義者から嫌われていたからである。プラハで生まれた最初の重要なチェコの詩人は、二流どころのような旗振りではなく、実存主義者とは言えないが、形而上学的な、真のロマン派詩人であった。彼は、バイロンや恐らくはレオパルディだけでなく、ドイツロマン主義についても造詣が深く、彼の初期のドイツ語での詩作はドイツロマン主義の模倣であった。「五月」の主人公ヴィレームは、（嫉妬から）彼の父親を殺した浮浪者強盗団の親分であった。そして、処刑される前に、「永遠の消滅」の覚悟を決める。最近の解釈では、孤独なマーハを、紛れもなく、「深淵の上」の作家としてみるようになり、彼の詩人としての天才に対する称賛は、特に現代のシュールレアリズムの共感を得て、衰微することなく、彼の愛人ロリとの性的出会いや（ドイツ語での）睦言を詳細に記録した彼の「秘密の日記」（長年の解読の努力がなされたが、完全な解読には至らなかった）に関するうわさによって、逆に高まった。

博学な知識人が「月刊批評」の周りに集まり、ドイツ語で書かれた初期の作品も含めて、マーハの難解な詩の言語学的構造的分析を試みた。彼らは、幾分、大衆的な魅力を感じながらも、彼に関する安っぽい新聞記事に不安――最小限度であったが――を覚えたりした。「月刊批評」の論評は、マーハの人生や作品についてあまり知識のない人類学者、お気に入りの車で葬列に連なった役人、そして、彼の詩をものの見事に「巧みに利用する」雄弁家に対して、鋭い疑問を投げかけた。批評家カレル・ポラークは署名入りの批評文で、マーハが今日的な注目に十分に値すると論じた。しかしながら、正当な評価が得難い理由は、チェコ人が被った外圧による「非文化的、政治的出来事」にあるとの見解を示した。彼によれば、合法的な条例の枠組みの範囲内で、最も献身的なチェコの美の賛美者を称揚するために挙行された「民族的示威の公的美学」に対して批評家はむしろ懐疑的であった。しかし少なくとも、政治的には、マーハの改葬は注目すべき出来事であった。そして抵抗グループにとって、この頃はまだ組織としては揺籃の段階にあったが、状況の推移を見定める里程標のひとつとなった。

一九三九年六月六日、チェコ人の精神的指導者ヤン・フスが一四一六年にコンスタンツェで火刑に処せられた記念日は、新聞「リドヴェー・ノヴィニィ」が書いたように、「静かな黙想」の日であるだけでなく、威厳のある公的な示威行動の新しい機会でもあった。エネルギッシュな市長は、旧市街広場にある巨大なヤン・フス像を花輪で飾った。歴史家カレル・ヴォイティーシェクは、（まだ機能していた）カレル大学で祝賀講演を行った。そして、記念行事が、聖ニコラス教会（チェコスロヴァキア・フス民族教会）と、聖サルヴァトール教会（チェコ兄弟団の福音主義教会）で執り行われた。記念行事が終わると、人々は近くの広場や記念碑のある場所に移動し始めた。旗が翻り、少女は民族衣装を身に着け、兵士は私服であった。フス派の伝道者が旧約聖書の詩編を朗読した。午後九時までに、群衆はかつてドイツの十字軍を敗走させた古いフス派戦士の歌「誰ぞ神の戦士」を詠唱した。それはチェコ人の歴史に根差した自然発生的な行動であり、真夜中まで続いた。

その二日後、六月八日、プラハ対ベルリンのサッカーの試合が、レトナースポーツスタジアムで行われ、二―〇でチェコがプロシアを破った。愛国的ファンは、空のビール瓶で意思表示を行った。それ以外の意思表示も続いた。九月三〇日には、抵抗グループが、ミュンヘン会議を忘れないために、その日に電車を利用しないようにしようと呼びかけた。何も知らされていないドイツ人を除けば、電車は走っていても、みんながその日は終日徒歩であった。ドイツ当局は、このボイコットについて適切な表現ができなかった。「チェコ人＝ユダヤ人」の陰謀の結果なのか、あるいは逆に、チェコ人がユダヤ人と同じ電車を利用せねばならないことに対する抗議行動なのか、当局は言葉に詰まってしまったのである。この光景は、チェコスロヴァキア共和国独立記念日の一〇月二八日にもみられた。占領者は、占領とそれによって惹き起こされる予測不可能な政治的変化に抗議する被占領者のもっと暴力的な大衆デモに備えることになった。

コンスタンティン・フライヘル・フォン・ノイラート：非適材非適所

プラハの新聞は、新しいベーメン・メーレン保護領総督に関するニュースを大々的に報じた。国際的場面で知名度の高いこの老外交官の総督就任は、何かしら期待を抱かせた。しかしながら、ベーメン・メーレン保護領付次官K・Hフランクに関する記事はそっけないものであった。チェコ問題に関する彼の見解は、最近のチェコスロヴァキア議会における出来事からもよく知られていたのだが。残念ながら、新聞は、ノイラートのナチスや総統との曖昧で不安定な関係についてはあまり知らなかった。たとえ知っていたとしても、読者の恐怖心を宥めるだけの情報を提供することはできなかったであろう。

ノイラート家は、広大な領地、あるいは軍の栄光をもつ古い貴族の家ではなく、宮廷役人に属していた。質素なドイツ版の法服貴族であった。総督のヘッセ出身の先祖の一人がヴェッツラー（ゲーテが法律の修行をした地方として有名である）の最高法院で判事を務め、一八世紀末に〝フォン〟の称号を賜与された。総督の祖父がヴュルテムベルクの王に仕え、一八五一年にフライヘルに昇格した。コンスタンティン・フォン・ノイラート（生一八七三年）は、シュヴァビアの指定地域学校に通った。シュトゥットガルトの伝統的なギムナジウムやチュービンゲン大学の法学部を卒業した。しかし、彼はドイツ外交部には採用されなかった。年収が二万マルクに届かなかったためであった。彼はしぶしぶ諦めて、単なる領事館員として働いた。（彼の義理の両親は、シュトゥットガルトの銀行家で、娘の持参金を増やそうとはしなかった。年一万マルクは、領事館員の資格にちょうど間に合う金額であった。）ノイラートは、最初、一九〇三年から駐ロンドン大使館副領事を五年間務め、一九〇八年、国際著作権会議の秘書官として勤務した。読書家としての彼はあまり知られていなかった。幸運や縁故により、一九一二年に外務省への異動が許され、一九一四年の春に、駐コンスタンチノープル大使館の参事官として勤務することになった。しかしながら、八月初め、彼は外務省入省の希望を捨てて軍に合流した。彼は戦闘で目覚ましい働きをした。外務省の密使が西部戦線で彼を抜擢して、いまだ危険な情勢にあったトルコに連れ出した。彼はそこでは大した成果を上げることはなかったが、外務省とドイツ陸軍分遣隊との利害対立の仲裁を行った。

彼は辞表を提出し（その後何度も提出することになる）、故郷のヴュルテムベルクに戻った。家の伝統に従い、王国内閣首班となった。政治顧問としての役割と個人的な書記官としての仕事をこなしていた。一九一八年の秋、整然としたヴュルテムベルク革命が起こったとき、彼は冷静に王の退位と王室年金をめぐる問題の処理を行った。そして躊躇なく引退して、ラインフェルダーホーフの「紳士の農場」と狩りを楽しんだ。一九一九年に外務省に復帰した。彼は、ワイマール共和国には全く共感を覚えなかったが、ドイツ国家の存在の重要性を信じて、外交官として精勤した。彼は、ヒトラーが政権を取った一九三三年一月以降も変わることなく、彼の生き方を貫いた。

外務省への復帰後、ノイラートは約一〇年間、コペンハーゲン、ローマ、そしてロンドンに大使として駐在した。その間に、大した紛擾も無く、彼の保守的な理念は外務省の要求に馴染んでいった。彼のベルリンへの報告から読み取れるのは、彼が、デンマーク人、イタリア人、そしてイギリス人に関してあまりにも平板化された概念を作り上げていたことである。ローマ駐在時に、ドイツ自由主義者が、エミール・ルードヴィヒやゲアハルト・ハウプトマンといった作家を無視していると彼を公然と批判したが、彼の外交スタイルは劇的な衝突を避けることであり、結論を迫るよりも延引を好んだ。（ロンドンでは、彼は想定外の社会的成功を得た。彼が父親と一緒に、将来のクイーン・メアリーである王女を火事から救ったのであった。そしてロンドンでは、女王メアリーは、「コンスタンチン坊や」を彼女の子供の友人として認めたのであった。）ローマ駐在の数年間は、彼の政治的教育にとって最も重要な意味をもった。一九二二年に着任し、ムッソリーニに対応しなければならなかった。黒シャツ隊の隊長であり、スパッツとグレイの手袋をした新しいファシスト政治家であった。しかし、ノイラートの信じるところでは、そのファシズムの綱領と行動は、ファシスト騒動を生き抜いている献身的なイタリア公務員によって、効率よく維持されていた。しかしながら、ノイラートは、ファシストであろうとなかろうと、イタリアを信頼するに足る同盟国とは考えなかった。そして、終生、ドイツの運命はイギリスやフランスとの議論によって決まると信じていた。イタリアやその他の遠方のアメリカ合衆国、ソ連、あるいは日本ではなかった。

一九三二年春、ハインリッヒ・ブリューニング内閣が倒れ、老大統領フォン・ヒンデンブルクは、彼自身が大統領に再選された勢いで、議会の後ろ盾のない保守的なエキスパートからなる内閣によって国を運営する時期が来たと判断し、ノイラートが最も外相に相応しいと考えた。ヘルマン・ゲーリングも賛同した。ノイラートは、アメリカ合衆国やソ連への駐在大使の職を断ったが、五月三一日、ヒンデンブルクからの電報を受け取った。「(貴殿に) 現在組閣予定の大統領内閣で外相の任を御受けいただきたい。これは政党との関わりのない右翼内閣であり、議会の支持はあまりなく、大統領の権限によって運営されるだろう。」ノイラートは何時ものように躊躇していた。彼の妻は謝絶するよう説得した。しかし、ヒンデンブルクは、ノイラートを説得するコツを心得ていた。後にヒトラーも同じ手を使った。ヒンデンブルクはノイラートの愛国心に訴えたのであった。すなわち、帝国議会や素人内閣からの干渉を受けることなく外交を行うことができるし、首相ヒトラー自身もノイラートの外相就任を望んでいるということであった。ノイラートの政府首班とのやりとりには明瞭なパターンが見受けられる：彼は躊躇する、あるいはそのようなふりをする。権威者が祖国に対する義務について話す。現実味の乏しい独自性の保証を示唆する。彼の心に「自己犠牲」の理念が確立する。

ノイラートは、一九三二年一月に初めてヒトラーと顔を合わせた。彼はまだ、ヒトラーがヒンデンブルクを操って総統内閣樹立への道を敷くための手段のひとつとしてノイラートを外相に留めておこうとしていたことに、あまり気づいていなかった。ノイラートは、当時の上流階級の保守主義者がそうであったように、ヒトラーはどちらかと言えば「庶民的」で「着こなしが悪く」、最も目立った特徴は、「彼の目はぎらぎらと輝き、声は法外な説得力を持っていた」という印象を受けた。しかしノイラートは、熱狂というよりは、「誠実」という印象を抱いて別れた。二人の男は、民主主義の――悪徳とまでは言えないが――罪悪、ヴェルサイユ条約の結果を棒引きにする必要性、そして、ドイツに相応しい「尊厳と自由の聖なる権利」(要するに、速やかな再軍備) という意味では一致した。しかし、ノイラートは、ヒトラーの衝動的な瀬戸際政策と好戦的な考え方に不安を覚えた。しかしながら、総統の使者が夕方に彼に会いに来て、ヒトラー内閣の外相として入閣を要請したとき、彼は「原則として」受諾したが、この申し出に対して、もっと詳細を聴きたいと希望した。彼は、イタリアの忠実な公務員がムッソリーニのファシストに対して抱いたように、ヒトラーの見解に裁量を加えることができるなどという幻想を抱くことはなかった。裁判の間に彼が自責の念を感じたのはこの点であり、一九四六年に、ニュルンベルク裁判で禁固一五年の判決を受けることになった。

フリッツ・フォン・パーペン、クルト・フォン・シュライヒャー、そしてヒトラーの内閣の外務大臣を歴任して、ノイラートは、同僚が反ユダヤ政策によって危険に晒された場合に、密かに手をまわして善意を示した。しかし彼はいつも脇腹を固め、（パーペンが、一九三四年六月一七日、マールブルクで反ナチの演説をしたような）表立って抗議することはなかった。そして穏便に物事を収めた。例えば、半ユダヤ人（新法の規定で）の同僚が東欧方面に赴任となった時、ノイラートは、亡命時に外国通貨で年金が受け取れるように手はずを整えた。シュトゥットガルトのプロテスタント監督テオフィル・ヴルムがゲシュタポに逮捕された時、シュトゥットガルトの「名誉市民」であり善良なクリスチャンとしての名声を知ってはいたが、ノイラートは、以前は彼を支援していたが、この度は助太刀することがなかった。彼が所属し、熱心な活動をしていた友愛会に対して、ナチスが新しい原則に従って（二人の）ユダヤ人会員を除籍するよう要求したとき、ノイラートは、二人のメンバーが組織のためを思って退会するのだ、という意見書を作成した。誇り高い組織は、彼の意見を拒否し、その代わりに組織は解散し、彼と彼の息子にその資産管理を残した（彼は良心的にそれを行った）。彼は、自分の確信したことをどこまでも貫き通す人物ではなかった。一九三六年一一月、少年少女の教育を支配するためにヒトラー・ユーゲントのナチス組織に関する新しい法律が閣僚会議に提出されたとき、この法律が両親、教会、そして学校の機能を極端に低下させることを案じて、ヒトラーの面前でこの法律には同意できないと言明して、その場で辞意を表明し退出したのは、ノイラートではなく実践的なカトリック教徒で郵政運輸大臣パウル・フォン／ツー・エルツ＝リューベナッハであった。

ノイラートは、数年間、外務大臣を務めた。その間、ヒトラーは、拘束力のある決断を避けたい時には、ほとんど衝動的に人々や施設の内輪もめを起こさせていた。ノイラートは、ヒトラーの名のもとに外交政策を公式化しようとする党職員同士のもめ事の火消しに追われていた。しばらくの間、外務省における彼の仕事や同僚の安全確保に成功した。党イデオローグで、原理的人種主義者であったアルフレッド・ローゼンベルクは、一九三三年、ナチ党外務局を設置した。彼は非現実的で気難しい人物であったが、ヒトラーは、ノイラートに、ローゼンベルクの外務局を、「無害なしろもの」として継続すると言った。ヨアヒム・フォン・リッベントロップは、ヒトラーの好感を得ることに腐心したシャンパンの販売外交員であったが、制御しにくい難物であった。一九三四年、リッベントロップが、軍縮問題担当全権代表に任命されたとき、ノイラートは、彼を熟練外交官の監視下に置いて、害毒を中和しようとしたが、リッベントロップは、即座に、ヴィルヘルムシュトラッセの外務省の向かいに事務所を設けて職務を果たすことになった。（そこに勤務した職員は、一九三五年には三〇人であったが、一年後には一五〇人になっていた。）一九三五年六月、ヒトラーはリッベントロップを、ドイツ帝国特命全権大使に任命し、ロンドンに派遣した。そこで彼は英独海軍協定の調印に成功したのであった。それから二年の間に、ノイラートは、陰鬱な引退の常套的な駆け引きをしながら、パリやロンドンの舞台で張り合ったこの「恐るべき野郎」に席を譲ることになったのであった。一九三八年二月に、リッリッベントロップは、外務大臣に任命され、ノイラートは全く権限のない無任所大臣となった。

一九三九年四月、ノイラートは、かつてのチェコスロヴァキア外務省の拠点であったプラハのチェルニーン宮殿に納まった。彼は、事務所の職員としてズデーテン・ドイツ人の採用を拒否した。チェコ政府との関係が捻じれることを恐れたのであった。彼が採用した職員は、ヴィルヘルムシュトラッセの時代からの旧知の人々であった。彼らは熟練の外交員や官僚であったが、全体的に、ボヘミアの問題についてはあまり通じていなかった。ハンス・フェルカースは、ハバナやマドリッドで勤務していたし、アレクサンダー・フォン・カッセルはベルリンの事務所で働いていた。そして勤勉なクルト・フォン・ブルクスドルフは、K・Hフランクと歩調の合わないサクソン人で、ノイラート自身が次第に仕事から遠ざかるようになってから、事務所の管理を任されるようになった。

ノイラートは、第二次世界大戦中、プラハ以外の違った場所、違った時代であれば大いに活躍したであろう。彼は、温和な君主制ドイツの外交官として、遠方の、しかしながら極端に自由主義的ではない共和国での仕事に適していた。しかし、彼はフラチャニー丘のチェルニーン宮殿で、多くの暗礁に乗り上げ、骨の折れる場所に置かれていた。

ベルリンの支配者たち、ゲシュタポや親衛隊保安部（ＳＤ）を含むナチの警察機構、屈辱を受け頑強に反抗する民族を代表するチェコ政府、そして、ロンドンや、後にはモスクワから隊列を整えつつあった抵抗グループ組織などが渦巻く場所であった。

反ユダヤ人法におけるチェコ人とドイツ人

ユダヤ人を封じ込め、彼らの権利を奪う新しい政策は、ドイツ軍の占領初日には始まらなかった。しかし、代々続くチェコ人の反ユダヤ主義の歴史は、一九世紀初めの数十年間まで遡るが、一九三八年一〇月の大統領ベネシュの亡命以後、新しい力を得て甦った。しかしながらそれはドイツのような人種的仮説に基づく偏見ではなく、むしろ生活習慣や、とりわけ言語による民族性の違いに対する偏狭な見方であった。ファシスト集団は、ライヒの人種理論にすぐに馴染み、そして数か月以内に、保守的なカトリックの中にも、起源、血、宗教そして語法において、ユダヤ人はチェコ人と違うことを主張する者が現れた。マサリクの共和国において、反ユダヤ主義は、わずかなファシスト非主流派の中に留まる問題であった。ドイツ語を喋り、ドイツ文化施設を支えていたユダヤ人に腹を立てていた保守的なプチブル、国民民主主義の右派に属する時代遅れの民族主義者、そして、ヨーロッパの美徳を期待される共和国は多民族――チェコ人、スロヴァキア人、ドイツ人、ユダヤ人、マジャール人、ポーランド人、ルテニア人、そしてウクライナ人を含む――の国家であることを認めようとしない土地均分論者、彼らの国は、現実のチェコスロヴァキアではなく、単独民族で構成されたユートピア国家であった。

最初の民主共和国がミュンヘン会議で崩壊し、第二共和国と呼ばれる時代に入ると、最初の数か月の内に、ユダヤ人、「フリーメーソン」、そして左翼に対する恨みを含んだ憤懣が爆発し、かつてない個人的、公的弾劾が頻発した。ユダヤ人公務員は、年金を与えられて強制的に退職させられた。聖職を追われた政治的ナルシスト、ヤクプ・デムルは自由主義者やユダヤ人を口汚く罵った。マサリクが対話の中で深い信頼を寄せていたカレル・チャペックは、右翼から侮辱され社会の道徳的堕落を嘆きながら、一九三八年一二月に、失意のうちに死んだ。

チェコ人の反ユダヤ主義の叫びは、保護領の中で次第に声高になっていたが、それでもなお、それにまみれたくないと思っていた人も多くいた。そして、チェコ政府の中には、できる限り反ユダヤ法の導入を遅らせようと努める人物もいた。そしてそれは決して、後の歴史家が信じているように、ユダヤ人の財産や資金を、占領体制側よりもチェコ人社会に役立てようという理由からだけではなかった。政府は、一九三八年一二月一日に、（ドイツやオーストリアからのユダヤ人を含む）多くの難民は、より大きな経済的潜在力をもった国で希望を見い出すであろうと宣言した。しかしながら、チェコ＝スロヴァキアは、この地で長年暮らし、「この国と積極的な関係を築いてきた」ユダヤ人に対して、「敵対的ではない」と、付け加えた。社会民主党のヨセフ・マチェクは、ユダヤ人問題は人種問題ではなく民族問題であり、チェコという国の一員となったユダヤ人はこれからもチェコ人であると言った。不幸なことに、弁護士会や医師会には忍耐がなかった。すなわち、ドイツ軍占領の初日に、「非アーリア人」（ナチ用語で）会員を締め出し、その特権を剥奪する決定を下して、政府に対し、三月一七日の最初の会議で認可するよう迫ったのであった。そして三月二一日、二七日にも再度迫った。「非アーリア人」弁護士事務所は、今や、「アーリア人」補欠弁護士によって運営されることになった。「非アーリア人」医師は、公的医療施設や保険会社の運営するクリニックで仕事することを禁じられた。しかしながら、誰がアーリア人であり、誰が非アーリア人であるのかを正確に定義する法律や基準はまだ存在しなかったのであった。

反ユダヤ法をめぐるチェコ政府と保護領管轄局との交渉は、一九三九年五月に始まり、一年後に終わった。チェコ政府はドイツの圧力に屈し、一九三五年のニュルンベルク法の定義を受け入れた。例外措置をめぐる議論は、だらだらと、更に一年間続いた。一九三九年五月二一日、チェコ政府の首相アロイス・エリアーシュ将軍は、ノイラートに公式書簡を送って、ユダヤ人問題について踏み込んだ話し合いを希望した。そしてユダヤ人の定義、例外措置の可能性、経済的公的領域におけるユダヤ人の役割などに関して、政府委員会で準備した法的文書を提示した。この文書では、ユダヤ教共同体に所属する四人の祖父母を持つ人物をユダヤ人と定義していた。四人の祖父母のうち三人ないし二人だけがユダヤ教共同体に所属している場合は、当該人物、あるいはその配偶者が、一九一八年一一月一日以降、ユダヤ教共同体に所属しているかどうかによって決められた。チェコ政府は多くの例外措置を提起した。例えば、功労者の場合、共和国大統領が例外措置を認めることができること、ボヘミアやモラヴィアに五〇年以上居住している（犯罪歴がなく共産主義者でもない）ユダヤ人すべてに対して例外措置を適用すること。若年者の場合には、父親の在住期間が算入されること。

三月二七日のチェコ政府の閣議で論議されたような、ユダヤ人のビジネスや企業に関する予備的な措置や、総督に提出された文書は、ドイツ内務省、ドイツ保安部司令、チェコ政府、そしてノイラート自身も巻き込んで、ベルリンとプラハの間で長期に亘る議論を惹き起こした。ライヒの保護領管轄局は、チェコ政府からの文書を様々な部局の供覧とし、五月二七日、ドイツ側の回答を伝えるために、チェルニーン宮殿で会合がもたれた。会合では、ドイツ内務大臣の見解が、ヴィルヘルム・シュトゥッカルトによって通知された。すなわち、ユダヤ人に関する政策は、チェコ政府に任されること、そしてヒトラーの意見として、五月二日にノイラートとの会談で明確に表明されたように、チェコ人自身がユダヤ人問題を始末するべきであり、ドイツ当局は関与しないと。ライヒ保護領管轄局の警察署長ヴァルター・シュターレッカーは、一九一〇年あるいは一九三〇年の人口調査で、日常語がドイツ語である全てのユダヤ人はドイツ人とみなされて、例外なくドイツの法の下に置かれると主張したが、誰も賛成しなかった。ノイラート自身は、議論を遮って、彼のいつもの延引策をとらず、ヒトラーの最終的な考えを忖度することもなく、六月二一日に、ユダヤ人の財産に関する彼自身の命令を下した。暗に、チェコの全ての法令を否定し、ボヘミアとモラヴィアにおける法的規範として、人種論に基づき、線引きには容赦のないニュルンベルク法が有効であることを主張した。チェコ政府は再度、すこし異なった見解を述べたが、「アーリア化政策」は「ゲルマン化政策」の道具のひとつであるという不満を腹に抱えながら、七月四日、ニュルンベルク法を合法として受け入れたのであった。それでも、例外措置の問題は保留のまま残った。七月末、保護領管轄局は、ユダヤ人移住中央本部の設置を命じた。その管理責任者は、ウィーンからプラハにやってきた、アドルフ・アイヒマンであった。

大統領ハーハとチェコ政府は、できる限り、新反ユダヤ法から個人を守りたいとの考えから、例外の多い一九三八年一〇月のイタリア人種法を念頭に置いていたのであろう。しかしイタリアの人種法は個人の軍事的愛国的記録を基にした例外措置であった（ファシスト党の功労者がたまたまユダヤ人の場合を含んでいた）。それに対して、チェコ人が念頭に置いていたのは、ハーハがノイラートに言ったように、社会全体にとって有益な仕事をした人という、もっと視野の広い意味であった。例外措置は個人の申請に基づいて、複雑な手続きを経なければならなかった。一九四〇年八月までに、七一七人の申請があり、一〇月までに一〇〇〇人であった。最も多かったのは、企業家と実業家（三二八人）、医師（一九六人）、弁護士（五三人）、そして非ユダヤ人の夫をもつユダヤ人妻（八六人）であった。終始冷淡な保護領管轄局を含めて、だらだらとした検討を重ねて、政府は四一人の例外措置を承認した。その中には、かつてトーマス・A エジソンの助手で、コルベン工業の創始者エミル・コルベンが含まれていた。彼はプラハで重要な人物であった。カレル大学で有名なドイツ文学の研究者で博士アルノシト・クラウス教授、そしてチェコ社会や芸術界で名を成した非ユダヤ人の夫を持つ多くのユダヤ人女性。（承認が得られなかった申請のひとつは、パウル／パヴェル・アイスナーの場合であった。彼は、チェコの詩を精力的に翻訳していた。彼は、奇蹟的に戦争をプラハで生き抜いた。）しかし一九四一年一〇月四日までに、ハーハとチェコ政府の努力はすべて水泡に帰した。ノイラートの後継者が、「原則的に」例外措置の申請目録全体を拒絶したからであった。その頃にはすでにユダヤ人の国外追放が始まっていた。

保護領の総督が、ニュルンベルク法の厳密な解釈に従って、誰がユダヤ人であるのかを定義するのを待つことなく、プラハのチェコ警察（農民党の保守派が牛耳っていた）は、一九三九年八月初めまでに、ユダヤ人が公共施設、レストラン、そしてカフェに出入りすることを制限する条例を発令した。八月四日、もっとも優雅で快適な場所は、ユダヤ人の出入りが禁止された：たとえば、国民劇場の近くにある、スロヴァンスキー島のレストラン、芸術家クラブに加入していたレストランとカフェのマーネス、ストシェレツキー島のレストラン、街を少し上がったところにあるハナウパヴィリオン、ロイヤルガーデンにあるシュヴェフラレストラン、そしてヴィノフラディ、スミーホフ、その他の国民クラブなど。ユダヤ人がオーナーであるレストランやカフェは、そのことを明示しなければならなかった。それ以外の場所では（アーリア人のマスター表が掛かった場所を除いて）、要望があれば、ユダヤ人客に別室を用意することが許された。それから、警察は、ヴルタヴァ川の島や河岸にあるスイミング・プールや浴場施設に目を光らせていた。公衆浴場は、ユダヤ人の出入りが禁止された。そして、その他の場所では、アーリア人の水泳者が、非アーリア人とブッキングしないように特別のスケジュールが組まれた。

カフェやレストランの多くのオーナーや支配人は、ユダヤ人も非ユダヤ人も、これらの警察の条例に挫けることはなかった。ユダヤ人共同体によって発行された『ユダヤ新聞』は、ユダヤ人客が彼らの店で歓迎されるし、あるいはまた店内にユダヤ人コーナーが特設されている、と報じた。最初の広告は、一九三九年一二月九日、ヴァーツラフ広場に面したカフェ・テプナと、旧ユダヤ人地区に近接したヤロであった。これに続く数週間、その他の店舗が広告を掲載した。ツェレトナー街のカフェレストラン・セイトリング、旧市街広場のビュッフェ・カーヴォヴィーは「毎日、焼き立て新鮮な商品」を約束していた（一九四一年でも）。カフェ・プシーコピィ、早くから、オーストリアやドイツからの多くの難民を魅了していたカフェ・コンチネンタル、不屈のカフェレストラン・アッシャーマンとそのオーナーであるアルミン・ワローは、一九四二年二月になってもまだ広告を出していた。驚いたことに、チェコ国民劇場から数歩のところにあって、シュールレアリズム作家の伝統的な溜り場でもあったナーロドニー・カヴァールナ（カフェ民族）は、一九四〇年五月一日に、「ジャズシンガー」カウフマンとその伴奏者レッフェルホルツとレーデラー（ピアノ）、そしてシェヒター（バイオリン）による音楽を交えた午後の茶会を催していた。カフェ・ニッツァではもっとシビアな音楽が週三回演奏された。「有名なアーチストたち」オットー・ザトラー、クルト・マイヤー、そしてカルロ・タウベ（一〇クラウン、およそ三〇セントの食事つき）の演奏であった。一方、カレル橋の近くにあるカフェ・ウニタリアでは、エルザ・ヴァイトベルゲロヴァー女史の監督下に、ブリッジ、ラミー、そしてスカートなどの午後のカードゲームを友好的に広告していた。

その他、多くの場所でユダヤ人席が設けられた。その中には、カフェ・ウルバンがあり、「非アーリア人」の部屋には、中庭を突っ切って行かねばならなかった。レトナー丘には、ポスティロンバーのカフェ・ベルヴェデレがあり、中流階級地区ヴィノフラディには、カフェ・ズダルがあった。一九四〇年春でも、ユダヤ人の広告は、郊外のカフェやレストランのものが毎週少なくとも六件あり、電車や汽車でやってくるユダヤ人を歓迎した。マラー・フフレのガーデンレストランは、毎日午後三時から六時までの舞踏会を売りにしていた。シュレジンガー、レーヴィト、シュタイン、そしてベルコヴィチらで構成された小さなオーケストラ演奏が行われた。そして、ミフレのガーデンレストラン・イェゼルカは、ヴァーツラフ広場から電車に乗っていかねばならなかった（水槽の新鮮な魚を選ぶことができた）。ホテル・アメリカのレストランは、他の取り柄もあった。そこまで行くには本駅から汽車に乗らねばならなかったが、木陰の多い庭があって、そこでブリッジを遊ぶことができた。一九四〇年五月に、ホテル・スカルカのレストランの広告が、仮想平和の香りを味わえるという謳い文句で、新聞に二度掲載された。そのレストランまで行くのは容易ではなかった（バスと汽車を乗り継いだ）が、そこに到着すると、「妖精のおとぎの国の森の散歩」、バレーボール、ピンポン、そしてスイミングを楽しむことができた。そしてそこにはユダヤ人を歓迎する区域もあったことを誰もが知っていた。そのうちに新しい、もっと厳格な反ユダヤ法が発令された。川岸のブリッジ仲間は、単なる昔懐かしいお伽噺になってしまった。

　一九三九年九月一日、ドイツのポーランド侵攻が火蓋を切り、占領の早期終結の希望を保護領市民が失い始めたとき、ユダヤ人のアパートは登録が義務付けられ、九月二三日、二四日、ユダヤ人はラジオの供出を強制された。機械類は容赦なく粉々に叩き壊された。一九四〇年二月二〇日をもって、ユダヤ人は映画観賞や観劇を禁じられた。三月には、彼らの身分証明書に、大きな字で "J" の印が押された。五月一七日、彼らは、プラハの公園、庭園、あるいは森の散策を禁じられた（ユダヤ人共同体は古民家の庭を開放していた）。鳩の飼育やタクシーの利用も禁じられた。電車では、二両編成の後ろの車両の最後尾に立っていなければならなかった（もしも一両の電車であれば、二両編成が来るまで待たねばならなかった）。

あるユダヤ人家系の物語（個人史）

私は、母方のユダヤ人家系がいつボヘミアに定住したのか知らないし、また正確な日は重要でもない。一三世紀か一六世紀にやってきたであろう。ゲットーを焼き払い、ボヘミアの地に新たな生活の場を見い出そうとした暴虐な十字軍によって、フランク族共同体から追い立てられてきた。ボヘミアでは、ユダヤ人から有り金をすっかり搾り取ろうとする王や皇帝から、貴族が「彼らの」お抱えユダヤ人を保護する習慣があった。私の母方の最も古い先祖はアダムとイヴであった。すなわち、ホルニー・チェレケフのチェコ人村のアダム・ブロートは、一七一七年の納税記録によれば、香辛料を商いしていたが、ほとんど「赤貧状態」であった。彼はモラヴィアのエヴァと結婚した。彼らは五人の子供をもうけた。その中の一人アンドレアスはルカヴェツの村に移り住み、シェーネレと結婚して、一七四〇年の納税記録によれば、仕立て屋を営んだ。その他の息子たちは、それぞれに家庭を作り、手袋製造業を営んだ。イサーク・ブロートとアンナは一三人の子供をもうけた。全員ルカヴェツで生まれた。私の祖父はその中のひとりであった。私が思うに、祖父は、家ではイディッシュ語を喋り、カトリックの村の隣人や客とはチェコ語で喋り、そして後年、プラハに移り住んだときにはドイツ語を喋っていたであろう。家族の秘話によると、眉唾物ではあるが、彼は、旧市街広場で織物店を営んでいた誰あろうヘルマン・カフカ（後にフランツの父親になる）のところで年季奉公し、年季があけてポジェブラディの小さな町に移り住み、中央広場で自分の店を開いたとのことである。店は繁盛したに違いない。少なくとも最初の頃は。なぜなら、彼の子供（私の母も含む）はそこで生まれているからである。しかし一九〇〇年までに、彼は店を閉じた。レオポルド・ヒルスナーの「儀式」殺人の噂に続いて、敵意に満ちた反ユダヤ人感情のうねりがチェコ人の国を覆いつくした。彼は商売の拠点をプラハに移した。当時のユダヤ人の多くに倣って、数と可能性で優る、もっと文化的な共同体での安全性を求めたのであった。

私はこの家族の写真を一枚だけ持っている。（一七三頁）一九一二年頃のもので、この写真から受ける印象は、秩序、節度のある幸福、ある種の静かな優美さ（若い婦人に関して）、そして未来への確かな希望である。左側に、家族のみんなから少し離れて祖父が座っている。自力で道を拓いた男であり、実直で、高い額の、堂々としたウィルヘルム皇帝風のミリタリーグレイの口髭をたくわえ、ナポレオン風に左手を礼服の二つのボタンの間に突っ込んでいる。右側には、祖母が飾り付けた髪形で魅力的な笑みを浮かべている。彼女の横や後を五人の子供がとり捲いている。そのうちの二人は祖母と同じ収容所で死んだ。一人は生き残った。残りの二人は、ナチのプラハ占領期間にイギリスで亡命生活した。私が聞いたところでは、彼女はネー・ゼッケンドルフであった（私が一九五〇年代にニューヨークに着いた時、その名前の紳士は、そこの不動産開発業者であった）。そして降嫁した。私の記憶では、彼女は私に、一八一二年にモスクワから帰還する二人のフランス人擲弾兵のバラードを歌ってくれた。ハインリッヒ・ハイネの詩「彼らが飢えているのであれば、物乞いに行かせなさい」という行があった。彼女が、間違いなく、中流階級の教育を受けていたことを示していた。しかし、その子守歌は、私を幸せな夢へと誘ってはくれなかった。彼女は確かに、母よりも度胸があったと思う。私が少年の頃、こんなことがあった。彼女が私を連れて、草と砂でできた、ヴルタヴァ川の平坦なチーサジスキー島（皇帝の島）で散歩している時であった。彼女は突然、こちらを見るなと言ってしゃがみ込むと、スカートをまくりあげて放尿した。彼女はこの出来事を母に言わないよう私に約束させた。母は決してこんなことをしない。そして私は、祖母と秘密を共有したことをとても幸せに思った。

一家の写真の中央に、母の最年長の兄カレルがいる。彼は長身の実直な人柄で、第一共和国時代に、立派なガラスとビンの工場を建てて繁栄し、大富豪となった。私は、カレルや、南ボヘミアのピーセク出身の妻オルガ・ネー・コーンについて、あまり知らなかった。というのも、彼らは富裕な実業家で、私とは別の世界に住んでいる人々であったから。しかし、彼らの身なりのきちんとした息子たち、すなわち私の従弟イヴァンとヤンのことを憶えている。彼らは、ごくたまにではあるが、日曜日に、プラハの公園や行楽地に遊びに来ていた。カレル伯父さんは、私たちから少し距離を置いていたように思う。彼は政治的意識の高いチェコのユダヤ人であり、ほとんどチェコ語だけを喋って育った。自由主義的な新聞「リドヴェー・ノヴィニィ」を購読し、チェコ国民劇場には通ったが、プラハ・ドイツ劇場には足を踏み入れなかった。私の父は、全く違っていて、ベルリンの表現派による最近の粗野で意味不明な劇を制作して、プラハ・ドイツ劇場で上演していた。一九三六年か一九三七年の夏に、イヴァンとヤンがときどき南ボヘミアの小さな町ノイビストリッツにやってきた。私はそこで休暇を過ごしていた。そして私は彼らを地方の社会民主主義者の会合に誘った。そこでは、スペイン共和国における最近のファランジストの戦闘について議論が交わされていた。カレル伯父さんは、私の常軌を逸した行動や、彼の息子たちをスイミングプールから連れ出そうとしたことにぞっとした――会合が社会主義者によるものであったからだけでなく（私は、悲しいことに、彼の階級意識を過小評価していた）、従弟たちが馴染んでいるチェコ語ではなく、ドイツ語で議論されていたこともあった。

ある日、一九一二年の家族写真の中のハンサムな若者が、松葉づえをついて歩くことになった。階段でこけて、両足を骨折したからであった。家族の噂をよくよく聞いてみると、彼は結婚している女性に言い寄って、彼がその女性のベッドに居た時に、突然、夫が帰ってきたので、彼は慌ててバルコニーから芝生の上に飛び降り、救急車で病院に搬送されたという次第であった。家族の噂からはその夫について詳細は知れなかったが、私の母はオルガ伯母が激怒した理由を知っており、カレル伯父は、アドリア海の豪華なクルーズに――もちろん、スラヴ愛国主義者に相応しいユーゴスラヴィア船で――彼女を連れ出して宥めていた。私たちとは異質の世界であった。

四、五年後、カレル伯父、オルガ伯母、そしてヤンはアウシュヴィッツに送られガス室で死んだ。イヴァンはソ連軍に合流して生き延びた。そしてソ連のルドヴィーク・スヴォボダ将軍指揮下のチェコスロヴァキア軍団に所属して帰国した。後年、彼は、ニューヨークの四三番街にあるカフェで、その時のことを話してくれた。逃走中、彼は、空き家になった農家に雨宿りをした。果物の缶詰を見つけ、空腹だったので、一気に食べた。たちどころにひどい下痢をもよおし、夜通しこの幽霊屋敷で悩まされた。翌日、さらに東に向かって、てくてくと歩き始めた。彼が、あるドイツ人女性イゾルデと結婚し、西ドイツで幸せに暮らしていることを父親が知ったらさぞ驚いたことだろう。

カレル伯父の肩に夢見がちに手を置いて、未来を苛立たしげに見ている少女は、私の伯母フリッタである。予備知識が無ければ、一見田園風に思えるこの家族写真の中に、言語や文化の国境線が走っていることを見抜けないだろう。カレルは誇り高いチェコ人であったが、フリッツタ伯母は、（おそらく、彼女の母親にドイツ風の躾で育てられたことによって）フランクフルトやベルリンの舞台で有名な女優になった。彼女の最初の夫は、ベルリン、フランクフルト、そしてミュンヘンの舞台でワイマール時代の心理劇を確立した劇作家パウル・コルンフェルトであった（彼はウッチ・ゲットーで死んだ）。私が少年の頃、フリッツタ伯母がベルリンから我が家にやってくるときは、ひと騒動であった。フリッツタの町での買い物は派手であった。ある時、母はフリッツタの買い物に同行しなかった。なぜなら、フリッツタは、マレーネ・ディートリッヒ風のズボンをはいていたし、母はプラハのズボンは趣味が悪いと信じていたのであった。フリッツタ伯母は、私が黙っているだけで、一時間ごとに半チェコクラウンの小遣い銭をくれたので、私はとても嬉しかった。彼女は言葉に対して気取りがあったので、私のプラハ訛りのドイツ語に我慢がならなかったのである。全ての主要な子音がプラハ風に発音された。そして残念ながら、ｔとｄ、ｐとｂは簡単に入れ替えることができた。

私は後に、フリッツタ伯母がブレヒトの最初の劇中で、有名な俳優ハインリッヒ・ゲオルゲ（後にスーパーナチ）の相手役としてヒロインを演じたことを知った。そして彼女はベルリンのブライテンバッハ広場にある、芸術家や知識人のコロニーに住んでいた。そこでは隣人をイニシャルだけで呼ぶ習慣があった。フリッツタ伯母が、“der L.”について語っているときに、彼女の指している人物が有名なマルクス主義批評家ジョルジュ・ルカーチであることを知ったのは、ずいぶん後になってからであった（私がジョルジュ・ルカーチについてイェール大学で講義したのは三〇年後のことであった）。フリッツタ伯母はベルリン社交界の華であったが、一九三三年の春、そこを去らねばならなくなったが、プラハの家族は、往年の舞台生活に憧れた少女と、その二番目の夫フリードリッヒ・ブルシェル（プルーストのドイツ語訳者）の帰郷を歓迎したのであった。フリッツタとフリードリッヒは、デイヴィッツェ郊外にある暗い小ぢんまりとしたアパートで生活した。そして彼らが再び出て行った時に、彼らは沢山の本を本棚に残していってくれた。その中には、フランツ・カフカの本も数冊含まれていた。いまでは滅多に手に入らないハインリッヒ・マーシー・&・サン版であった。私の父は、なぜ私がカフカをそんなに熟読するのか不思議がった。フリッタとフリードリッヒはマヨルカ島（地中海西部、スペイン領）に移り住んだ。そして彼らの陽気な亡命生活について素晴らしい手紙をよこしてくれた。フランコ将軍の海軍がこの島を占拠すると、彼らはロンドンに移り、オクスフォードの寒い借家に住んだ。戦争中、フリードリッヒはそこからロンドンにあるBBCに通い、ドイツ部門で働いた。

戦後まもなく、私がロンドンの大学で学んでいるときに、彼らを訪ねた。フリードリッヒ伯父はいつも私に、私のキャンディ配給をフリッタに持って行ってあげるように忠告した。乏しいスイーツ配給の時代に、彼女はこの贈り物をとても喜んでいた。彼女はしばしば舞台への復帰やテレビ番組作成への参加を要請されたが、正直な彼女は、長年の舞台恐怖症で仕事はできないと感じていることを告白していた。最終的に、彼女はミュンヘンに移住し、多くの本やワイマール時代の思い出の品に囲まれて、小さなアパートで死んだ。

特別な保護を必要とするかのごとく、祖母にぴったりと寄り添って立っている耳の大きな少年は、長じて私の伯父となるレオである。彼は、言語、歴史の劇的変化、仕事、そして国などを巡って、波乱万丈の人生を送った。彼は商業の勉強のためにドイツ語とチェコ語の学校に通ったが、最終的に、弁護士資格を得るためにプラハのドイツ語大学で研究生活を送った。そして学位を得た後（家族では初めて）、有名なＲＡＳ（トリエステ保険会社）の法律部門で数年間働いた。彼は、以前の君主国の中を飛び回って仕事をした。彼のオフィスは、ユングマノヴァおよびナーロドニー・トゥシーダの街角に聳える堂々たるビル（ルコルビュジエは、それを少し見下したように、アッシリアの宮殿だと言った）の中にあった。（私は、マサリクの葬式をそこから見ていた。）レオ伯父は、実はジャーナリストや作家になりたかったのではないかと思う。そして私のプラハでの高等教育に刻印を残した。娯楽映画にも連れて行ってくれた。マルクス兄弟からフレッド・アステア制作の映画、そして、解放劇場の闘争的な演劇にも誘ってくれた。輝かしいソングライター、ヤロスラフ・イェジェクのブルースはいまだに私の脳裏を去らない。

第二次世界大戦中、レオは、工場や、ロンドンの近くの鉄道会社で働いた。彼は、戦争が終わるとすぐにプラハに戻った。「チェコスロヴァキア・ユダヤ人共同体協会」に参加するためであった。一九四八年二月のクーデターで共産党が政権を奪取すると、ユダヤ人、「西の難民」、ブルジョワ弁護士、そして、全能の党（共産党）に入党する意思のない人物として職を失った。工場労働者や、建設現場でクレーンの運転手として働きながら糊口をしのいだ。一九六〇年代の初めごろ、状況がやや改善して、彼は教養のある旅行者ガイドとして働くようになり、外国人旅行者を相手に、フラチャニー城、ユダヤ人街、そしてフランツ・カフカが埋葬された新ユダヤ人共同墓地などを案内して回った。一九六九年までに、妻エリザベスと息子を連れて、再びバイエルンのフュルステンフェルトブルックに転居した。その地で、プラハ・ユダヤ人グループの最後の有名な作家のひとりとして、エセーや特集記事を書いたり、チェコ人、オーストリア人、そしてドイツ人聴衆のために講演をしたりして、幸せな晩年を過ごした。彼の息子ペトロは、アメリカ合衆国やイギリスで学業を修めた後、プラハのBBCで働き、月にいちどはミュンヘン国立図書館にやってきて、先祖のユダヤ人の歴史を研究した。

写真の中央で、六つボタンを留め、丸い白襟のドレスを着た少女は私の母の妹イルマである。彼女は、この家族の中で居心地が悪そうに見え、祖母に触れないように注意深く体を反らしている。彼女は裁縫師であった。母と同様に、最低限の学業を修め、私の記憶では、赤毛で、明るい色の目、そして、上背のある押し出しの強い女性であった。オーダーメードの手作りドレス好みの婦人向けに、プラハのおしゃれなブティックを経営していた。彼女のシックな生活について、家族の噂は絶えなかった。しかし、彼女はあまりボーイフレンドを頻繁に変えることもなく、ブラチスラヴァ出身の既婚のスロヴァキアあるいはハンガリー人企業家とずっと付き合っていた。彼は彼女を連れ出して、一九二〇年代の終わりから一九三〇年代の初めまで、人気の場所に旅行した。私の母は（モラヴィアやシレジアの温泉によく出かけた）イルマがまたお出かけ――ニース、ジュアン・レ・パン、あるいはビアリッツ――であることを、溜め息交じりに教えてくれた。一九四一年、イルマはテレジーンに移送されたが、重宝なお針子としてよく働き、一九四五年五月、マウトハウゼンから生還した。以前と変わらず、かくしゃくとしていた。ミランという糖尿病の労働者と結婚して面倒をみていた。彼は下肢を切断していた。フリッタ伯母は、一九七〇年代に、彼女をオーストリア旅行に招待した。そのときに私は彼女に出会ったが、会話は弾まなかった。イルマは故郷で八三年の生涯を閉じた。

母方の家族は、一九世紀の時流に乗って、ボヘミアのユダヤ人社会で幸運に恵まれた。私の記憶するところでは、古来の精神的宗教的伝統よりは、当時の自由主義に近かった。そして、彼らがシナゴーグの内外で受け継がれてきた儀式を厳格に遵守していたのかどうかについては、私は思い出すことができない。カフカはかつて、彼の父親のことを、「四日祭日ユダヤ人」だと言ったことがある。年に四回だけシナゴーグに出席するという意味である（皇帝の誕生日も含めて）。そして彼の特徴づけは、ブロート家族（カフカの親友マックス・ブロートとは関係がない）のほとんどの成員に同様に当てはまったであろう。私のユダヤ人祖父は、村の共同体において古代宗教を信仰していた。そして、彼とその家族は、古風な生活に憧れていた。彼らは、モーゼとその妻レシのボヘミアの田舎暮らしについてチェコ語で書かれたヴォイチェフ・ラコウスの有名なユダヤ人物語を読んでいた。

一九世紀も後半になると、少なくとも外見的に、宗教や言語の問題で、事態は複雑化していった。村の共同体ではまだ使われていたイディッシュ語の他に、チェコ語かあるいはドイツ語のどちらを使用するのかは、共同体の慣習ではなく家族の個々の成員が決めることであった。チェコ語ユダヤ人運動は、ユダヤ人医師ジークフリート・カッパーまで遡る。彼は、一八四三年に、（チェコ自由主義者の怒りに対して）ドイツ語ではなくチェコ語で彼の詩を書き始めた。この運動は、ブロート家の息子たちにとって重要であった。彼らは、チェコ語共同体か、あるいはドイツ語共同体に属しているのか、所属をはっきりとさせようとしていたが、いまだにイスラエルの約束に馴染んでいなかった。シオニストはほとんどいなかったし、マックス・ブロートも含めて、多くの若い知識人は、「文化的」シオニズムにかぶれていた。政治的事件に動かされない限り、マルティン・ブーバーについて論じたり、パレスチナにおけるパイオニアとなるよりは、純粋なユダヤ的伝統の探求に走った。

レジスタンスグループと一九三九年一〇月二八日

軍の動員解除、ベネシュの大統領辞任とロンドン亡命、そして、共産党も含めた旧政党の活動停止後、一九三九年の夏、レジスタンスグループは自分たちの道を模索し始めた。第二共和国以前の行動指針とはあまり連続性はなかったが。一九一七—一八年への追憶や、グループ間の一定の交流が当時の風潮であった。そして、レジスタンスはしばしば、個人的な繋がりではなく、ドイツ当局の応諾によって創られた新しい公的組織の協力を得た活動であった。たとえば、検閲の長官は情報をロンドンに提供する効果的な組織の長であり、政府の長は秘密裏に地下抵抗組織に財政援助を行っていた。しばらくの間、国外の人々との接触は可能であった。次第に締め付けは強化されつつあったが、領事館の窓口は機能していた。重要な会社の経営者は、契約書作成のために出入国を繰り返していた。著名な学者は、論文の発表のために外国の学会に出席した。そして、他の人々は、時には休暇と偽って、スロヴァキア、ポーランド、そして、ハンガリーへの国境を越えた。ロンドン亡命者、モスクワの職員、そしてプラハの抵抗者は、さしあたり、占領者との派手な暴力的衝突は避けるのが最良の策であるという点で一致した。そして、一九三九年九月一日、ロンドンのチェコ人亡命者による具体的な行動指針は、第一に情報収集の重要性を挙げた。それに続いて、目立たないサボタージュ、そして（その方法については言及していなかったが）、ヒトラー帝国に対するオーストリアやバイエルンの不満分子の間に積極的な宣伝活動を展開するとしていた。

レジスタンスグループの中で最も注目されたのは将校やその他の職業的兵士であった。彼らは、チェコ軍が動員解除になった後も互いに緊密な連絡をとりあって生活し、活動を続けていた。政府は、彼ら三万人を公務員として配置するという骨の折れる作業を行っていた（ズデーテン、スロヴァキア、そしてザカルパッチャ・ルテニアで解任された公務員の扱いはさほど重要ではなかった）。前兵士は特別の事務所、行政機関、そしてほとんど儀式目的の七〇〇〇人が政府軍にグループ分けされた。しかし、ドイツ人による占領に飽くまでも反対した兵士たちは、プラハやその他の保護領地域で機動する秘密軍において、以前の命令系統をもつ組織の再構築を好んだ。自称オブラナ・ナーロダ（『民族防衛』）という組織体は、政治的というよりは軍事的組織であり、その行動原理は、議論ではなく、命令による決定であった。特に、国境を越えてフランスやイギリスの軍に合流しようとしている何千という若者を安全に誘導するための無線発信機の扱いに関してはそうであった。

「民族防衛」の最初の頃の指揮者は、やがて自分自身がロンドンに亡命することになるセルゲイ・イングル将軍、ベドジフ・ノイマン将軍、そしてやや毛色の異なるウィーンの帝国戦争大学で学んだヨセフ・ビーリー将軍などであった。「民族防衛」の信条は、厳格な民族主義と保守主義であった。そして、共和国に心身を擲ち、大統領ベネシュの権威に敬意を払ったが、ドイツの最終的敗北後のプラハにおける、少なくとも、一時的な軍事独裁の担い手となることを見越していた。だが運悪く、ゲシュタポが「民族防衛」に壊滅的ダメージを与えた。将校たちは、同志の名前や場所を自白するよりは、自殺の道を選んだ。そして一九四一年九月、ロンドン亡命政府が武装蜂起の計画に参加するよう要求したとき、プラハ部隊の最高司令官ベドジフ・ホモルカ将軍は、それに呼応するためには、武器と人員が必要であると答えざるをえなかった。

もうひとつの重要なレジスタンスグループは、一九三八年一〇月、大統領ベネシュがチェコスロヴァキアを発つ際に、彼の個人的秘書官であったプロコプ・ドゥルチナ博士に、友人と連携して亡命を志すチェコ人のために情報収集をしてほしいと依頼したときに結成された。彼は、一九一七—一八年にプラハでマサリクとベネシュのために働いた、旧戦闘員で古い「秘密犯罪組織」のボスでもあった首相プシェミスル・シャーマル博士にそのグループの長として指導を依頼した。そのような高名な人物に秘密組織を任せる策が賢明であったかどうかは別問題であった（シャーマルは命を失った）が、ベネシュは常に合法性と歴史的連続性を第一原理としていた。グループは、「政治センター」と名乗った。そして第一共和国の民主的自由主義の理念を信条とした。この理念は、政治的には、共和国設立時の五つの政党の代表からなる変動委員会の中に現れていた。その中に、保護領政府と地下秘密組織のメンバーである土地均分論者ラヂスラフ・ファイエルアーベント、そして、国民民主党の意思に反してベネシュへの忠誠を表明した著名人ラヂスラフ・ラシーン博士がいた。「政治センター」グループは、ロンドン亡命政府から負わされた情報収集の責務を並外れて立派に果たした。彼らの無線発信機の操作を行ったのは、植物学者で古兵のヴラヂミール・クライィナ教授であった。鉄道で活動したグループは、危険に晒された人々を国境外に密かに運んだ。あるジャーナリストのサークルは、世界の時事ニュースを公的新聞で同僚に伝える任務を果たした。

リベラル左派の側で、第三の組織が形を整えつつあった。労働組合員、労働者アカデミーで活動している人々、伝統的な政党を見向きもしない若い知識人、そして穏便な社会主義者、あるいはチェコ兄弟団のキリスト教徒が寄り集まっていた。このグループのメンバーは、後に「請願委員会」と名乗る団体を構成した。我々は忠誠であり続ける――これは、マサリクの葬儀におけるベネシュの感動的な弔辞、および一九三八年五月の知識人によって起草された宣言書に言及した言葉であった。彼らは、積極的に共和国スペインを支持した。そして彼らは、ズデーテンやライヒのドイツ人不満分子にアピールすることができると信じ続けていた（反ドイツ秘密軍は、この信念を持たなかった）。請願委員会は、将来のチェコスロヴァキアが必ずや左方移動するであろうと信じていた。しかしその信念は共産主義の理念を拒絶することであった。一九四一年六月に、ヒトラーがソ連に侵攻したあと、共産主義者は第一共和国の自由主義的伝統を否定する社会革命を要求したのであった。

一九四〇年秋までに、これらの軍人、自由主義者、そして社会主義者のグループは、国内抵抗運動中央指導部（ÚVOD）の下に行動を共にし始めた。彼らは、共和国を支持していたチェコ共産主義者と個人的な接触があった。一九三〇年代の終わりになると、共産主義者の司令塔であるモスクワの指示による突然の政治的状況変化によって、事態は簡単ではなくなった。ヨーロッパで最強の共産党の一つであったKSČは、一九三八年一二月の政令によって解体させられた。しかしその資金は潤沢であった。チェコスロヴァキアの大資本家ヤン・バーチャ（彼は、彼の靴工場にアメリカ方式を導入した）に印刷物を売るという素晴らしいアイデアを持っていたからであった。一九三九年九月、党はモスクワに、工場で会費を払う何万というメンバーが確保できると報告した。にもかかわらず、ドイツの占領後、党の再建は困難を極めた。党の上層部はパリやモスクワに去り、多くの活動的分子が、三月一五日に、アクチオン・ギッテル（大量逮捕）によって逮捕され、残りは九月一日に逮捕された。八月の党宣言は、「固い民族統一」を掲げ、共産主義者、社会主義者、カトリック、そしてプロテスタントの信条をもった「反ドイツファシスト」連合を呼びかけた。その月に成立した独ソ不可侵条約は、来るべき「帝国主義」戦争に対する態度を一変させた。片や、党員は一夜にして信念を改めなければならなかった。そして党組織は、一般党員の間に「多少の混乱」があることを認めたうえで、「大衆を教化する」ための方策が必要であることを提唱した。独ソ不可侵条約のあと、共産主義者はレジスタンスグループの中で否応なしに孤立していったという見方もある。なぜなら共産主義者は、国内での政治的同盟よりも、モスクワとの関係が強かったからである。いずれにせよ、当分の間、少なくとも一九四〇年五月までは、共産主義者組織とプラハにおけるドイツ保安勢力との衝突は避けられた。共産主義者は一九三九年一〇月二八日のデモを扇動したが、一九四一年二月一二―一三日には、党中央委員会のほとんど全員がゲシュタポに逮捕されてしまった。共産主義者のメッセンジャーはモスクワに暗号電文を送ろうとしたができなかった。

母について思うこと（個人史）

家族写真で、少し離れた所に立っている若い少女は、当時一六歳の私の母アニーであった。ふっくらとした頬、黒い目、そしてもじゃもじゃの髪（赤毛であった）をしていた。少なくとも、紳士の友人のいた彼女の姉妹イルマや、ボヘミアンのフリッタに比べて、落ち着いた生活を送った。私の母は、兄弟のような高等教育を受ける恩典はなかった。当時、女性は家族の安寧のために働き、財政的に貢献するものだと考えられていた。そして母は、初等学校を出た後、仕立て屋に奉公し、商売を学び、優雅な婦人服の鋭い鑑識眼を養った。彼女はプロレタリアートの家に生まれた勤勉な少女であった。朝八時から、夕方六時まで働き、下層中流階級の家に戻って、家事を手伝った。私の記憶する限り、彼女はあまり宗教や政治に興味を示さなかった。彼女の文学に関する知識は、とりわけ劇に関して、彼女は、私の父との交際中に彼の文学的夢を何時間も聞かされて得たものであった。結婚に至るまでの彼らの交際期間は少なくとも四，五年であった。

私の父が母に出会ったのは、家族の言い伝えによると（恐らくは父の作り話であろう）、一九一四年の初夏の早朝、ヴァーツラフ広場のスチェパーンスカー通りの一角であった。母は出勤の途中であった。父は朝早くからそこで何をしていたのか、神のみぞ知るである。彼は学校を退学して、劇場での仕事を探していた。家族の話によると、父はたちまちこのユダヤの少女に心を奪われた。おばたちが口をそろえて言うには、チロルにはほとんどユダヤ人はいなかったし、ラディン峡谷には全くいなかったので、父はすっかりエキゾチックなそばかすの赤毛少女の虜になってしまった。彼らは、最初に、互いにどんな言葉で会話をしたのであろう。母は片言のドイツ語、父はいい加減なチェコ語であったのだろうか。恐らく彼らは、彼ら自身の愛のプラハ語を作り上げていったのだろう。

若者が何処でデートを重ねたかを知ることは、少なくとも文学史家には困難ではないだろう。なぜなら、父は前回の日曜遠足のことをいつも詩に書いていたからである。ズブラスラフの川舟に乗ったとか、クラインザイテ丘に登ったとか。その詩は定期的にプラーガー・タークブラットに掲載された。初めの頃は印象派の韻文で、後には表現派の情念を帯びた最新のアヴァンギャルド様式の、感嘆符を多用した作品であった。母に関して言えば、彼女はあまりアヴァンギャルドに強い印象は受けなかったと思う。彼女は針仕事を続け、八月に戦争が勃発し、父が軍事訓練のために、数週間、ハンガリーのセゲドで帝国軍に参加せねばならなかったとき、彼女は律儀に父に会いに行った。プラハから外に出たのはこれが初めての経験であった。父は、公共施設であるプラハ劇場に雇われていたので、代わりの人がいないという理由で、前線に送られることなく直ちに呼び戻された。

両方の家族の心配をよそに、彼らは戦争終結後に結婚した。一方の家族は、ユダヤ女性との結婚に反対した（祖父は特に酷かった）。他方の家族は、非ユダヤ人に反対したが、無駄だった。私が生まれた後、宗教的、人種的問題は、解決しないままに棚上げとなった。両方の家族ともに共和国を歓迎したからであった。共和国はユダヤ人を彼らの国の民族として認めてくれたし（彼らにとってマサリクは、今では、優しい老皇帝の権化であった）、ラディン人はドイツ人とチェコ人のどちらにも属さず（彼らは今ではドイツ語を話していたが）、愚直にも、彼らは蚊帳の外に安泰で居られると思った。しかし、時折、予想外の問題や困難があった。私が八歳で、共和国の祝賀に参加して路上で三色旗を熱心に振っていた時、誰かが（間違いなくドイツ民族主義者）私の父に、ドイツ人の施設で働いているのならもっと子供の管理をしっかりするようにと警告したのであった。

プラハ時代の初めごろ、母は私をフリミンダ（かってに作ったチェコ語風の愛称）と呼び、小さな白い手袋と御揃いの『小公子』スタイルのスーツを新調してくれた。驚いている他の子供たちと一緒になって、私は国民劇場の傍のジョフィーン島の砂場で遊んでいた。彼女はたまに私を労働者階級の貧しい家のスレチナ（未婚の娘）――私に生きたチェコ語を教えてくれた――に預けて、夕方から観劇に出かけた。最新の出し物を観劇し、バレーやオペラ歌手のドレスをスケッチしていた。ある時、私は、彼女のポートレートがたくさん置いてあるのを見かけたことがある。燃え立つような髪を引き立たせる、絹の煌びやかな緑のドレスを着ていることもあった。彼女は大した教育も受けていなかったが、なぜ臆することもなく舞台や映画のスターたちと対等に振る舞えたのか、不思議でならない。

もっとも私は自分なりの自己主張をするように育てられてはいた。映画スターのエリザベス・ベルグナーと彼女の母親と一緒に、私たちがマリエンバートの近くの牧草地を散歩していた時のことであった。ご婦人たちは精神分析学的手法を用いた新しい作品について議論をしていた。私は、その作品のタイトルを思い出すことができなかった。私は一二歳で彼女らの後をついて行きながら、作者はもちろんグレーテ・ウルバンチッチだと思うと言った（私はこの作品を父の机で見かけた）。夏には、しばしば、私たちはボヘミアやモラヴィアの有名な温泉地や、シレジアのカールスブルンやグレーフェンベルク、あるいはゼメリングの有名なオーストリア・ジュートバーンホテルに行ったものだ。そのホテルの豪華なレストランで、私は初めて女性にのぼせあがった——隣の席に座ったインド人王女に（彼女のナプキンの下に、小さなラヴレターを忍ばせたが、彼女は読まなかったと思う）。優雅な女性の一行はしばしば健康のために散歩がてらホテルの近くの小高い丘ピンケンコーゲルに登った。そんな時、母は丈夫な靴と毛糸のストッキングを履いていた。八年後、彼女がテレジーンのゲットーへ移送されるときに、同じ靴とストッキングを履いていたことを思い出す。

母は恥ずかしがり屋で、彼女の姉フリッタのように、自意識過剰なボヘミアンにはなれなかった。かといって、いつも「一二個の卵を使って……」から始まるマグダレナ・ドブロミラ・レチゴヴァーの有名なレシピに興味を抱くような専業主婦でもなかった。彼女は料理には全然興味がなかったように思う。タイミングよく彼女はチェコの田舎から出てきた働き者の少女たちに助けられた。彼女らは家事をこなし、思春期前の私の落ち着きのなさに動じることも無かった。火曜日の洗濯の日に少女たちは最上階に上がった。そこでは、木製のたらいに熱湯がもうもうと湯気をたてていた。下着までずぶ濡れになりながら薄着のままの少女たちは、私が湯気の中から顔を出したりテーブルの下に隠れていたりしても、私に怒ることはなかった。彼女らはけたけたと笑いながらたらいを囲んで、私を冷やかした。

私が思うに、母の不調は一九三〇年代中ごろに始まった。彼女は、しょっちゅう暗い部屋で横になっていた。私は、彼女の額に冷たいタオルを交換していた。そして彼女はひどく頭痛を訴えていた。この頃の父は、長期間、理由の知れない留守であった。離婚手続きを始めたのは母であったと確信している。母は、熱心に教えを乞う若い女優と一緒に旅している不在夫と暮らすつもりはなかった。母は感嘆すべき力を示した。ある夜、アパートで大騒動が起こっていた。父が泣きわめいていたが、母は警察を呼んで父を部屋から追い出したのであった。彼女は、生計を立てるために、彼女が仕立てたドレスを評価してくれる婦人のためのサロンを立ち上げた。そして私は、戦前のチェコスロヴァキアで、ヴォーグ・&・ハーパーズバザールの最も若い読者のひとりとなったのであった。

数年後、母は私に、コンラート・ファイトから「親愛なるアニー」に献呈された小さな写真を見せながら、彼女がアメリカ合衆国に行くチャンスがあったことを教えてくれた。移動中のファイトと短い出会いがあり、ハリウッドで一緒に仕事をしないかと誘われたのであった。私がまだ学校に通っていたので母は彼の申し出を断った。私がアメリカで教育を受けたいと言った時には既に手遅れであった。私にとってカルトムービーであった映画「カサブランカ」でドイツ空軍少佐としてのコンラート・ファイトを見るたびに、私がハリウッドの脚本作家として生きるチャンスを失ったことを悲しく思った。現実的な問題として、一九三六―三七年の政治的状況において、父と離婚することによって母は「アーリア人」の夫だけでなく「混合」結婚の僅かばかりの保護さえも失うことになった。保護領時代の終わりごろ、ソ連赤軍が迫っている時期に、混合結婚で配偶者がプラハ・ハギボール・スタジアムやテレジーンに送られていても何とか命を繋ぎ得たであろう保護であったが。

私の記憶は多少混乱しているかも知れないが、一九三七年、母は生活を取り戻そうとして、突然、ヴィクトール・マンデルと結婚した。彼はモラヴィアの小さなユダヤ人共同体出身の著名な医者で、ウィーンの有名な総合病院で高度な技術を持った熟練の外科医であった。学生時代に社会主義者と共に活動し、一九三四年二月の内戦でオーストリア軍に敗れた後も彼らを支持し続けた。私には、最初の頃、母の考えはよく分からなかったが、火曜日か木曜日の午後にヴィクトールが鉄道員のためのクリニックで働いていたので、郊外の散策に彼女がヴィクトールを誘ったときに同伴することもあった。母は人見知りをするほうであった。後年、彼女は自分の感情を隠そうとしなくなった。そしてヴィクトールは車を持っていたので、週末にはよくチェコやオーストリアの田舎を旅行したりした。そして、小さな村の宿で朝食をごちそうになったりした。

私の若い頃の政治教育についてはヴィクトールに感謝せ

ねばならない。そして私が、数十年後、ウィーン大学で比較文学教授になって、公式の宴会で首相ブルーノ・クライスキー閣下の隣の席に（事前に打ち合わせてあった、と私は思うが）座るようになった時、一九三四年のヴィクトールの同志や、彼らのオーストリアからチェコスロヴァキアへの逃亡劇について、私が法外な量の情報を得ていたことに彼は驚いた。同志クライスキーはほどなくスウェーデンに亡命することになったが、ヴィクトールは母をほったらかしにして最終便でロンドンに逃亡した。その時、不思議なことに、突然降って湧いたように父が現れて、物質的なことを含めて色々と母をサポートし始めた。いくら控えめにみてもそれは奇妙な構図であった。

一九三九年秋のデモンストレーション

一九三九年一〇月二八日のプラハのデモは、チェコスロヴァキア共和国の独立記念祝賀であったが、少なくとも部分的にはレジスタンスグループの指導による最初のデモであった。戦術的に完全な統一行動ではなかった。ベネシュが提唱した象徴的な行動で満足すべきか、あるいはゼネストまで突き進むべきか。生憎、ロンドンとの無線通信装置の不具合によって事前の連絡がとれなかったが、とにかく何らかの決定は下されなければならなかった。プラハ市民は、ビラの山に驚いた。黒ネクタイを締めるとか（この案は、ドイツ警察の目につきやすく逮捕されやすいという理由で撤回された）、あるいは黒い日曜ベストを着ることが提案されていた。煙草や飲酒をしないこと（国税を避けるために）、買い物、電車に乗車しないこと、あるいはサボタージュなどが提案されていた。悲しいかな、一〇月二八日は土曜日であった。いずれにせよその日は半日労働で、ストライキ参加の意思は管理者に脅されて挫けてしまった。デモは市の中心街や広場で展開された。チェコやドイツの当局者は、デモの計画を大まかに把握していたが、政府と保護領管轄局はデモを軽視していた。ノイラートはベテランの外交官らしく週末にたっぷりとプラハを留守にした。その間に何が起こっても無視できるからであった。しかし、保護領担当国務相K・Hフランクと、プラハ保安警察長官ヴァルター・シュターレッカーは、ノイラートの外交施策が全面的に間違っていることを証明するために干渉の機会を狙っていた。

静かに夜が明けた。労働者や従業員がいつものように仕事に就く時間であった（建設現場は空であった）。朝九時までに、多くの人々、特に若い世代がヴァーツラフ広場に集まってきた。チェコ・カラーの小さなリボンを付け、時には、マサリクが愛用した乗馬帽を被っている者もいた。この場に、フランクがおとりとして送り込んだドイツ人学生が突然現れて、リボンや愛国的帽子を出し抜けにむしり取ってからかった。昼前にはチェコ人のデモ参加者は旧市街広場で声を限りに歌いシュプレヒコールを繰り返した

――「我々に自由を！　ベネシュ万歳！」（「スターリン万歳！」の声もあった）――チェコの警察は見て見ぬふりをしようとした。

駅では、郊外や辺鄙な村から続々と人々が到着し、乱闘騒ぎとなった。午後一時までには、喧しく叫んでいたグループはブレドフスカー通りに面したゲシュタポの建物の正面に集まり囚人の解放を要求した。しかしこの時までに、ドイツ保安隊はチェコ内務大臣に、毎週土曜日に行っているように、SS ライプシュタンダルテがヴァーツラフ広場を行進するであろう、そしてもし、行進が妨げられるようであれば、SSは問題を解決するであろうと警告した。チェコとドイツの警察は、デモ隊をヴァーツラフ広場から追い払い始め、人々は周辺の道路や広場に移動した。

午後三時には、デモの群衆がイィンドジシュスカー街の中央郵便局の向かいにあるホテル・パレスを襲撃した。このホテルにはゲシュタポの逮捕者が振り分けられていて、ゲシュタポに拘禁されていた人々の解放に成功した。そしてヴァーツラフ広場の少なくとも片側には、警察を物ともせず、戻ってきたデモ参加者が押し寄せて溢れかえった。五時までに、フランクは、ラーニィ城に大統領ハーハを訪れ、きっぱりと、ヒトラーは保護領におけるデモは許さないと主張されており、チェコ警察が取締りを強化しないのであれば、直ちに、SSライプシュタンダルテがその仕事を引き継ぐつもりだと宣言した。ほどなくして、ドイツとチェコの警察は（後者は政府からの圧力の下に）、再びデモ隊をヴァーツラフ広場から追い払った。数発の銃声が響き、人々は四散した。しかし、デモは駅の近辺やそれ以外の場所でも、午後八時ごろまで続いた。その日は、約四〇〇人が、チェコやドイツの警察に逮捕された。そして一五人のデモ参加者が病院に運ばれた。ジトナー街の上手で、労働者オタカル・セドラーチェクは心臓を撃ち抜かれて即死した。医学生ヤン・オプレタルは腹部を撃たれた。彼は危篤状態で入院した。その後フランクは、おそらくは一一月二日にプラハにやってきたハインリッヒ・ヒムラーと共謀して、ノイラートがしぶといチェコ人に鉄槌を下そうとしないことをベルリンに繰り返し報告し、ノイラートの信用を失墜させせようとした。フランクは突然、親衛隊大将に昇格した。

ヤン・オプレタルは一一月一一日に死んだ。そして彼の医学生仲間は、彼の柩がフラーフカ寄宿舎から駅に運ばれ「民族団結」の一支部である学友会の職員や寄宿舎の寮長からチェコ警察に許可申請がなされた。チェコやドイツ当局によって葬式の許可がおりた。ウー・フレクー（ビアホール）で、学生の集会が開かれた。当局者はそれを無視したが、ゲシュタポは機会を窺がっていた。

一一月一五日の朝、三〇〇〇人以上の学生が大学の病理学研究所でオプレタルに哀悼の意を表した。チャペルでは、チェコ兄弟団の福音派教会の教職者が聖書を読誦し、立派な息子を育ててくれたオプレタルの両親に感謝の意を表した。そしてこの場に出席した学生に対しても謝意を表明した。柩は、沈黙の中を運ばれて、待機している霊柩車に乗せられ、アルベルトフ医療地区から駅まで運ばれることになったとき、学生たちは男女を問わず国歌を詠唱し始めた。騒ぎが起ころうとしていた。五〇〇人以上の学生が行進を始め、カレル広場でチェコ警察と衝突して工科大学の建物の中に逃げ込んだ。警察は、学生が三々五々に連れだって退去するのを許した。しかし学生たちはまたぞろ集合して行列を作り、「チェコスロヴァキア」、「自由」とシュプレヒコールをあげながら、市の中心部に向かって行進を始めた。フランクは、事の次第を自分の目で確かめようとして、ナーロドニーとスパーレナーの角で囲まれて彼の車は止められてしまった。彼の運転手は興奮した群衆に乱暴されて、鼻は折れ、右目から出血し、悲しいかな、彼の腕時計は乱闘騒ぎの中で失われてしまった。少人数ではあったが戦闘的な学生の一団がデモ行進を続け、市街電車のドイツ語表記の交通標識を引き抜いてヴルタヴァ川に放り込み、旧市街広場の無名戦士の墓前に集まった。そして法科大学の建物の正面で古い民謡を歌った。そこでは、チェコ警察やSS将校の車との小競り合いがあり、三人の学生が逮捕された。昼までにすべてが終局した。少なくとも、プラハの街頭では。

一〇週間前のポーランドにおけるドイツ軍の電撃的勝利の後で、ヒトラーはチェコ人のいかなる反抗も赦そうとしなかった。デモがほとんど終焉しようとしていた時に、ヒトラーは、ノイラート、フランク、そしてプラハ駐留の国防軍指揮官エーリヒ・フリデリチ将軍をベルリンに招喚して対策を検討した。歴史家は、ここでいつ何が決定されたのかということについて推測している。ノイラートの擁護者で歴史家グスタフ・フォン・シュモラーによれば、一一月一六日の午前中に、チェコの大学の閉鎖について議論され、午後には、ヒトラー、ヒムラー、そしてフランクだけで（ノイラートと彼の側近たちは除外された）、その他の方策が決定された。ノイラートは愚かにも、彼の特別機の手配をフランクに委ねた。フランクは一刻も早くプラハに帰りたかった。ノイラートと彼の側近は、翌朝の汽車で帰り、彼らがプラハに到着したときには、チェコの大学は向こう三年間閉鎖されることになっており、九人の学生職員が銃殺され、一二〇〇人以上の学生が強制収容所送りになった後であった。赤い紙で、警告第一号がプラハの至る所に張り紙され、責任者の名前はフランクではなくノイラートになっていた。チェコ政府の新しい首相アロイス・エリアーシュ将軍が夕方の会見でこれらの流血の処置について説明を求めてきた時に、ノイラートは全責任を負わされたのであった。

一一月一七日の朝七時にルズィニェで銃殺された九人のうち、八人は「民族団結」、あるいは学友会の組織で活動していた。そしてチェコ警察の報告によれば、彼らの多くは第一共和国において中道政党、国民民主党あるいは国民統一党の右派に属していた。彼らはベネシュやマサリクの政策には積極的に反対していた。例えば、ヤン・マトウシュ博士は大統領ハーハに指名されてチェコ＝ドイツ友好連盟の議長を務めていたし、二五歳のヤン・チェルニーはベルリンに派遣されそこでドイツ人学生組織との適正な関係を築くために尽力していた。控えめに見ても、九人中八人は政府後援の「民族団結」の政策に関わっていたし、レジスタンス運動には全く無縁であったと言える。これらの人物の中に、ゲシュタポがマレク・フラウヴィルトを含めていた理由は明らかにされたことがない。彼はスロヴァキア市民で、ポーランドのユダヤ系家族に生まれた。彼は学問を早々に終えて、三月一五日にスロヴァキアに戻り、その後はプラハで、時々スロヴァキア領事の仕事をしていた。恐らくは（ヨセフ・ライケルトが推量しているように）、ブラチスラヴァ経由でベオグラードに逃亡する人々を助けていたのであろう。チェコ警察は彼が共産主義者であると信じていた。

死刑執行の準備を整えている間に、ドイツ警察はプラハの最も重要な五つの寄宿舎と、ブルノの二つの寄宿舎を包囲した。そして逮捕された学生はルズィニェ刑務所に連行され、そこで一人ひとり尋問を受けた。二〇歳以下の者は釈放された。スロヴァキア市民や、ユーゴスラヴィアやブルガリア出身の学生も釈放された。学生のファシスト組織ヴライカの会員であることを証明できた者も帰宅を許された。残りの一二〇〇人の学生は、直ちにオラニエンブルクの強制収容所に送られ、その後ザクセンハウゼンに移送された。一九四三年までに、大統領ハーハがノイラートやその後継者と粘り強く交渉を続け、学生の多くは小グループに分けられたが、チェコ政府は彼らの釈放のために重い政治的犠牲を払わねばならなかった。かれらのうち一五人は収容所で死んだ。生き延びた三人――ズデニェク・ミケシュティーク、アドルフ・スカルカ、そしてフラムトシェク・スタヴェリーク――は、一九四五年五月のプラハ蜂起のバリケードで英雄的な死を遂げた。

父方の家族（個人史）

ラディン人は言語学的には紀元前一世紀に遡る人種である。皇帝ドルススとティベリウスの時代にローマ帝国はその版図を拡大しアルプスの麓を支配し始めた。その地方の居住民レティアン人は、新来者の話すラテン語に同化していった。ラディン語話者（ロマンシュ）は、現在、アルプスの渓谷に挟まれて、スイスのグラウビュンデン州に住んでいる。彼らの言語レト＝ロマンシュは、スイスの第四公用語となっている。北イタリアのフリウリ地方（ピエル・パオロ・パゾリーニは、彼の若い頃の詩にその地方の慣用語を用いた）、かつてはオーストリア領で、現在イタリア領となっている南チロルのセラ・マッシフ周辺のドロミテ渓谷である。

父の家族は、もともとボルツァーノからそう遠くないガルデナ渓谷に住んでいた。そして彼らのラディン語は、古プロヴァンス語に似た響きがあることを考えると、私の言語学的直観は、あながち間違っていなかった。もちろん、統一言語という意味での「ラディン語」はもはや存在しない。ドロミテ地方ですらラディン人だけが少なくとも五種類の慣用語を村や伝統によって使用しているだけである。北イタリアのボルツァーノ自治体の住人は、今日、人口の六〇％がドイツ系南チロル人、三六％がイタリア人、そして四％がラディン人で構成されている。ラディン人は、他の地方のラディン語を容易に理解することができるようだ。そしてもしも、アメリカ人旅行客が来た時も、英語が気に食わなければ、ただちにイタリア語やドイツ語に切り替えることができる。

私の父の先祖は、最初、一六世紀のダ＝トルーセルと呼ばれた教区帳簿に記載されている家屋敷を所有していた。所有者の名前は、メルキオール・デ・メッツ・ダ・トルーセルとなっていた。彼のラディン名の詳細については、「（谷間の）真ん中に」を意味する、de Mezz[7]に由来していた。フランスの都市 Metz との語源的な関連性は無い。生活は

7　メス（Metz、ドイツ語：メッツ）は、フランスの北東部

楽ではなかった。急斜面での収穫は乏しかった。だから山岳農民は農業以外の技術で生き延びる術を身に付けなければならなかった。機織、防水のローデン布地作り、手袋製造（私のユダヤ人の先祖がボヘミアの村で営んでいたことを思い出させる）、そしてたくさんの手編みレースがあった。一八世紀までに、家族の中には宗教的な木彫りの立像、台所用品、あるいはおもちゃを貴重な山の松から作るものもいた。そして一〇〇年後には、だれもかれもが農業、酪農、そして彫刻に勤しんだ。やがて農民はいくつもの山を越えた向こうに彼らの彫刻を商う市場があることを知った。そして多くの息子や娘が旅をして異郷の地でガルデナ彫刻を売り始めた。ナポリ、ヴェニス、そしてトリエステにはラディン人の商人がいた。ヨハン・マチアス・デメッツは、パドヴァで商店を営んでいた。ヨハン・アルドサーはリスボンに、ルングガルディア家の成員はニュルンベルクとクラーゲンフルトに、そして、ペーター・デ・メッツはフィラデルフィアに居を構えた。私の祖父ヨセフ・アントン・デメッツ・ダ・トルーセル（一八五七年生）は、インスブルッ

に位置する都市で、グラン・テスト地域圏、モゼル県の県庁所在地である。

クの織物店で働いていたラディン人娘マリア・ヨセファ・インサムと結婚し、最初、上オーストリアに、その後プラハに移り住んだ。しかし彼は遅すぎた。市場は変わって、機械化された人形の時代になっており、もはや誰も木彫りの人形を買うものはいなかったので彼は破産した。

私は母方に比べると、父方の家系についてはあまり知識がない。私は、ラディン人の間ではなく、母方の環境で暮らしていた。私たちの家族は旧市街広場に近接した小さなティーンスカー通りで肩を寄せ合って暮らしながら、彼女の民族から不審な目でみられていたので、神秘的な部分が多かった。最初、祖父は羽振りが良く、堅牢な家を購入した。入り口正面の装飾石造物に彼の名前が彫られたが、一九四五年に、あまりにドイツ的であるとして削除された。彼は長年続いているイタリア人プラハクラブ（ラディン人とイタリア人の区別はなかった）の会計係になった。私は子供ながらに彼の手書きのカタログをめくっていたのを憶えている。そこには遠い谷間で創作された聖人の木像、太鼓、そして汽車の絵が描かれていた。彼が破産した後、家は売りに出され、家族は旧市街広場近くのティーンスカーの前六番地の中世後期の建物にある、一種の鉄道アパートに移った（現在は、近代チェコ絵画のメトロポリタン・ギャ

ラリーの華麗な建物の一翼になっている）。私が若い頃は、古い建物はあまり評判が良くなかった。一階にはビール置き場があり、小便器が途轍もない悪臭を放っていた。隣の家の門前では年老いた売春婦が、日夜、客を待っていた。（私がポケットマネーをかき集めて、客のひとりとなった時、彼女はとても母性的であった。）母は、父が不幸なラディンの家族に家賃を払い続けることを好まなかったし、私のいかがわしいティーンスカー通いに対しても油断なく目配りしていた。

私の目の前にある一八九八年の写真（一七五頁）は、フランツ・カフカが生まれた場所からそんなに遠くない旧市街に住んでいたラディン人移民を写しているが、彼らが幸せであったとは思えない。祖父母はこのセピア色の写真に写っていない。（七人のうちの）五人が写っていて、奇妙な民族衣装を着て、むしろ当惑気味である。左側におばのマチルダが立っている。彼女は部屋を貸していて、癌で死んだ（私は、彼女がプラハ総合病院に入院していた時のことを憶えている）。そして彼女の横には、おばのアンナが立っている。彼女は、いつも、「焦がしのおばちゃん」と呼ばれていた。というのは、彼女は若くして視力を失い、クリスマスの時にツリーの燃え盛る蝋燭に近寄りすぎて危険だったからである（いつもバケツに水を汲んで置いてあった）。彼女はもてなしの良い修道女たちの経営する家に住み、自分で編んだストッキングやショールを売って生活していた。実のところ私は彼女が何時死んだかを知らない（恐らくは戦争末期だと思う）。彼女の隣に立って写っている少女が、たまたま女装した私の父である。当時の子供のファッションであった。父の隣がおじのフェリックスである。どもる人であったが、幸いにして銀行に職を得た。（一九四五年、彼が「ドイツ人」として逮捕されたとき、私の父は彼を助け出し、彼の娘と合流するまでの一年間、彼は我々のキッチンで生活した。）右側に立っているレオポルドは、家族の秘密であったに違いない。彼は精神遅滞児であり、施設に入れられて早逝した。私は彼の生涯について家族から何も聞いたことがない。

おばのパウラは写真に写っていない。彼女はもっと後で生まれたからである。彼女は幸運に恵まれなかった。彼女はこの家族から逃げ出したかった。ある将校と出会い、一九一七年、下手な流産処置で死んだ。おじのカールも写っていない。彼は二〇世紀に生まれたからである。彼は、兄弟姉妹の肉体的負担や苦悩からは逃れたが、彼の後半生は別の理由で苦難の連続であった。彼は才能に恵まれた芸術家であり、フラチャニー丘の一角に小さなアトリエを持っていた。そこの乱雑さがとても魅力的で、私はよくそこを訪れたものであった。そして彼はいくつかの有名な企画のための広告やポスターを描いて生計を立てていた。私の母の怪しげな判断によると、彼は女好きでもてる男であった。午後遅くに、カフェ・ユリシュ（一階で）で、金持ちのボーイフレンドを座って待っている女性を好んだ。彼の趣味は、田舎から出てきたばかりの彫像のような優美な女性であった。不幸なことに、彼はちょっと間が抜けていた。一九四一年のある日の午後、彼はヴァーツラフ広場に面したホテルズラターフサ（金のガチョウ）のロビーでコーヒーをすすっていた。軽い会話をしながら、彼のテーブルに同席した見知らぬ男に、戦争は負けだ、ライヒはアメリカと戦争は出来ないと語った。その男は彼の意見に賛同せず、ゲシュタポ手帳を見せてカールをその場で逮捕し、拘置所に連行した。彼は大逆罪で二〇年の刑を言い渡された。カールは悪名高いテレジーンのマラーペヴノスト（小さな砦）に送られた。そこでは、獄吏が政治犯を好き勝手に拷問していた。そこから、ドレスデンの刑務所に移送された。一九四四年二月一三日、当地に対する連合軍の猛烈な空爆によって解放された。歴史家フレデリック・テイラーによれば、出獄した多くの囚人たちがドレスデンで咆哮しながら、燃え盛る鉄道駅で破れた手荷物から引っ張り出した普段着に着替えていた。私のおじもそのひとりであった。囚人服のままでは、ザクセンの国境（たまたま私はその収容所で、半ユダヤ人として働いていた）を越えてボヘミア、更にプラハに通じる森で生き延びることはできなかったであろう。プラハでは古いティーンスカーのアパートで三か月間身を隠して過ごした。一九四五年五月初め、チェコ人がドイツに対して反旗を翻して立ち上がったとき、カールはバリケード作りに駆けつけたが、隣人にドイツ人とみなされて非難された。彼はテレジーンの囚人証明書を提示してようやく誤解を解くことができた。彼は最後の日々をニュルンベルクにあるナチの犠牲者のための小さなペンションで過ごした。そしてそこで静かな死を迎えた。彼は私の父方の家族の中でガルデナに戻ったことのある唯一の人物であった。そして私の遠い従弟フベルトは、二〇〇三年に私が彼を訪ねたときに、この奇妙な老人カールを訪問したときのことを生き生きと語ってくれた。

父について（個人史）

私の父について語るのは容易ではない。私の疑問、疑念、そして感嘆は、歴史は言うに及ばず、大いなる希望を持ちながら、取り巻く環境や時間によってすっかり歪められたメランコリックな人生から切り離すことはできない。彼がなぜティーンスカーの家族から逃避したいと思ったのかは理解できる。彼は自分の母親を、彼女が死ぬまで、ほとんど宗教的ともいえる姿勢で支え続けた。（彼女は、お尻の周りにロザリオを巻いて、ラディン語で何やらぶつぶつと呟きながら、ロングスカートで台所仕事をしていた。）そして、何か運ぶ荷物があれば、彼の兄弟姉妹を助けようとした。他の若い人たちはサーカスと一緒にこの家を去ったが、彼は劇場の豊かな世界に魅せられて、学校も卒業せず（と、私は思う）、ハインリッヒ・テヴェレスに出会った時に、その場で専属の脚本家として雇われた（一九一四年）。テヴェレスは博学な批評家でプラハ・ドイツ劇場の監督であった。もちろん、父は詩を書き、最も進歩的な作家がベルリンで出版した著作を熱心に読んだ。（彼によれば、プラハのドイツ人作家は、どちらかと言えば、保守的であった。ただし、彼の敬愛していたフランツ・ヴェルフェルの詩は例外であった。）そして、テヴェレスやドイツ劇場連盟（プラハのドイツ・ユダヤ協会の中心人物を含んでいた）の監視のもと、躊躇いがちなプラハの観客に新しい表現派の劇を紹介し始めた。一九一六年までに、彼は、小劇場向けの新しい作品を古い領地劇場で上演すべきであると、テヴェレスを説得した。そして彼の演劇論を『プラハ小劇場の出し物』と題する出版物で論陣を張った。どちらかと言えばチェコ人寄りの、彼の勇敢な盟友カレル・フゴー・ヒラーについて、彼がどれほど理解していたかは分からない。ヒラーは、一九一四年以後の先進的なドイツ語作品から新しい劇をヴィノフラツケー劇場で上演していた。

プラハの裕福なドイツ系ユダヤ人中産階級は、アルトゥール・シュニッツラーを好んだ。しかし父は、ヴァルター・ハーゼンクレーヴァーの『息子』を上演して劇場の歴史を作った。この作品は、第一次世界大戦のさなか

（一九一六年九月三〇日、初演であった）、落ち着かない世代全体に向かって語りかけていた。ドレスデンやベルリンでの上演よりも前であった。プラハでは、過激な息子役を、最初の頃はゲルト・フリッケが演じ、後には愁いを漂わせたエルンスト・ドイッチュが演じた。若い舞台監督は、大胆に、フランク・ヴェデキントの作品を多く手がけ、マックス・ブロートの新しい作品（作者に対しては個人的に懐疑的であったが）をとりあげた。そして、革命ロシアについての神秘的ともいえるエルンスト・ヴァイスの劇作『ターニャ』を上演するなど、パイオニア的な実験を続けた。この作品は、驚くほど映画的手法を駆使して、女優ラーエル・ザンザラ（一九一九年一〇月一一日）が演じ、そして後には、続々とハーゼンクレーヴァーを上演することになった。父はしばらくゲオルグ・ヴィルヘルム・パプスト（後の偉大な映画監督）や、作曲家指揮者のアレクサンダー・ツェムリンスキーと共同制作を行った。アレクサンダー・ツェムリンスキーは、舞台音楽やドイツ語歌劇で有名になり、アーノルト・シェーンベルクや、後にハリウッド映画音楽で有名になったエーリッヒ・ヴォルフガング・コルンゴルトを演奏してプラハの聴衆に訴えた。

一九二〇年一一月一六日、チェコの暴徒が、旧区のユダヤ人の施設に対する憤懣を爆発させて、プラハ国民劇場の熱心な俳優たちを先頭に領地劇場に雪崩れこみ、そこに居た私の父を事務所から追い出し、チェコスロヴァキア民族の名において建物を占拠した事件は、父にとって大した妨害にはならなかったと思う。それ以降、そこはチェコ人の興行に使用されることになった。（マサリクは、この占拠は憲法違反であり、共和国の利益に適っているとは思わなかったので、その建物には決して入らなかった。）ティーンスカー・ラディニアで育った父は、地域的な民族紛争に対して党派心を持っていなかったと思う。彼は新しい事務所に移り、ウィーン出身の新しい監督レオポルド・クラマーと共同して、一九二二年、クライネビューネ（小さな舞台）を設立して、実験的作品の上演を継続した。三〇〇の観客席を備えた劇場は、セノヴァージュネー広場に面した建物の中にあった。

父は、モラヴィアの首都ブルノにあるドイツ劇場の経営を委託された時、非常な喜びようであった。ここで彼は、自由に自分のやり方を振る舞うことができた。私の母も格別に喜んだ。彼女が後に語ったところによれば、ティーンスカーの家族の暗影から抜け出して、彼女は安堵した。彼らは、ブルノの丘の頂上の城塞である大きな古いシュピールベルクの下のウーヴォスにある広いアパートで快適に暮らした。彼の仕事は楽ではなかった。彼は複雑な三つのレパートリーをこなさなければならなかった。魚の臭いが漂う野菜市場での芝居、違う場所でのオペレッタ、月曜日と火曜日にはチェコ劇場の舞台で、ウィーンの近くでの興行と料金を比べる目の肥えた常連客のために、盛大なドイツオペラの興行があった。（私は、オペラの第一幕の観劇を許されたが、私のオペラにおける文化的欠点は克服できなかった。）

父にとって、プラハを去ってモラヴィア地方に拠点を移したのは最良の選択ではなかったことが、かなり後になってから分かり始めた。彼は非政治的人間であった。文学と芸術に専念していたが（彼がどんな種類の音楽に対しても鑑賞力を持っていなかったにもかかわらず、不幸な王子としてのテノール歌手ユリウス・パチャックとともに、彼のトゥーランドット・プロダクションは一躍有名になった）、新しい仕事で、彼は突然、ドイツ民族主義者が裕福なドイツ語話者のユダヤ人中産階級と対立していた狭い町で下される公的決定に、チェコ人として責任を負わされる立場になった。彼はこれらの紛争に巻き込まれてしまった。プラハにいる頃はずっと避けてきたのであったが、ブルノではそうはいかなかった。さらに、一九二八年一〇月の事件とその余波は、数十年間に亘って尾を引くことになった。

一九二八年一〇月三〇日の、チェコスロヴァキア共和国建国一〇周年記念式典を広報したとき、民族主義的ドイツ人学生の代表――ほとんどが地方の工科大学の学生――が、彼の事務所にやってきて、記念式典挙行に抗議し、興行を中止し、参加者にも出席を思い止まらせるよう要求した。父は屈しなかったので、ドイツ人学生はデモ隊を組んで興行（チェコスロヴァキア国歌が演奏されていた）を妨害した。式場に雪崩れこんで騒動を起こし、共和国の祝賀に対する反対宣言を読み上げ、ドイツ人参加者の出席を思い止まらせようとした。チェコ警察が介入して五人の民族主義学生を逮捕した。父はこの事件の主要な目撃証人のひとりであった。一九三一年一月、この五人の学生は、地方裁判所で、騒乱罪および共和国保護法（第一四条）の定める「国の起源に反し、国の独立、統一およびその民主主義的・共和主義的存在を揺るがす」騒擾を起こした罪として有罪判決を受けた。裁判所は、執行猶予なしの判決を下し、五人は短い刑期を刑務所で過ごした。彼らは数年後に出獄してきたときには完全に一人前のナチ党員となり、私の父は（ユダヤ人女性と結婚していたので）、これまでのような活動はできなくなった。

一九三三年、ヒトラーが権力の座につくと、父の契約は更新されなかった。そしてそれ以降、彼は脚本家や芸術家として劇場の仕事ができなくなった。父が家に戻らなくなった後、彼はどこか別な場所で仕事を探している、と母が私に言ったことがある。そして彼が家に戻ってきたかと思うとまた直ぐに居なくなるという奇妙な行動をとるようになると、母は彼と離婚した。彼の行動について私は色々と矛盾した話を聞いた。劇場監督組合の秘書をしていたとか、個人営業をしているとか、時には（耳を疑ったが）、ムニェルニーク放送局で仕事をしているとか。

保護領の最初の一年のうちに、彼はプシィーコピイ通りのシネマ・ブロードウェイでアシスタントの職を得た。ここは、プラハで最も優雅な映画館であった。私と、私の連れはフリーパスで入館することができた。不運なことに、ある日、ＳＳの労働管理者（帝国保護領管轄局の受託者）に何の予告もなくお払い箱にされた。彼がしばしば劇場のチェコ人会計係や案内係をかばってドイツ人労働管理者に楯突いていたことを知られたためであった。彼は燭台の暗がりで物思いにふけり、以前の仕事仲間の紹介でベルリンの「薔薇劇場」の管理職に就いた。最近、プロシアでは、この種の民間興行としてその地方の方言で書かれた民芸風のコメディが人気であった。

この人気の興行も一九四四年九月一日以降は続かなかった。戦争のために劇場が閉鎖に追い込まれたのであった。同時に五〇歳台であった父は、迫りつつある連合軍に対して、ベルリンを守るために編制された国民突撃隊に動員される恐れがあった。彼は安ホテルで暮らしていた。ベルリンは夜間に空爆を受けたが、彼は自分の身の安全を図ろうとしなかった。それに逃げ出すことも不可能であったので、医学的理由で兵籍登録を抹消するための妙案を思いついた。それはぽっかり口を開いた爆弾のクレーターに「転落」し、ちょっとした怪我をすることであった。しかし彼が飛び込んだクレーターは意外と深く急斜面で、両足を骨折してしまった（国民突撃隊よ、さらば）。彼のガールフレンドが彼をベルリンからプラハの病院に搬送してくれた。そこで患者仲間やドクターの介抱を得た。包帯を巻き、その後長いこと松葉づえをついて歩くことになった。一九四五年五月蜂起までは、善良なドイツ人の玩具扱いにされたが、その後、松葉づえをつきながらカレル広場から七分のところにある家に帰った。当時の悪漢のヒーローであった。

一九三九年の文学論

保護領の初めの頃、チェコ政府、学校、メディア、劇場、そしてドイツ人の監督下に活動中の映画撮影所において、民族生活の「自律」が人々の大きな関心事であった。チェルニーン宮の保護領管轄局やゲシュタポの監視下では、政治的自治を望むことはできなかったので、人々は広い意味でのチェコ文化に目を向けた。過去に目を転じて、チェコの伝統を形作っているものや、それらを保存するために先達がとった方法などを模索した。豊かな成果を上げた最近の第一共和国のアヴァンギャルドは、著作家、批評家そして読者の相互作用を触発する包括的な歴史主義に道を譲った。歴史物の劇や映画が流行となった。そして出版業界は、一九世紀チェコの愛国主義的古典を進んでとりあげた。ある批評家は、「自己保存の本能に駆られたかのごとく」広く大衆に読まれた、と表現した。新歴史主義は、ドイツ人自身が一九世紀初頭にフランスの侵略と戦ったときにドイツで流行した思考パターンの逆説的な繰り返しであることを認識しようとした者はほとんどいなかった。

教育のある中産階級向けにフランス語や英語の作品を翻訳出版しているヨーロッパ文学クラブが、一九三九年二月に、スラヴの奥付けで新シリーズの企画を発表した。実際に、そのシリーズ「民族の財宝」は一九世紀の歴史小説の大家アロイス・イラーセクの作品から始まった。他の出版社もそれにならった。そして、前世紀の愛国主義的小説家、詩人、そして歴史家の作品が続々と出版された。それらの中には、大著『チェコ民族の歴史』の著者フランチシェク・パラツキー、プラハの女流作家ボジェナ・ニェムツォヴァーやカロリナ・スヴェトラ、リアリストのヤン・ネルダ、そしてロマン派詩人K・H マーハが含まれていた。新しいチェコ語の小説は、せいぜい一二〇〇から一五〇〇部の売り上げであったが、これらの古典的作品は熱心な読者が多く、一万から二万部がすぐに売り切れた。八つの異なる会社が、ボジェナ・ニェムツォヴァーの作品を、一九三九年に一四点の作品、一九四〇年には二八点の作品を出版し、七万部が売り切れた。ヤン・ネルダの三七点の作品が、一九三九―四一年の二年間で出版された。古い物への興味はさらに継続した。一九三九年には、英語からの翻訳本一三四点が、翌年には一二七点が出版された。同じ一九三九年に、フランス語から四三点（翌年三二点）、ロシア語から九点（翌年一〇点）が出版された。新しい小説では、パール・バック、ドロシー・L・セイヤーズ、そしてジョン・スタインベック（一九四一年）が多くの読者を獲得しロングセラーとなった。

カレル大学のチェコ文学教授で、後にチェコ国家評議会議長となるアルベルト・プラジャークは、一九四五年五月にドイツ占領軍に対して武装蜂起を指揮した人物であるが、新歴史主義に関して多くの重大な疑問を投げかけた。よく読まれたエッセイ「クリティツキー・ムニェシーチニーク」（『月刊批評』）の中で、彼は、現代の困難な時代に過去を振り返ることはチェコの伝統であると示唆した。歴史主義は、映画、劇そして芸術作品に充溢していると彼は言った。不安な時代に「我々は先人から何かを学ぼうとする。」そしてマーハでさえ、「廃墟の城の中に身を置いて民族の未来の繁栄を夢見た」と言った。しかしここである疑問が湧いてくる。トラブルに遭遇したとき、困難に直面することを避けるために、「古い時代の田園詩」に逃避することはないであろうか、ということである。プラジャークの示唆するところでは、新歴史主義は多くの地方的特質に囚われており、チェコ人は国境の外で活動しているものへの親和性をもつことが重要であった。彼は更に問う、チェコ人はもっと注意深くイタリア（恐らく彼は、アルベルト・モラヴィアとエリオ・ヴィットリノを念頭においていたであろう）とドイツで起こっていることを学ぶ必要はないのか？　チェコの思想と文学において起こっていることをドイツ人に知らしめるために、『チェコの精神世界』という定期刊行物が有益であろうという。（残念ながらこの構想は実現しなかった。時すでに遅しであった。）しかしながら、過去への視線が方向転換されるべきであるという最大の重要な理由は、作家と詩人の若い創造的世代の存在であった。彼らは活発な高い才能を具えた、民族の将来を担う保証人であった。

一九三九年、フランチシェク・コジークは三〇歳であった。彼の手になるジャン・ガスパル・ドゥビュローの名で有名な、フランスの偉大なパントマイム・プレイヤー、ヤン・カシュパル・ドゥヴォジャークを主人公とする伝記的小説が出版された。これが大ヒットしてベストセラーとなった。発売直後に五万部が売り切れた。そして僅かに手を加えた新版は体制が変わった後も長らく売れ続けた。フランチシェク・コジークはブルノのラジオ局の編集者であり、中産階級の読者層のお気に入りであった。とりわけ彼が一九三九年のヨーロッパ書籍コンテストで優勝した後、知的批評家泣かせであった。そして彼の本は、困難な国際情勢の中でも多くの言語に翻訳された。一九四〇年、ファラー＆ラインハルト社からドラ・ラウンドの翻訳によるアメリカ（英語）版が出版された。フランチシェク・コジークの『偉大なピエロ』は、じっくりと読んでみたい本であった。なぜなら、この本は、歴史的にも愛国主義的にも豊富な内容を含んでいたからである。極端に偏ることなく出来事を描き、その出所を軽いタッチで、若い無頓着さでもって扱っていた。フランチシェク・コジークは、一九三七年、しばらくの間パリで休暇を過ごした。そして彼のフランスは、「ボヘミア」第一幕のそれにそっくりであった。彼は読者に、栄枯盛衰、演劇革命、威勢のいいパリの街娼や吸血鬼のような高級売春婦の物語、そしてボヘミアへの感傷的なノスタルジアを描いてみせた。ドゥビュロー＝ドゥヴォジャークの少年時代は、これらの描写の背後に回されて霞んでしまった。

ドゥビュローの父は、オーストリア帝国軍で奔走したチェコ人兵士で、革命フランスと戦った。フランスで彼はフランス人少女と出会い、彼女を連れて冬のボヘミア、コリーンに帰った。彼らはエルベ川のほとりで暮らし、多くの子供に恵まれた。一七九六年に生まれた五番目の息子がヤン・カシュパルであった。暮らしは楽ではなかった。ヤンのフランス人祖母が、アミアンの家を残したという噂を聞いて、彼らは家族ぐるみ夜逃げ同然でフランスに向かった。しかしそこはとても住めそうもないあばら家で、二束三文で売りに出さねばならなかった。彼らは、食うや食わずの音楽隊と軽業師に落ちぶれて、フランス全土を放浪し、最終的にパリに落ち着いた。そこで若いヤン・カシュパルは、「綱渡り芸人劇場」でパントマイム一座に加わる機会を得た。そして、郊外の人々や、時代錯誤的な悲劇物に飽き飽きしていた若い知識人層の心をとらえた。ヤン・カシュパル・ドゥヴォジャークはジャン・ガスパル・ドゥビュローと名乗り、不器用で悲しげなピエロとして一座のスターに躍り出た。ロマン主義作家に称賛され、批評家ジュール・ジャナンには、真の「人民の芸術家」として祝福された。それでも彼は幸せではなかった。彼は貧しいドゥシレーと結婚し、ひとりの息子をもうけたが、彼女は彼を裏切って画家と一緒に去っていった。その後マリー・デュプレシと出会い、彼女を「椿姫」と呼んだが、束の間の恋に終わった。彼の演技の中でも、ナポレオン、ヴィクトル・ユゴー、シャルル・ノディエ、ジョルジュ・サンド、そしてオノレ・ド・バルザックは白眉であった。そして彼が年老いたとき、彼の息子シャルルは、有名な憂鬱のピエロとして父の後を継いだ。一八四八年革命の戦士であった。

チェコ語の小説は、どちらかといえば、単純で感傷的な物語が多かった。しかし、モラヴィアの若きコジークは、自分の芸に専心する無口な芸術家の姿にのめり込んだ。ほどなくドイツに占領されたフランスで、フランス映画史上の最高傑作のひとつとなった作品『天国の子供たち』（映画の日本語タイトルは『天井桟敷の人々』）（一九四一―四三年、マルセル・カルネ監督、ジャン・ルイ・バロー主演）で、一躍名を馳せた。時代が彼を祝福したと言えるだろう。

『偉大なピエロ』は、ベストセラーではなかったが、すぐに比較文学の大学教授で疲れ知らずの批評家、そしてこの困難な時代にあっても最も質の高い批評の基準を維持することを大切な使命としていた「月刊批評」の編集長でもあったヴァーツラフ・チェルニーの目に留まった。早くも一九三九年半ばに、若い詩人による新刊本の書評で、コジークについて言及し、「幸運を祈っているが、確たるものがない。」所々、楽しく読める「記述的詩」を書いているが、詩的観想から逸脱して、感傷に陥っている、と評価している。ヴァーツラフ・チェルニーの書評は、極力感情を抑えて学問的博識あるいは本格的な洞察に基づいて書かれているが、ボール紙と鏡で創られたコジークの軽やかな建造物を重砲で粉砕しようとしているかのようであった。ヴァーツラフ・チェルニーは、著者が忘れ去られていたあるチェコ人芸術家の「美しくも偉大な」人生を生き返らせたことを高く評価する。しかしチェルニーは、この飾り気のない本に与えられた名誉に対して、むきになることはなかったが、腹立たしく思う。遺憾ながら、と彼は続ける、コジークは、彼のテーマの豊かな可能性を掴んでいなかった――すなわち、ドゥヴォジャークがドゥビュローへと変身していく内的ドラマを掘り下げることもなく、あるいはもっと社会学的見地から、ナポレオンの時代から一八四八年革命までのフランスの知的展開とどのように交差しているのかを示すことも無かった。心理学的には、コジークの描くドゥヴォジャークは「凡人」である。「通俗小説」の主人公である。そしてドゥヴォジャークと芸術家ドゥビュローは、永遠に別人であった。社会学的見地から、コジークは、フランスの知性の歴史を誤解していた。とりわけロマン主義については、その始まりから、王制主義者、反動主義者、そしてカトリックであったし、革命を支持したのはかなり後になってからのことであった。最悪なのはコジークの文体である。なぜなら、彼は飲んだくれのメロドラマを好み、安易な道に逸れてしまう。しかし、成功と芸術は別物であり、コジークの小説はこのギャップを埋めていない、とチェルニーは主張する。

後年の回想記（一九九五年）の中で、コジークは、最初、怠慢の罪を認めたうえでこの批判に応えるつもりであったと書いている。しかし、出版社（偶然にも「月刊批評」であった）は、書評に対する反論を望んだ。若い著者は、親友の警告を無視して、一九四〇年四月末に、ラドヴェー新聞に二本の論説を掲載した。批判者のことを、衒学者であり、「悪事を行う喜び」に没入していると非難した。コジークは身の置き場に窮した。これらの反論を書く前から、批評家や「月刊批評」の専門家は、彼を、「成功、人気そして宣伝」に魂を売っていると酷評していた。そして、彼のシェイクスピアに関する新しい劇作（彼は堅実に書いた）を「浅薄で混乱している」とこき下ろした。チェルニーは、コジークの小説に関して、もう一本の長めの論文を書いて、この小説は剽窃まがいであると断罪した（サッシャ・ギトリの一九一八年の劇作品と、エゴン・エルヴィン・キッシュの一九三三年に出版されたドイツ語で書かれた『プラハの有名な裁判事件集』の物語から）。そして、テオフィル・ゴーチエのチョッキを、ピンクではなく赤として描いたことを非難した。その少し後、彼は、ポルトガルの詩人カモンイスについてのコジークの新しい小説を、ポルトガル人の名前のスペルが明らかに間違っていると指摘して貶した。

このプラハで起こっていた小さな文化的戦争や、保護領の生活について知識のないアメリカの出版者は、コジークに英雄的役割を付与した。彼の本の表紙カバーに書かれた簡単な彼の履歴には、ブルノ・ラジオ局のドラマ部門の監督であること、そして、やや詩的表現で、現在、彼は連合軍とともにフランスのどこかに居て、「彼の祖国の言語で出版する機会に恵まれていない」と付け加えた。事実は、この推測とは若干異なっていた。彼の小説が成功したあと、コジークはブルノからプラハに移住させられた。そして、ドイツ人は彼を有名人として、遺体確認のために（これは真実であった。ただしソヴィエト当局が認めたのは五〇年後になってからであった）、一九四三年にスモレンスク近くのカチンの森に送られたヨーロッパのジャーナリストや作家の調査グループに加えた。一九四五年以降、コジークは、ここで証言されたソヴィエト将校の中傷に参加したということで、作家委員会によって取り調べを受け、四年間の断筆を言い渡された（すぐに二年間に減刑された）。失職したが、執筆は止めなかった。そして一九五五年には仕事に復帰した。それというのも、共産党の文化相が、戦争中にモスクワで彼の本を読み大変気に入ったからであった。チェルニーは教授職を追われ、国立図書館の下級の職に左遷され、一九六八年以後に短期間であったが、大学に復帰した（彼は一九八七年に死んだ）。コジークは、気さくで棘の無い、そして恐らくは、ほとんど俗気のない人物で、歴史劇、映画脚本、そして伝記小説（コメニウス、トリスタンとイゾルデ、カレル四世など）を書く一方で、子供向けの本を書き続けた。彼の著書目録では一〇七点の出版物が挙げられ、一九九七年、八八歳で静かに息を引き取った。

政治的試金石（個人史）

私の初めての政治的試金石は、一九三九年の終わりごろ、あるいは一九四〇年の初めごろにやってきた。そして私はそれが惨めな失敗に終わったことを告白せねばならない。少なくとも、私のチェコの友人たちは、保護領の時代を通して、常にすぐに戦闘態勢に入れるように、ベッドの下に手入れの行き届いたマシンガンを置いて寝ていたという話を聞くにつけて、私の現状認識の甘さを思い知らされた。恐らくは情状酌量の余地はあるであろうが、英雄たちは、複雑な家庭の事情も含めて、それら総てを気にせず行動するものだろうか？

我々の手はずの整え方は、控えめに言っても、すこし甘かった。私が母と祖母と一緒に暮らしていたプラハのアパートの所有者、すなわちユダヤ人のおじレオは、一九三九年にイギリスに亡命した。すると私のアーリア人の父が、ドイツ人の身分証明書を持ってどこからともなく現れ、勇敢にも前のユダヤ人の妻、すなわち私の母のサポートを引き受けた。アパートの所有権はユダヤ人で挙げられていたので、父はあるアーリア人の名義に変更して、ユダヤ人や半ユダヤ人借家人の名を封印した。おかげで、その均衡のとれた報道で有名なスイス・ラジオ・ベロミュンスター、あるいはＢＢＣ放送を聴くという夜の贅沢が楽しめた。なぜなら、ラジオはそのアーリア人の名前で登録されていたからだ。これらの牧歌的な生活は、ある夜、私のラディン人のおばマチルダによって壊された。彼女は私に電話をかけてきて、すぐに彼女のところに来るように言った。生死に関わる問題であった。彼女のアパートに駆け付けるとゴールデン・リングにある古びた建物の木製の階段を登っていった。中に入ると、彼女は部屋で、以前、ポーランド大使館の事務員に貸したブローニング社製の銃を見つけたと言い、あろうことか、私にこの物騒な武器を処分するように言った。もしもこのことが外に洩れたら、どんなに軽く見積もっても、我々は全員、絞首刑か銃殺であろう。

もし私が英雄になりたいと思っていたのであれば、私はこの武器をマリアに渡すことを考えたであろう。彼女は私の友人クリスチナの姉妹で、仕事場の社会保険事務所の秘密の共産主義組織に加属しているとのもっぱらの噂であった。悲しいかな、マリアと共産主義者に武器を渡すことはせず、私は通学鞄に武器を仕舞い込んでカレル橋に向かって歩いて行った――もちろん夜に。私は学生であり、ここは通学路であった――暗がりに、誰もいない橋の欄干にもたれかかった。そこはかつて、聖ネポムクが責苦を受けた末に川に投げ込まれた場所の近くであった。あたりを見回し、私は鞄を開けてブローニング銃を取り出して川に放り込んだ。水は私の良心のごとく濁っていた。

私の自尊心は、四年後にようやく満たされた。私は、ポーランドのオポルノにあるドイツ人刑務所の牢獄の中で、壁に架けられた小さな黒板に、私の名前、誕生日、ファイルナンバー、そして私の罪名と投獄理由が書いてあるのを見つけた。そこには「非合法活動」と書かれていた。私は、少なくとも、束の間ではあったが、奇妙な誇りを覚えた。

不安定な歴史？

一九三九年一一月一七日以後、見せかけの静けさがプラハの通りや広場を覆っていた。そしてロンドンの放送でさえ、大衆デモや占領軍批判による刺激を避けるよう呼びかけていた。ノイラートは、政府の性急な変化を望まなかった。しかし、一九四〇年一月、農業相ラヂスラフ・ファイヤーアーベントがイギリスに逃亡した後、大統領ハーハは、その後釜にミクラーシュ・ブブナ・リティッツ伯を任命し、チェコ人ジェントリーや貴族の保守主義者が「民族の団結」組織で重要なポストを占める道を開いた。数か月以内に、チェコのファシストは運が開けたと信じた。「ヴライカ」の一団が、一九四〇年八月八―九日、「民族の団結」のプラハ地区事務所を襲撃した。そしてファシストを支持したSSグループが、襲撃を受けた人々を保護していたチェコ警察と小競り合いを起こした。新聞やラジオで、続々と新しいジャーナリストや解説者――失望した軍人エマヌエル・モラヴェッツ、ヴラヂミール・クリフタ―レク、そしてカレル・ラジノフスキー――が登場して、ライヒの繁栄と、積極的協力によって幸福を呼び込むことができると訴えた。

時代は混沌としていた。信頼できる情報がなかったので、「ささやきニュース」が出回った。通常、次のような言い回しで始まった「ある女性に聞いた話だが…」。スターリンが直ちに介入するとか、四八時間以内に国防軍が敗北するといったニュースもあった。チェコ人の子供たちが学校でジフテリアの予防接種を受ける時のことであったが、「ささやきニュース」では、ドイツ人の注射は子どもたちの体に毒だと言われ、多くの母親が学校に現れて、子供たちを危険から守ったということもあった。

一九三九年一〇月一日に、配給制が導入された。初めの頃は、通常の消費者は、週に約三キロのパンと三五〇グラムの砂糖（ライヒではたったの三〇〇グラムであった）、五〇〇グラムの肉と一五五グラムの脂肪（ドイツでは二七〇グラム）であった。追加配給クーポン券が、重労働者や超重労働者、子供、そして妊婦に配られた。軍需産業の従事者の場合、重労働者には、追加配給として、肉五〇〇グラム、様々な脂肪一二〇グラム、そしてパン約二キロが支給された（例えば、一九四〇年一二月二三日から一九四一年一月一九日の期間は毎週支給された）。超重労働者には、肉七〇〇グラム、脂肪四五五グラム、そしてパン二・五キロの追加があった。一八カ月から一〇歳の子供の場合、同じ期間に、特別クーポンが配られ、一日あたり、バター一二・五グラム、ミルク一・五リットルが支給された。

厄介なことに、保護領はライヒに、何千トンという食糧を供出せねばならなかった（例えば、一九三九年の春から一九四〇年の春の間に、一万八七〇〇トンの野菜、六万四〇〇〇トンの砂糖、そして五二〇〇トンの新鮮な果物）。そして出だしの頃の高い水準の配給量は続かなかった。一九三九年、三七・〇二キロの肉が各保護領の市民に配給された。しかし、一九四一年の配給量は二八・八六キロに減らされ、一九四三年には二五・〇二キロとなった。ミルクの年間配給量は、一九三九年の一三〇・九七リットルから、一九四〇年の一四五・八二リットルに増えたが、徐々に減らされていった（一九四一年に一一二・五六リットル、一九四三年に六五・〇五リットル）。一人当たりの卵は、一九三九年には一五一個であったが、一九四一年には八六個、一九四二年には七〇個、一九四三年には六四個となった。砂糖の分配だけが、モラヴィアの田畑で豊富に生産されたので、安定していた。一人あたりの配給量は、一九三九年に三三キロ、一九四〇年に二五・七八キロ、一九四二年に三一・〇四キロ、その翌年には三二・〇九キロであった。公式の統計年報を引用して、ヴァーツラフ・クラールが示したように、食糧の分配は、砂糖を除けば、一九三九年から一九四五年にかけて顕著に削減された。減少率は、パンが二三・七三％、肉とバターが五〇％、脂肪が五五％、そしてミルクが七五％であった。

その他の商品、例えば、石鹸、靴、服、煙草、そしてアルコールは、見る間に店頭から姿を消し特別分配で手に入れられることになった。そしてときおり特別クーポンで売ることができた。早くから差別が始まった。ユダヤ人のショッピングは、午前一一時から午後一時までに制限され、残り物を午後三時から四時半まで買うことが許された。一九四一年一〇月一日、財務省はユダヤ人に対して煙草の購買を一切禁じた。プラハ市政府は一九四〇年一〇月一〇日の政令で、ユダヤ人に服クーポンの速やかな返還と、ユダヤ人は自分たちの服を安物の中古品販売店で購入するよう命じた（商務省は、一九四二年一月二三日、ユダヤ人に帽子購入を禁じた)。食糧に関しては、ユダヤ人はリンゴの購入を禁じられた(一九四一年一月一八日)。追加の配給については、ユダヤ人は、砂糖(六月一三日)、およびマーマレードあるいはジャム(八月二九日)を対象から外された。一九四一年一〇月二三日、農業省は、ユダヤ人に対して、新鮮あるいはドライなあらゆる種類の果物、チーズ、魚、チキン、あるいは獣肉を禁じた。さらに、玉ねぎ(一一月八日)、アルコール飲料(一一月二一日)、コーヒー(一九四一年のクリスマス)、あるいはガーリック(一九四二年一月一五日)の購入を禁じた。一九四二年一二月一二日には、ユダヤ人の子供は蜂蜜を貰えなくなった。

年を追うごとに次第に人々は、商品をこっそりと不法に闇市で手に入れるようになった。ほとんどのプラハのチェコ人は、幸いなことに、田舎に親切な親類がいて、不法に屠殺された鶏やクリスマスのガチョウを手に入れることができた。しかし、鈍行列車でブラニーク辺りの中心都市のすこし手前の小さな鉄道駅で下車して、一四番の電車に素早く乗り換える必要があった。チェコの警察が緩やかな検問をしていた。ベーコンのスライスが便利であった。たとえ、チェホブスやチェルチャニに祖母やおばさんが居なくても、食料雑貨商の知人がいれば十分であった。すこし値段は高くなっても物を買うことは出来たからである。ウェイターは、特に高級レストランでは、メニューを渡して(ヒレ肉ステーキに見合うだけの配給クーポンを提示できれば)、支払可能であれば何をオーダーしていただいても結構ですと礼儀正しく声をかけてきた。話をつけさえすれば、彼は仰々しく銀製の鋏を燕尾服のポケットから取り出して、彼自身の持っている配給クーポンを数枚切って、あとでその伝票をお辞儀しながら持ってきた。その間、占領者は、被占領者にアイントプフゲリヒト(一種の濃いポテトシチュー)料理の良さを理解させようとしたが、伝統的なローストポークの日曜ランチ、あるいは、ポーク、ダンプリング(肉入り蒸し団子＝クネドリーキ)、そしてキャベツに親しんでいる民族の胃袋を満足させるのは困難であった。

一九三九年の秋のデモまで、ヒトラーは保護領の静けさに驚いていたようだ。そして、一九四〇年中ごろにフランスの大部分をドイツが占領したあと、外務省官僚や、チェコやモラヴィアに隣接した地方のナチ党の指導者は、その扱いに苦慮していた。その維持を決定したのはヒトラー自身であった。なぜなら、その地域では軍需産業がうまく回転していたからであった。ベルリン外務省の覚書は、ズデーテンの町の経済的後背地を広げるために、ミュンヘンで合意された国境修正の実施を希望していた（ほぼ一〇万人のチェコ人がライヒに移されることになった）。そして、ズデーテンや下オーストリアの党指導部は、彼ら独自の要求をもっていた。地区指導者フーゴー・ユリィは、オロモウツとブルノの支配者になることで南部および中央モラヴィアを彼のオーストリア党の支配下に置くよう迫った。夏の終わりごろ、この内部的議論が熱を帯びていたとき、プラハ保護領総督は彼の権力を弱めようとする策動に対して抗議する必要性を感じた。九月二三日、ノイラートとフランクはベルリンに呼ばれ、保護領の国境変更はしないというヒトラーの個人的決定を直接伝えられた。オーストリアでは、もちろん、ユリィがなかなか肯んじようとはしなかったが。

トップ会談では、保護領の将来に関して、行政的境界線の問題だけでなく、密かにドイツ生存圏の域内におけるチェコ人の将来について語られていた。ノイラートと、驚くべきことに、フランクも、チェコ人のゲルマン化あるいは少なくとも人種的に受け入れ可能な人々のゲルマン化は早急に準備に取り掛かる必要はあるが、実際の活動は戦争終了後まで延期されるべきであると提案した。ヒトラー自身は、九月二三日、「チェコ人の大部分は人種的に無用な部分を排除すれば同化は可能である」と述べた。フランクが準備を任された。人種移民本部は、人類学、法学、そして統計学の専門家から成る組織の設置に向けて動き始めた。その組織のひとつは、チェコ人は人種的にズデーテン・ドイツ人よりも優れていると結論した。なぜなら、チェコ人の四五％はノルディック（北方人種）ないしはディナール人種であるのに対して、ズデーテン人は二五％に過ぎないという理由からであった。ドイツ人売春婦を買うチェコ人は、咎められるべきか否かという問題を検討して、人種的神学体系の詳細な点についても分析した（彼は、咎められないことになった。なぜなら、血の名誉の問題ではないとされたから）。一九四〇年一〇月初め、国防軍のある将軍も出席して、プラハの保護領管轄局におけるミーティングで、チェコ人の半分は同化できるが残りの半分は市民権を剥奪され保護領外に移住すべきであることが決定された。（非共産主義者の）プラハのチェコ人レジスタンスが、イギリスで訓練されたチェコスロヴァキア軍の兵士によるチェコ国民向けのＢＢＣ放送で、ドイツ語の母語で話す許可は理解しがたいとして拒否したのは驚くにあたらない。

国家内国家であったゲシュタポは、占領初日のアクチオン・ギッテルから始まる大量逮捕の波、そしてポーランド侵攻の日、一九三九年九月一日の知識人や政治家の大量逮捕など常にチェコ問題に介入した。秋には学生の逮捕投獄が続き、一九四一年五月には、アントニーン・ハンプルを含む若手と年長の社会民主主義者および農業党の指導者ルドルフ・ベラン（彼は最近首相になった。裁判にかけられたが、一九四三年のクリスマスに釈放され、一九四五年五月以降に、再び裁判にかけられた）を一斉検挙した。情報屋を使ってレジスタンスの組織的実体を見つけ出すゲシュタポの能力は独創的であった。そして大抵、「政治センター」の活動を停止状態に追い込んだ。プラハや地方の「民族防衛」の約五〇〇〇人のメンバーを逮捕し、ゆっくりと巧妙に、ロンドン政府と密かに通じていたチェコ政府のメンバーの証拠を固めていった。その間、一九四一年六月にドイツがソ連を攻撃するまで、共産主義者は疲れ知らずの革命的ドイツ労働者階級との「最も重要な同盟」を夢見続けていた。

第三章　テロとレジスタンス

ラインハルト・ハイドリッヒ、プラハ着任

一九四一年六月二二日、ヒトラーがソ連攻撃（バルバロッサ作戦）を開始したとき、プラハのチェコ市民は、再び希望を抱き、声には出さなかったが、諦めは喜びに満ちた期待に取って代わられた。共産党は、一夜にして、政策を転換した。一九三九年八月の独ソ不可侵条約以後、共産党は占領者との戦いを止めていた――全ての戦争は、「帝国主義的」であると主張していた――が、この日を境にレジスタンス運動に参加した。レジスタンス側は、これまでと変わりなかったが。保護領管轄局は大げさな反応を示すことなく、「ストライキに似た事件」が起こりつつあると認識していた。電話線や鉄道のブレーキが頻繁に切られ、ドイツ人の子供の家に火炎瓶が投げ込まれ、保護領の新聞がボイコットされた。これらは、ラジオ・ロンドンによる九月一四―二一日にかけての呼びかけに呼応したものであった。ボイコットは大成功で、新聞の六〇%が売れ残り発売元に返却された。ノイラート自身は、反ドイツ敵対感情が「凝り固まっている」とベルリンに報告した。K・Hフランクは、状況を検討するために部下を集めた。そこで、フランクが、（反ノイラートの）覚書をヒトラー宛てに書くことが決まった。ヒトラーは、東プロシアのラステンブルクに本部会議を招集した。フランク、ヒムラー、そしてノイラートが出席したが、SS大将ラインハルト・ハイドリッヒが、プラハのSD指揮官ホルスト・ベーメによって準備された情報に基づいて、最も詳細な状況分析を行った。ノイラートは、ベルリンの天候不良により飛行機が遅れて遅刻してしまい、自己弁護の機会を失ってしまった。ヒトラーは、ハイドリッヒを国家保安本部長に加えて保護領総督「代理」――当面――に任命した。ノイラートは、病気休暇をとってヴュルテムベルクの自宅に引き籠った。（彼が再び登場したのは、一九四六年のニュルンベルク裁判で戦争犯罪人としてであった。）ハイドリッヒは、一九四一年九月二七日、プラハに到着した。歓迎の式典はなかった。K・Hフランクは再び副司令官であった。

ラインハルト・ハイドリッヒの生と死の話は、通常、遅

かれ早かれ、精神分析学的方向に向かう。イギリス人、フランス人、チェコ人、あるいはドイツ人の伝記作者は、彼の幼少時の異常なトラウマに着目する。そしてそれによって、後年の彼の行動を演繹的に説明しようとする。系統的な仕事に向いた彼の冷酷な能力とならんで、彼の野心が、様々な方向で説明できるであろうに。彼が半ユダヤ人であると多くの彼の同時代人が信じているというのはハイドリッヒの疑心ではなかったか。両親からネグレクトされた真ん中の子供であるという感覚（上に姉、下に弟がいた）あるいは、海軍からの不名誉除隊は言うに及ばず、士官幹部候補生仲間から彼の虚弱な体と裏声を笑いものにされ、雄山羊と呼ばれ馬鹿にされたことへの代償作用ではなかったか。彼はほとんどデスクから離れることはなく、絶え間なく、ファイルに向かって仕事をしていた。ヒトラーや直上の上司ヒムラーのころころと変わる考えにきめ細かく順応していた。何百万という人間の殺人計画を考案しながら、彼は決して自分自身で引き金を引いたことはなかったし、プラハの近くの小さなホテルで、ベルリン向けに反ナチの地下ラジオ局を動かしていたフォルミスという技師を拉致するよう命じられた二人のSSとは違って、自分の手で誰かを殺すこともしなかった。（フォルミスは、チェコ警察の驚いたことに、不注意でその場で射殺された。）ハイドリッヒは、机上で倦むことなく活動する究極的なテロリストであった。そして、ユダヤ人問題の最終的解決をめぐるヴァンゼー会議で、ゲーリングが彼に議長を務めるよう要請したとき、ベルリン官僚の誰も驚かなかったのも当然であった。

ラインハルト・トリスタン・オイゲン・ハイドリッヒは、一九〇四年、ザクセン州の都市ハレに生まれた。彼の両親は、背景と気質がまるで違っていた。彼の父親は、質素な家庭に育ち、まあまあ才能のある歌手、音楽家、そして作曲家であった。母親は、上流の中産階級育ちで厳格なカトリック教徒であった。ラインハルトは熱心で物静かな子どもであった。一九一四年、彼はハレの王立実科ギムナジウムに入学した。いつもクラスで一番になりたいと思っていた。そして、化学や物理では優秀な成績を修めた。（彼は後に、英語、フランス語、そしてロシア語の実用的な知識を積んだ。）バルト海沿岸のスヴィネミュンデで休暇を過ごしていた時、ドイツ艦隊（小さめではあったが）の雄姿に目を奪われ、一九二二年三月に海軍士官学校に入った。練習船「ニオベ」や戦艦「シュレスヴィッヒ＝ホルシュタイン」での訓練を受け、最終的に通信将校となった。彼は同僚とはあまり打ち解けなかった。同僚は、彼の音楽を嫌い、フェンシング、スイミング、そして射撃など、負けず嫌いでなんでも人よりも優れようと努力するところを嫌った。彼は、時折、彼の上官ヴィルヘルム・カナリス（海軍大尉。後に国防軍諜報部司令官）のパーティに招かれて、その席でバイオリンを演奏したが、彼には士官候補生に要求される洗練さがなかった。とりわけ、外国に上陸したとき、イギリスの将校や彼らの上品な女性たちと一緒になったときなど、洗練さに欠けた。いずれにせよ、彼は、一九二五年、海軍少尉に任官した。そして三年後には、海軍中尉に昇進した。

ハイドリッヒは、多くの人が信じていたような、半ユダヤ人ではなかった。故郷の町でこの噂は絶えず、後年、ナチ党による公的調査も行われた。彼の父系の祖母は、二回目の結婚で、グスタフ・ロベルト・ズエス（この名前は、小さな町の人種主義者の耳には、ユダヤのズィスに聞こえた）という名前の錠前屋を選んだ。彼は、友人たちに、ユダヤ人の話し方やジェスチャーを真似て見せたり、母親への仕送りにズエス夫人という宛名を使ったりした（噂を流し始めたのは郵便局長であった）。学校でも、若いハイドリッヒは、怒りっぽかった。誰かが、彼の中のユダヤ性を信じていたり、あるいは、ナチ党のヒエラルヒーの最高位におけるユダヤ的自己嫌悪について語ったりすると、不和になり、悪魔のような人物になったと、伝記作者は書いていた。確かに、彼が、芸術家気取りの父や、カトリックの母から逃れるために海軍に入隊したということはありえない話ではない。そして、北海のフェーマルン島の上流階級出身のリナ・フォン・オステン（彼女の父は単なる学校の教師であったが）との結婚を決心したのは、できる限りハレの町から遠ざかりたかっただけなのかもしれない。彼がリナと出会った場所は海軍の舞踏会であった。政治的意識の高いナチ党のメンバーであり、彼女の兄弟は大衆集会でのヒトラーの雄弁に魅せられ、早くからのヒトラー崇拝者であった。

しかしながら、若い将校は、「人生で最も強烈なブロー」（彼がリナに語ったごとく）をくらうことになった。一九三一年、彼は海軍を不名誉除隊することになったのである。トラブルはリナと出会う以前のことであったが、彼は、ベルリン―ポツダム出身のよい縁故のある少女と出会った。彼が、軽率にも彼女にリナとの婚約発表を報せたとき、少女は神経衰弱に陥ってしまった。なぜなら、彼女は、（彼女の言い分によると、彼が言い寄ってきたのに抵抗しながらも、ある下宿屋で彼と一夜を過ごしていた）彼の将来の花嫁になる資格を得たと思っていたからであった。造船所の重役であった彼女の父親は、軍法会議での裁決を主張した。ハイドリッヒは、軽蔑心とまではいかないが、審理を軽く考えていた。これが将校審査員の怒りを買い、全会一致で、不名誉除隊および軍人年金なしの判決が下った。これはまさしく人生の転換点となった。リナは彼に寄り添い、彼の母は彼の代父でミュンヘンのナチ指導部と密な関係にあったカール・フライヘル・フォン・エーバーシュタインに頼った。エーバーシュタインは彼をヒムラーに推挙した。ヒムラーはハイドリッヒに、精鋭部隊やその他の党組織に潜在する内部の敵を炙り出すために、SS内部に保安部（SD）を設置するよう命じた。正にこれは彼が頭角を現すための絶好の組織であった。彼は、一九三一年八月、事務所の隅っこで借り物のタイプライターを打ちはじめた。彼はリナと結婚した。四カ月後、祭壇の上にかぎ十字が掛けられた。

一九三〇年代、ハイドリッヒは、ベルリンの組織に対抗して、バイエルンの基地からライヒ全体の保安体制を巧みに操った。彼にはユダヤ人の先祖が存在するという噂に関して、難局を切り抜けねばならなかった。そして、一九三三年、ヒトラーが首相になったとき、彼は勲功のトップ集団の中には含まれていなかった。これまで新しいベルリンの支配者に従おうとしなかった保守的なバイエルン政府を先頭切って非難し、バイエルンのカトリック、社会主義者、そして共産主義者の大量逮捕を組織的に実行することによって、彼は自らの存在と有用性をアピールした。一九三三年六月、ヒトラーの首相官邸は、彼の親衛隊保安部（SD）を党の唯一の諜報部と定めた。ハイドリッヒはベルリンに移り、二年以内に自分たちの保安隊を持っていたゲーリングとフリッケ（新しい内務大臣）を出し抜くことに成功した。ハイドリッヒは自分の好みに適ったSDを建設した。彼はイギリスの秘密情報部（SIS）を称賛していた。彼のオフィスには一流の学問的な資格証明書をもった人々を集めた。そして、目的次第では競合する組織の捜査官を「消す」ことにも躊躇しなかった。彼は自分独自のテロ戦略を磨き上げ、それをバイエルンで実行し、後にはプラハで適用した。バイエルンでは、一九三三年、六万人以上のナチスに敵対する政党職員が「保護のために監禁」された。一万二千人以上が、恐ろしい経験談を広めるという約束をさせられて釈放された。

この策士は満足することを知らなかった。彼は国際的なシーンで称賛を浴びたかった。特別許可の有無にかかわらず、彼はパイロットとして飛行機を乗り回した。オーストリアに手を回して国際刑事警察委員会（インターポール）の前身である国際警察組織長官となり、そしてブダペシュト競技会で彼はドイツの最高フェンシング選手であると宣言された。ただし、競技はハンガリーの優勝であったが。戦争が勃発したとき、彼は、ポーランド、オランダ、イギリス、そしてスコットランドに飛行機で渡り、鉄十字勲章ファーストクラス（胸勲章）を授与された。モルダヴィアからソ連領空にさしかかったときに彼の飛行機は敵に撃墜され、部下に救助されることになったが。彼は、ＳＡの粗暴な連中や、シュトライヒャーとゲッベルスのようなイデオローグを毛嫌いした。そして党の朝令暮改の反ユダヤ人政策をひたすらに遂行した。ユダヤ人のパレスチナ移住が問題であったときには、彼はシオニストとの連絡網を確立し（おそらくは、時々、反英シオニズムを好んだムッソリーニを見習ったのであろう）、中近東情勢を探るためにアドルフ・アイヒマンを派遣した。ユダヤ人をマダガスカル島に輸送する案が出された時、彼はアイヒマンをハンブルクの熱帯研究所に送り込み、全てのポーランド・ユダヤ人を、このアフリカ海岸の沖合にある島に移住させることも含めて、あらゆる可能性を考慮した。しかし、戦争の成り行きが予定を狂わせてしまった。そして、（ギュンター・デシュナーがその冷静な伝記の中で指摘したように）ハイドリッヒは、ユダヤ人をパレスチナやマダガスカルに強制移住させる計画の「政策立案者」から、「命令の正確な遂行者」、あるいはもっと適切な表現を用いれば、彼の原理に基づく移動虐殺部隊（アインザッツグルッペン）による大量殺人機構の組織者へと変貌した。

ヒトラーの政策は行き当たりばったりの意味合いが大きかった。そして戦争の最初の年には、ライヒのいくつかの反ユダヤ人政策は、同時に、互いに異なる方向性を持って錯綜していることが稀ではなかった。当時ハイドリッヒはマダガスカル計画で忙しく過ごしていた。そして一九三九年の晩秋になると、彼の部下はサン川の平原にあるニスコを中心にユダヤ人のポーランド強制移住地建設の可能性を踏査し始めた。カトヴィッツェ（ポーランド）、ウィーン、モラヴィアのオストラヴァ（保護領）そしてプラハから、約五〇〇〇人のユダヤ人がそこに移送された。占領後のポーランド総督ハンス・フランクは、ゲーリングに再移住がもたらす経済的問題について苦情を訴えた（ニスコ計画は廃棄された）。一九四一年三月、ヒトラーは、前線の後方における「特別領域」に関するガイドラインを発し、ハイドリッヒは正規軍の後方に三〇〇〇人からなる部隊を組織した。一九四一年九月、ユダヤ人がミンスク、ウーチ、そしてリーガに送られ、彼のアインザッツグルッペンは三〇万人のユダヤ人を殺害したことを彼に正式に報告した。

一九三五年、カール・ヤーコプ・ブルックハルト教授は、国際赤十字のスイス派遣団員であったが、ドイツ強制収容所に関する不穏な報告を実地調査するためにベルリンを訪れた。そして公式にハイドリッヒと会見した。ブルックハルトは、ハイドリッヒの外見について、「ほっそりとして、ブロンドの髪」、目立った特徴として、彼の「ラファエロ前派風の手、まるで百合のようだ」と描写した。ブルックハルトは、ハイドリッヒの捻じ曲がった疑り深い人物像についてては触れなかった。一九四一年九月末に、ハイドリッヒがプラハに到着すると、数時間後には戒厳令を布き、怒涛のように死刑執行が始まり、その波は数週間続いた。彼は、ベルリンを発つ前に、逮捕者リストを準備していたのであった。

保護領のジャズ

　占領者がテロ機構を粛々と作り上げている間に、プラハの日常生活は見た目には薄暗い秩序を保っていた。お馴染みの電車は時間通りに走っていたし（少なくとも、戦争の最後の年に、パルチザンや連合軍のパイロットが線路を攻撃するまでは）、市民は闇市場で忙しかったが、彼らはこれまで以上に詩を詠み、劇場に通い、そして映画館に足を運んだ（どこの映画館でも、三本立てであった）。特に若者は、愛国主義的な過去への愛着もなく、新旧を問わずジャズに耳を傾けたり演奏したりすることを好んだ。

　多くの有能な学生が、大学の授業も無くなって、プラハや地方の既存の新鮮な音楽グループに合流した（ヨセフ・シュクヴォレツキーが、彼の素晴らしい小説で書いてくれたように、遠いナーホトでも）。ジャズは、生理学的感覚とまでは言えないが、自由の幻覚を味わわせてくれた。若者は、ＲＣＡ（His Master's Voice：HMV）、デッカ、あるいはパーロフォンなど、大西洋の向こう岸のミュージシャンのレコードを聴いて興奮を覚えた。そして、多くのアメリカのミュージカル、その中には、一九三〇年代後半のブロードウェイメロディも含まれ、パール・ハーバーの奇襲まで、プラハの下町の満員の映画館で上映された。チェコの若者の期待は、特に、ウィーン、ベルリン、ケルン、あるいはハンブルクの制服組であろうとなかろうと、多くのドイツやオーストリアの「スウィング・キッド」の期待と大差なかった。

　一九一八年の共和国建国以前から、ジャズは、ヨーロッパ公演、クラシック音楽のシンコペーション、そしてプラハで最も人気のあるキャバレー（とりわけ、シックでシンプルなモンマルトル、そこで、有名な『革命家エマ』が「アレキサンダーズ・ラグタイム・バンド」の旋律に乗って踊った）における黒人のタップダンサーのパフォーマンスによってチェコ人の感性を刺激していた。革新的なミュージシャンたちはジャズをキャバレーからカフェ、独立した小さな劇場、そしてラジオ局に持ち込んだ。そして一九三五—三七年に、ヤン・シーマのグラモクラブ・オーケストラが、最後ではあったが、もう一度ジャズを左翼の現代的アヴァンギャルドと結び付けた。

一九二〇年代から三〇年代初期にかけての全盛時代にジャズは若いプラハの作曲家や作家を惹きつけた。コンサートミュージックとジャズとの統合を最初に試みた者の中にエルヴィン・シュルホフがいた。彼は、裕福なユダヤ系ドイツ人で、フランツ・カフカとほぼ同時代人であった。彼は、ドイツで作曲とピアノを学び、急進的なベルリンのダダグループに惹かれた。とりわけゲオルゲ・グロッスに魅力を感じた。彼の無慈悲なまでの絵の精密さは、最近のジャズを室内楽、オペラ、そしてピアノ曲に織り込むことによって表現可能であろうとシュルホフは信じた。例えば、ラグタイム、シミー（ラグタイムダンス）、そしてステップリズムを用いて、彼の室内オーケストラ組曲は、一九二二年にベルリンで初演された。

一九二〇年代に、シュルホフはベルリンからプラハとオストラヴァに戻り、ラジオ局や独立劇場のために演奏をした。そしてアヴァンギャルド作曲家アロイス・ハーバ、指揮者ヴァーツラフ・タリフ、そしてレオシュ・ヤナーチェクと知り合い、シュールレアリスト詩人ヴィーチェスラフ・ネズヴァルのために音楽を書いた。そして、『ジャズ様式の五つのエチュード』（一九二六）、『ホット・ミュージック』（一九二八）、そしてジャズ・オラトリオ（聖譚曲）『H・M・Sロイヤル・オーク』は、戦艦ポチョムキン物語の新版であった。ロシアの水兵は、ツァーリの将校による虐待を理由に暴動を起こしたという違いはあったが、シュルホフは、海軍大将が甲板でのジャズ演奏を禁止したために、イギリス人水兵が暴動を起こすという話にした。一九三〇年代、シュルホフは、これまでの自分の過去を捨てて社会主義的リアリズムに転じ、一九四一年の春、ソヴィエトの市民権を獲得したが、バイエルンのヴュルツブルク要塞に送られ、そこで一九四二年八月に死んだ。最近になって、彼の多くの作品が、チェコやドイツの音楽史家によって再発見されている。

チェコ語で書かれた重要な本の著者で、初めてジャズを自由の音楽として讃えたのは、若い作曲家で劇場ファンのE・Fブリアンであった。彼は戦後、ドイツの強制収容所から戻った後、共産党の要求に合わせてチェコ軍プラハ劇場の監督をまかされたが、若い頃に魅了された音楽を少々疑いの目でみていた。一九二六—二七年に書かれ一九二八年に出版されたブリアンのジャズのための弁明書は、ロマン派音楽は『スミレの香り』と『愚かな小さな月』（これらのイメージは、マリネッティのものであろう）とともに全盛期を過ぎたという後期未来派の信念に基づいて書かれた。音楽の「革命」は「行動の段階」にはいり、ジャズ——今世紀のリズムと音——に関する議論が、バッハあるいはベートーベンの議論に取って代わるべきであると主張した。ブリアンは挑戦し扇動するが（ジョセフィーン・ベイカーのヌードの絵で）、彼は、新しいフランス人作曲家エルンスト・クシェネクのジャズ・オペラやエルヴィン・シュルホフについて豊富な知識があり、根気よくシンコペーションや即興の技術的原理を説明している。そこに多くのアメリカ人、アーヴィング・バーリン、シカゴのジャスボ・ブラウン、ジョージ・ガーシュウィン、W・Cハンディ、そしてポール・ホワイトマンらの作品を用いた。

一九三〇年代におけるチェコのジャズの発展とその成果の質の高さは、ヤロスラフ・イェジェクのプラハ解放劇場のための仕事と密接な関係がある。イェジェクの少年時代に彼の視力は極めて危険な状態にあり、彼は盲学校で教育を受けた。そこで彼は最初の音楽教育を受けた。プラハ音楽学校に進学して、ヨセフ・スクとともにピアノと作曲法を学んだ。ラヴェル、パウル・ヒンデミットそしてシュルホフに専念した。一九二九年、研究の締めくくりとして、ピアノ協奏曲を提出した。その曲で、彼は伝統音楽に、フォックストロット、タンゴ、そしてシミー（ラグタイムダンス）を結び付けた。そして彼は、ガーシュウィンの『ラプソディ・イン・ブルー』を見い出し、その曲の「型の完成度の高さ、官能的魅力、そして、色彩、音、そしてリズムの醸す異国情緒」を称賛した。イェジェクは解放劇場で専属作曲家およびバンドリーダーとして一〇年間仕事をした。彼は一九三四年には既にその小さなオーケストラをスウィングバンドと呼んでいた。六人の少女（虚弱すぎる子はいなかった）からなるジョー・イェンチークのバレエを監督し、そして反ヒトラー劇場がミュンヘン協定直後に政府の布告によって閉鎖された時、彼はその創立者とともにニューヨークに去った。その地で、一九四二年、腎臓の病で死んだ。彼は初期のチェコ・ジャズが生んだ真の天才であった。そして彼のいくつかの知性的な歌やブルース（たとえば、『ダークブルーの世界』（一九三三年）『帽子はどこにいった』（一九三〇年）、あるいは、その後の世代になっても決して忘れ去られることがなかった。

戦時中のチェコのスウィングは、ドイツのあやふやな政策やゲッベルス自身のあいまいさに助けられた。彼は、第一次世界大戦におけるドイツの敗北の原因は、国の内政面において、飢餓、絶望、そして欲求不満が放置されたためであったと頑なに信じていた。結果として、一九三三年以後、ドイツでは公式にジャズは禁止されていたが、ベルリンのシックなバーやナイトクラブ、とりわけ一九三六年のオリンピックの時期には、いたるところでジャズを聴くことができた。そして統制は、フェミナのような大ダンスホールにおいてすら、完全とは言えなかった。現実主義的理由から、ゲッベルスはアルフレッド・ローゼンベルクや他の偏狭なナチのイデオローグたちの空理的教義に反対であった。彼は兵士の趣味を知っていた。そして、一九四一年、公的週刊誌「ダス・ライヒ」に論考を寄せ、その中で、無調音楽とメロディに対するリズムの優位は「耳障りである」が、祖父母のワルツは様々な音楽の発展の中に埋もれて終焉を迎えることはない、と彼は言った。「リズムは」と彼は続ける、「音楽の基本的要素のひとつである。」そして、「世界のメロディ」は、「機械とモーターの持続低音の何千倍ものハミング」によって決定されると主張した。彼は、戦う勤勉な民族に好まれる「リズミカルなダンスミュージック」には反対しなかったが、「ジャズ」という表現は避けた。彼は特別なジャズオーケストラを組織し、その音楽はイギリス兵に向けて流され、「リズミカルなダンスミュージック」の豊富なベオグラードやオスロで、ドイツ兵向けに作成されたラジオ番組のレパートリーを厳しく取り締まることはなかった。いずれにせよ、これらのラジオ番組は宣伝省ではなく軍によって管理されていた。軍隊の娯楽は、兵士の期待に沿うように作られていたが、彼らの好みには一致しなかった。あるオーケストラがカレーの近くで歩兵を楽しませる目的で派遣されたが、兵士たちは、あの有名なニューヨークの、どちらかというとイディッシュ風の曲「素敵なあなた」をとりわけ聴きたがった。

プラハのポピュラー音楽の世界に、優雅な娯楽的要素と流行の五時のティータイム的要素を具えたスウィングの時代をもたらしたのは、前世代のメンバーのひとりR・A ドゥヴォルスキー（本名ルドルフ・アントニーン。一八九九年、ドゥヴール・クラーロヴィエの小さな町で生まれた）であった。彼は、保守的な趣向、あるいは時として愛国主義的、伝統文化的エバーグリーン調を決して忘れることはなかった。彼は、多くのミュージシャンがそうであるように、独学のアマチュアとしてスタートした。地方のビール製造所で事務員として仕事をしていたが、一九一八年、プラハに出てきて、人気のキャバレーでピアノを弾いていた。彼は、一九二五年、メロディ・メーカーズを結成し、後にメロディ・ボーイズとして、最初の五人編成から次第に膨れ上がり、才能のある歌手を惹きつけ、その中にはアラン・シスターザとインカ・ゼマーンコヴァー、アコーデオンの名手カミル・ビェホウネク、そして作曲家でピアニストのイジー・トラクスラーも含まれていた。ドゥヴォルスキー自身は、育ちが良く直立で、いつも白のネクタイと燕尾服を身に着け、古風な貴族を想わせる出で立ちであったが、歌う時にプラハで初めてマイクを取り入れた人物となった。カルルスバードのホテルリッチモンドや、プラハフィルムのスタジオやルツェルナ・バー（両者とも、企業家ハヴェル・ファミリーの所有である）の近くにあるプラハのバランドフ・テラスにおいて、物柔らかなパフォーマンスをみせた。早々にラジオ放送された。ルツェルナ大ホールで演奏した時、彼のコンサートはあらゆる世代の何千というファンにアピールした。アメリカとイギリスのダンス曲を巧みに組み合わせたレパートリーをもち、ドイツのジャズミュージシャン、テオ・マッケベンやペーター・クロイダーのいくつかの作品、そして最後に、これまでの数十年間、最も愛されたチェコのフォークミュージシャンであったフランチシェク・クモフのマーチを演奏した。若者はまた、ヤロスラフ・マリナ（一九一二年生まれ）を聴くために群がった。彼はビッグバンドを率いて、定期的にカフェ・ブルタヴァで演奏を行い、喜んで大衆の期待に応えた。しかし彼は、ドゥヴォルスキーの洗練された折衷的な優雅さには及ばなかった。

カレル・ヴラフは、若い世代に属し、スウィングにはまって国外の新しいジャズを取り入れ、ドイツに向かって前進中の連合国軍のラジオ局が彼の音楽をよく流した。彼は、一九一一年、プラハの平民地区ジシュコフで生まれた。少年時代に兄弟から借りたバイオリンとサックスを演奏した。そして有名な（ユダヤ人の）小間物商で雑用係と販売外交員として働いるうちに、そこのナチ「管財人」から音楽一本で生きてはどうかと勧められた。一九二〇年代の終わりごろ、彼は、ブルーミュージックとブルーボーイズを確立し、一九三九年まで、ヴィノフラディ・ナショナル・カジノにおいて、カレル・ヴラフ・オーケストラで活躍した。彼の演奏はとりわけ学生を魅了し全国的に放送された。

戦時中、彼はプシーコピィ・ブールヴァードにあるカフェ・ロイドに居留して、素晴らしい表情豊かな歌手イジナ・サラチョヴァー、専属のアラン・シスターズ（今では、四人）、そしてインカ・ゼマーンコヴァーと一緒に仕事をしていた。ヴラフは、ベニー・グッドマンに対するプラハの答えであった。そして彼は、チェコのファシストから攻撃された作曲家や編曲家を雇い保護することで、大いなる勇気を示した。その中には一九四一年にテレジーン送りとなったベドジフ（フリゼク）・ヴァイス、一九四四年に半ユダヤ人という理由でヴラフの低音歌手アルノシュト・カフカとともに強制収容所に送られたレオポルド・コルバシュがいた。あまり知られてはいないが、有名な「ヴラフ・ストンプ」はテオドール・フェルストルの作品であった。彼はウィーン出身のジャズ・キッドであったが、兵士としてプラハに駐屯し東部戦線で死んだ。ヴラフの晩年は、ドゥヴォルスキーよりも幸運であった。ドゥヴォルスキーは結核の発作に見舞われ、後に共産主義当局によって投獄されたが、ヴラフはオーケストラをプラハの劇場に移して活動した。最初はヤン・ヴェリフ（彼は新体制に気に入られた）と一緒に働き、そして後にはミュージカル劇場で、一九七〇年代と八〇年代の安定期に、演奏会を行った。一九八八年に死んだ。

保護領のジャズの帝王たちは、次第に、純粋で分かりやすいジャズ、そして即興の自由な技法に則った小さなグループと競いあうようになった。彼らは、パリの「ジャズホット」を模範とすることがしばしばあった（特に、一九四一年一二月以降、アメリカ人が公式に舞台から追放されたことが転機となった）。一九三九年までに「ホット・クウィンテット」を結成した時、エミル・ルドヴィートはまだ大学生であった。標題音楽としての「商業的カフェ音楽」に反対を唱えて、彼のコンサートは熱狂的若者や真のエキスパートを惹きつけていった。しばしばエスタ・レコード社で録音した。一九四〇年一〇月一三日、ルツェルナ・ホールでの公演を依頼された時は、彼の栄光の瞬間であった。その時の演奏の題目は、二四の作品中二二の曲目がアメリカ人の作品であったことは印象的であった。ホーギー・カーマイケルの「スターダスト」、W・C・ハンディの「セントルイス・ブルース」、そしてデューク・エリントンの「ソリチュード」などが含まれていた。

厄介なことに、ルドヴィークやその他のグループは若者や学生で構成されていて、彼らはドイツ軍需工場の働き手の確保に熱心な占領者当局の主要なターゲットであった。プラハのドイツ人ヴァルター・パウルは、ヤロスラフ・イェジェクとルドヴィークの演奏に参加したが、ドイツの軍服を着て東部戦線で戦死した。一九四二年、ルドヴィークのオーケストラは解散した。その団員の中の数人が集まってグループ「ザ・エリート」を結成したが、長続きしなかった。

音楽を継続した他の団員は、一九四一年、プラハ郊外のスポジロフで勇敢な（前衛的な）「ハーレム・ジャズ・グループ」を結成したり、マロストランスカー・グループは、パリの「ジャンゴ・ラインハルト」と「ジャズホット」の響きを持ち、あれこれと形を変えながらしばらく生き延びた。

状況は流動的であった——様々な理由で、ミュージシャンは転々と場所を変えたり、あるいは軍需産業に動員されたりした——、そして最初のチェコのジャズシンガー、インカ・ゼマーンコヴァーの生涯はこの典型である。インカ、本名イネスは、一九一五年プラハで生まれた。幼年時代はほとんどボヘミア東部の小さな町で育った。未亡人の母に連れられてブラチスラヴァに移り住み、スロヴァキア国民劇場でバレエを教わった。母が死んだとき、彼女は家族の友人たちの勧めでプラハに転居した。そこで、カフェ・メトロのジャズファンとなり、ボベック・ブリアンのバンドで歌い始めた。ほとんどモラヴィアで、そしてその後、R・Aドゥヴォルスキーやカレル・ヴラフのバンドに参加した。彼女の名声は、マーチン・フリッチの映画『ブルースター・ホテル』で大きな麦わら帽子を被って出演した時だけほんの一瞬高まった。その他の忘れ去られた映画にも出演してはいたが。彼女の演技には鍛錬されたダンサーの優雅さが見られた。そして、彼女の声は聞き取りやすい鼻声であったが、彼女の発声法が英語の歌手の模倣であるのか、それとも彼女自身の独自のものであるのかを見分けるのは困難であった。彼女にとって幸運であったのは、非常に優れた作曲家による楽譜や曲に恵まれたことであった。その中には、アルフォンス・イィンドラの『リズムのために生まれた少女』（彼女のテーマソングであった）、イジー・トラクスラー『偶然に』、そしてヤロスラフ・モラヴェッツのスローで忘れがたい作品『一二月と雪』などがあった。

一九四二年までに、彼女はカフェ・ブルタヴァのヤロスラフ・マリナのバンドで不動の歌手となった。二年間の光彩を放ったが、戦争の最後の年に、彼女は軍需産業のチェコ人労働者を慰問するツアーにでた。彼女は明らかに戦後の共産主義者に歓迎されなかった。トラクターの運転手（歌のレッスンは受け続けていた）として働き、ポーランドやその他の場所で歌い、そして一九七〇年代にプラハに戻って歌った。そこで作家ヨセフ・シュクヴォレッツキーから温かい歓迎を受けた。彼は、映画やジャズの世界で何が起こっているのかを注意深く観察していたのであった。

ベドジフ・（フリッツェク）・ヴァイスは、一九一九年、プラハのユダヤ人家系に生まれ、才能のある音楽家でジャズ音楽の編曲者であったが、彼が人前で演奏活動した期間は短かった。彼はバイオリンから始めたが、トランペットに変わり、さらにクラリネットに変わった。ハイスクールの学生グループと一緒になり、一九四〇年までルドヴィークのバンドで活躍した。人前での演奏活動には出なくなったが、熟練の編曲者としてルドヴィークやヴラフのために活動を続けた。一九四一年、クラリネットを彼の僅かな所有物の中に隠してテレジーンに移送されたが、彼はヴラフのために編曲を続けた。編曲の作品はチェコ人警官によってこっそりと持ち出され、一九四四年まで、ヴラフによって演奏された。テレジーンで、彼はヴァイス・クウィンテットを立ち上げ、収容所の「余暇委員会」によって設立されたカフェで演奏会を行った。そしてまた、ゲットー・スウィンガーズも組織した。これらの演奏グループが、ここを視察に訪れた国際赤十字委員会の前で、同行していた有名なオランダのピアニスト、マルチン・ロマンと一緒に演奏を行うことになって、テレジーンにおける幸せなユダヤ人の暮らしを印象付けようとした映画になったが、彼はそのことを知る由もなかった。このことがあって、収容所の所長は直ちに関わった者たちをアウシュヴィッツに送った。ヴァイスと彼の年老いた父はヨーゼフ・メンゲレ博士の前に立たされたが、息子は進んで父と運命を共にすることを希望して、この親子は一九四四年四月一〇日ガス室で死んだ。後に残ったものは、彼の音楽の希少なディスクと、テレジーンのアーチスト、ペーター・キーンによって描かれた、ピアノに向かっているヴァイスの繊細なインクのスケッチ像であった。

ベルリンへの旅と本屋での仕事（個人史）

　正直に言って、私は学校の落ちこぼれであった――立派な理由であれ、そうでない理由であれ、社会と民族がヨーロッパ全体、そして今やアフリカを巻き込んで互いに戦争をしていた。私は教室に座ってカトゥルスを翻訳し、一〇〇年以上前にビーダーマイヤーのアマチュア向けに書かれたＪ・Ｋティルの劇作を学んでいることが馬鹿らしく思えた。ある日、私は歴史の授業あるいは私の疑わしい立場に強く抗議して、学校をさぼった。父親はいなかったし、母親は泣いていたが、彼女は誠実な学校長に会いに行った。校長は、彼女がユダヤ人であることを知り、私の過ちで彼女に負担をかけたくなかったので、私の最終試験を調整してくれた。私はギリシア語をほとんど勉強しなかったし、ラテン語はもっと勉強しなかった。これらの二つの科目の担当教授が二人ともユダヤ人であったので、失業しており、喜んで、この我儘な学生の勉強をみてくれた。私は長い道のりをゆっくりと歩いた。ロマンチックなプラハの街を通り、橋を渡り、マラー・ストラナ（小地区）から戻ってきた。私は、一度、プラハの詩について講演をするよう、パレスチナへの移住のために準備されたミスリーコヴァ街にある暗いアパートの一室で、若いシオニストの集団に招かれたことがある。（五〇年後、私がウィーンのテレビ番組にチラッと出演した後、オーストリア駐在イスラエル大使Ｈ・Ｅから呼ばれ、彼は私の講演の最初の聴衆のひとりだと教えてくれた。）私の詩的な休暇は、そう長くは続かなかった。プラハの労働局は、私を遊休学生として分類しライヒのために汗を流すよう命じたからである。私はドイツに行くという考えに反対しなかった。なぜなら、そこでは私の複雑な状況について誰も知る者がいなかったからであった。正真正銘の保護領の身分証明書で武装して、私は他の外国の労働者と混じりあえるであろうと期待していた。そして一種の移住者として、そして全くの単独で生き残れるチャンスになればよいと半ば思った。

　一九四一年九月初めに、我々は鈍行列車に乗ってプラハを発った。ライプツィヒの主要駅で、我々は赤十字看護師からサンドイッチとコーヒーを渡された。そしてベルリンのどこかの牧草地で降ろされた。大きな工場から来ていた人々がそこで待ち受けていて、我々を選別していた。まだましな方だったと思った。コペンハーゲンから輸送されてきた、そばかすのあるデンマーク人少女がいた。そして我々はデートの約束をした。（次の日曜日の午後三時に、聞いたことのあるハーゼンハイデ地下鉄駅の約束をした。）しかし彼女は現れなかった。私はあまり長いこと待たなかった。私はジーメンスの町にいて、木造のバラックを住処として、フランス人、フラマン人、そしてベルギー人労働者に囲まれていた。彼らは、作業場から帰ってくるとすぐにカードを始め、徹夜して眠らなかった。時々、躊躇いがちに空襲警報が鳴り始まると、彼らは広場に集まって、イギリスかドイツか、どちらの飛行機が最初に撃墜されるか、ビール瓶一本を賭けたりした。

私は計画的作業に全く適していなかった。ドイツ語の知識を認められて、私は大きな事務所に連れて行かれた。そこでの仕事は、何かに使われた予備部品のための伝票を分類して、長い紙に手書きのリストを作ることであった。私は、もっと技術的な事柄を知りたかった。私がプラハからのスパイであれば、予備部品を同定し、それらが使われる機械の種類（航空機？）を認識して連合軍に役立つ情報を入手できたであろうに。しかし私が、これらのボルトやナットの最終的な運命を知り得たとしても、その情報をイギリス空軍に伝えることはできなかったであろう。バラックでの不眠のせいか、あるいは、ドイツの軍需産業をサボタージュしたかったのか、私はうんざりして、伝票の半分はリストにあげず、シャツの下に隠してトイレに持っていき、そこで細かく破って流してしまった。

私はひどい睡眠不足であった。そんな時、一緒に仕事をしていたある中年のベルリンの社会民主主義者が、プライベート・ルームの借用許可の申請の仕方を教えてくれた。彼の忠告通りにドイツ語で言葉を選びながら申請すると、バスルームの清潔さにはプロシア人のこだわりをもったポーランド人の未亡人のシャルロッテンブルクのアパートに住居を移す許可が下りた。彼女には前線に年配のボーイフレンドがいて、彼女は綴りに自信がなかったので、私が彼女のために、毎週のラヴレターの仕上げをすることになった。そのお礼に、私は朝食をたっぷり頂いた。完璧なドイツ語で書かれた、彼女のなまめかしい想像力のたくましさに彼氏は仰天したであろう。

通りの向こうにあるパン屋で、オーストリア風よりもプロシア風のパン（ブレーチェン）を求めながら、私は何とかこつを覚えて、小さな塹壕掘りに勤しんでいた。事務所では、ペルシア人のグループとランチを共にした。彼らも日常の違和感を覚えていた。特別酷いことはなかったとしても。毎日の赤いデザート用のゼリーについて笑っていた。食事の時の挨拶は、彼らの慣習とは違って、ほとんどのドイツ人は「ごちそうさま」ではなく、食事を始めるときにテーブルを挟んで互いの食欲を願うときの言葉「いただきます」であることを、彼らに説明しなければならなかった。

ある日、私は国防軍に遭遇した。わたしはある本屋の前に立っていた。優雅な成りをした大尉がデートで隣に立っていた。彼もウィンドウ越しに本を眺めていた。彼が急に振り返った拍子に彼の騎兵隊拍車が絡まって私のズボンが大きく裂けてしまった。詫びれる様子もなく彼は私を頭の先から足の先まで観察し、文民で、明らかに（破れた）晴れ着の外国人労働者であることを見定めると、彼の優雅さをぶち壊すような下品な言葉で私の機嫌をとった。

他にも偶然の出会いがあった。水曜日に、私はいつもシャルロッテンブルク大通りにあるアシンガーの店に行くことにしていた。そこの新鮮なムラサキイガイ（二枚貝）の定食を食べることにしていた（配給クーポンが要らなかった）。ある日、女の子を連れた若い兵士が私と相席になった。その兵士はギュンターであった。彼が「レッド・ファルコンズ」（若い社会主義者グループ）の一員として帰郷したときに一度出会ったことがあった。私が我儘なブルジョワの子供で、プロレタリアートの魂を探し求めている頃であった。（私はそれを、文字通り、「青ざめたアルマ」の中に見出した。一六歳の織物工で、群衆と赤旗の近くの快適な麦畑で、一緒に五月一日を祝った同志であった。）ギュンターは直ぐに私に気づいたが、互いに口をきかなかった。そして、彼と女の子は他のテーブルに席を移した。ヒルデに会えたのはもっとうれしかった。彼女は、私のプラハの旧友から私の所在を聞き知ったのであった。しかし状況はままならなかった。彼女は私を、私の禁じられている快適な場所を引っ張りまわしたが、特に、個々のカップルがビッグバレルに座る人気の居酒屋で、個室の考えは嫌ではなかったが（少なくともウィーン版で、シュニッツラーを読んでいたので）、もしもこの豊満なアーリア人秘書と私が二人だけで差し向かいに座っているところを軍やSSに見咎められたら、彼女にとっても悲惨な結末になるだろうと懸念した。

一九四一年初秋のある日、私はシャルロッテンブルク公園に沿って歩いていた時、ロシア料理店からそんなに遠くないところで――このことを正確に憶えている――、黄色い星とユダヤ人という文字の書かれた外套を着た中年のカップルに気づいた。これは、総統を喜ばせるために、おそらくゲッベルスが考え付いたことだろうと私は思った。しかしながら、翌日、私は父からの電報を受け取った（彼は電報を使うのが好きだった）。母の具合が悪い、すぐにプラハのアパートに帰れというものであった――これは暗号電報であった。ここで私は再び、母と祖母らと一緒に暮らすことになり、第三帝国に移送されずに済む新しい仕事を始めることになった。必要書類と通行許可証が大至急届けられた。私は、逃れてきた以前の状況に戻るのではないかと不安を感じていたが、父は、私の今の第一の義務は母親のことであり、四八時間以内にベルリン - プラハ急行に乗ることである、と主張した。国境の駅でSSの列車チェックがあったとき、恐怖を覚えたが、通行許可証がものを言った。

私の新しい上司は、中年のプラハのドイツ人であった。彼はアンドレーの有名な本屋で働き、一軒一軒、百科事典を売って回った。そして今、自分の小さな本屋を開店した。私は読み書きのできる店員として店番をした。父に言いつけられて、私は母と祖母から目を離さないようにした。店が近かったので、閉店後、一〇分で帰宅することができた。

ヴォディチコヴァ通りで、世界中に展開しているバゲット店の優雅なサンドイッチが道行く人を店頭に引きつけている。そこを通り過ぎた本屋で、私はしばしばチェコ人の雑役係のヨセフと一緒にそこのショーウィンドウを上から下まで磨いていた。陳列棚にはハンス・カロッサやブルーノ・ブレームの本が並べられていた。ある時、一九四一年の一一月に、ちょうどロンメル将軍がイギリス軍に敗北を喫して後退したときのことで、北アフリカのオープンマップを展示した時、政治的に潔癖な上司の妻は腹を立てた。彼女は、すぐに私にその地図を引込めるよう命じた。彼女の夫は顧客が、ロンメルの将来の華々しい反撃の場面を見るチャンスであると説得したが無駄だった。彼女は、上司の妻として入隊し、安楽な生活を送った訳ではなかった。彼女の夫は入隊し、コーカサスやトリポリではなく、中央軍で兵役に服していた。のんびりと歩いて一五分のところにあるヒベルンスカー鉄道駅の兵舎の兵士を統率していた。問題は、占領のずっと以前から、町のどこかに背の高いチェコ人ガールフレンドがいたことであった。彼は、祭りのコスチュームに銅色の槌鼻で、土曜日の午後だけ店に顔を出した。完璧な国防軍シュヴェイクであった。

私たちは、彼の妻の監視の下に働いていた。そして生き残りに全力を傾けていた。彼女は不安の種を抱えていた。店員たち、あるいはもっと叙事詩的なドイツ語で表現すると、従業員は、二人の公式に認証された半ユダヤ人と、ひとりのウィーン人、そして一人の田舎者の三人のチェコ人から成っていたことであった。ヨセフ、何でも屋、簿記係(家にバスルームがあるようには思えなかった。なぜなら、店内で彼女はいつも同じ服を着ていたから)、そして母国語でさえ本を読んだことのないティーンエイジャーのチェコ人見習いであった。我々は、どうみてもアーリア人（すなわちドイツ人）ではなかった。事務処理部門を担当していたウィーンの森出身のグラス氏は、冷たい青い目をしており、ユダヤ人の母をもっていたが、小さな定規や特殊なペンを使った能筆で伝票や受領書を書いたりして忙しく働いていた。彼はディッケンス、あるいは、後のウィーンの古典的なハイミト・フォン・ドデラーの小説に登場する人物のようであった。そして、私は、ほぼ同様に、青い目ではなかったが、顧客を相手にする店頭で危なっかしい立場で働いていた。

顧客の政治的見解を判断するための、私の有名になった理念的X線検査を生み出すのに長くはかからなかった。誰かがドアを開けて店内に入ってくる――髪型、帽子、靴、あるいは服装から判断して――、最初に発せられる質問がルドルフ・G ビンディングに関することであれば、その顧客は保守的民族主義者であり、古本に関する質問であれば、不吉な問題が起こるであろうと確信した。古本を求めた人々は、必ずしもアーダルベルト・シュティフターに満足せず、往々にして、トーマスあるいはハインリッヒ・マン、もっと危険なアルフレート・デーブリーンを求めた。その人にうってつけの本を提供するのが親切というものであった。

時には、簡単に済むこともあった。毎週のようにローデンコートにナチのバッジをつけた年配の男が現れ、地元プラハの作家フランツ・カフカの本を置いてないか尋ねてきた。彼の作品はとっくの昔に絶版になっていますよと答えると、満足げに微笑して出ていった。そしてまた一週間後に現れるのであった。我々はこのカフカ風のゲームを楽しんでいたように思う。しかし、時には厄介なこともあった。信用できない顧客に対しては、私は、互いに疲弊するまで、ガンクホーファー（バイエルンの通俗小説家）の古本や、イナ・ザイデル（プロシアの通俗小説家）の新しい小説を持ち出してきた。しかし、古本屋の友人の中には、フランスのベレー帽で名高い多くの年長の知識人がいた。彼らは、作劇の場所をベルリンの有名な映画制作会社UFA、あるいはミュンヘン・バヴァリアから、バランドフのプラハ映画会社に移した。彼らはみんな、ヴァーツラフ広場の大きな書店で働いていた私のチェコ人の友人ヴラヂミールに勧められてやってくるので、私は最初に、これらの熱心な紳士たちに表現主義の初期（一九一二年頃）のことを尋ねて様子を窺った。それで合格すると、私は穴蔵からもっと興味深い本を持ち出してきた。私はいちど古本屋の常連客のひとりについて父に問い合わせたことがあった。ドレスデン出身のフーゴー・ツェーダーの名前を聞いた時、父は、フーゴーは初期ザクセン表現主義の長老に間違いない、と教えてくれた。

　土曜日の午後は特別忙しかった。午前中に仕事を終えた人が、突然、我々の狭い店を訪れてきた。我々の上司は古いオーストリアの魅力的パロディさながらに顧客と挨拶を交わし、我々は流行のベストセラー、『アンドレとウルスラ』[8]というラヴ・ストーリーの箱を、書庫から書棚へと運んで、忙しくしていた。この時間はまた、ライヒからの訪問客にプラハの大きな絵を売る稼ぎ時でもあった（いつも、カレル橋か、あるいは城を描いた絵の二つのコーナーであった）。我々の社内アーチストは「セニョール」バラベネであった。彼は、毎週、店にキャンバスを運ぶのを手伝ってくれるユダヤ人妻と一緒に働いていた。（カフカの小説に、ヴァラベネという名前で登場する実業家の息子である。カルリーン郊外の出身。）古いプラハの貴族も定期的にやってきた。著名な咽頭学者の妻ブンバ夫人とその魅力的な娘（第一共和国政府のドイツキリスト教社会主義の大臣で、有名なスラヴ主義教授スピナの孫娘）もいた。しかし、中には、地方の牛小屋からやってきたライヒの勤労奉仕の少女たち、ちょっぴり反抗的で唇にルージュを塗ったドイツ少女団の制服姿の少女たち、そしてミロヴィツェの演習場からやってきた将校たちもいた。

　ある日、一三歳か一四歳の、青い目の少女がやってきた。制服は着ていなかった。彼女は父親のために「何か哲

8　André and Ursula：一九五五年、西ドイツ映画。ヴェルナー・ヤコブ監督、イヴァン・デスニイ、エリザベス・ミュラーおよびヴァルター・クレメンス主演。ポリー・マリア・ヘフラー作の同名タイトルの小説に基づいた作品。

学的な本」を買い求めていた。父親はカント主義者かヘーゲル主義者かを熱心に尋ねたが、彼女はあまり話したがらなかった。最終的に、私は、最も時流に合っており、良く書かれていると思う実存主義哲学の新しい入門書を彼女に売った。戦後、私は彼女と結婚し、娘たちの親になって、あの当時彼女は父親と二人暮らしであったことを教えてくれた。彼女のユダヤ人の母親は突然死んだ。非アーリア人患者の診察を許されていた唯一のユダヤ人医師は、往診に間に合わなかったのであった。

土曜日の常連の中に、空軍の軍曹がいた。彼は、私のイデオロギー・レーダーで、直ちにＡプラスの点数がついた人物であった。彼は一般市民のように入り口のドアから目立たないように入ってきて踵を鳴らすこともなかった。ついでながら、何やら「ハイトラー」と呟いた。彼なりのナチ式の挨拶であった。彼はいつも古本の正面の本棚の間に消えた。そこは私が本物を隠しておいた場所であった。『レストームやケラーには露骨に嫌われるものであったが。『レオンスとレーナ』というタイトルの一九世紀の喜劇は置いてませんか？　私には彼の欲しがっているものが分かったので、来週の土曜日にまた来てくださいと言った。そして、革命的なゲオルク・ビューヒナーのインゼル版を（ほとんど只で）彼に売った。彼はビューヒナーの扇動的な宣言書『ヘッセン急使』（『宮殿に戦争を！』『あばら家に平和を！』）とベルトルト・ブレヒトの『三文オペラ』を探していたのであった。『長いナイフの夜』の歌だけではなく、私たち二人はこれらの作品をそらで知っていたのだ。彼の名前はゲルトであった。彼の努めていた通信部門はルズィニェ空港にあり、そこで得られたＢＢＣの最新のニュースをすぐに教えてくれた。ゲルトは市民服を着て我々のアパートに出入りしていたが、後にはそれもできなくなっていった。そして、ジョージ・バーナード・ショーを模倣してコメディを書いていた。彼は年上のユダヤ人の友人からハイデルベルクで教育を受けた。その友人は強制収容所に送られる前は、彼の家族のアパートの上の小さな部屋で暮らしていた。ゲルトが私の父の書棚にもたれ掛って、「何か読むものをくれ。何か書きたい」と言っていたのを私は昨日のことのようにはっきりと憶えている。しかし彼は市民服を使えなくなった。ルーマニアでロシア人と戦うよう命じられたのであった。彼はしばらくソヴィエトで捕虜生活を送り、ドイツに戻った後、新しい西ドイツＴＶ局のための若い作家のひとりとなった。一九五八年、彼は自動車事故で亡くなった。私は幸運にも、一九六〇年代にカフェ・モーツァルトで、彼の娘ズザンネに会えた。そして彼女から彼の生涯と、（実現しなかった）夢について多くのことを聞くことができた。彼女はウィーン国民劇場の脚本家であった。

これらの憂鬱でピカレスクな本屋の冒険談をすこし細かいところまで思い出している。なぜなら、土曜日の常連の数人は親しくなってサークルを作り、最終的には、新しい詩のパンフレットを編集して地下出版し、非合法的に十数人の読者に配布するようになったからである。土曜日には、店からプシーチナー通りにある私たちのアパートに移動し、自作の作品やリルケを朗誦したり、ボヘミアや抗争中の国々の未来について歯に衣を着せず語り合った。私が詩をタイプした中で唯一のアウトサイダーは、北部ボヘミアの小さな町出身のフランツ・ペーター・フューマンという男であった。私は、彼の詩をハンブルクの勇敢な出版社エラーマン社の詩集でみかけた。著者は、フィンランド、そして後には、ウクライナに駐留していたが、深い慈愛と類稀な感性の持ち主であると思った。「創造的なものはすべて懐疑である」と彼の詩行にあった。私は彼にハンブルク経由でファンレターを書いた。驚いたことに、彼から直ぐに返事があった。彼は、世界を焼き尽くして、新しい文明を創造したいという怒れるニヒリストであった。一〇年後、彼はドイツ民主共和国の有名な新しい詩人であった。彼自身は引き裂かれた心について記していた、「奇妙なことであった。無意識の中で、私は自分の意識よりも先にいた。ナチス・ドイツは勝利の絶頂にあったが、私の詩の中の世界は止めどなく崩壊し石炭に変わっていた。」一九八〇年代の中ごろ、この失望した反体制者が酒に溺れて死んだと聞いた時、私はあまり驚きを感じなかった。

この小グループに所属していたその他の詩人は、逮捕され強制収容所に送られる直前の私の友人H・Wコルベン、古代ギリシアのユダヤ人教授の有能な娘ズザンネ・ブレンナー、そして私自身であった。私は最近、詩作をチェコ語からドイツ語に変更した。なぜなら、チェコ語の詩は、文法的には正確であっても、言語学的にはあまりに古臭いためであった。これらの詩を捧げたAが、私と映画を観に行こうとしなかったのも無理からぬことであった。六〇年後に彼女を訪ねたとき、このしらけた出会いに、彼女は新しい夫を連れてきた。出来の悪い詩の結末であった。

しかし戦争から随分経ってもなお我々の夕べの楽しい思い出を持った人々もいた。その中に、九〇歳のエーリッヒ・M氏もいた。彼は、一九九八年頃、カフェ・パジーシュでの集まりに素晴らしい思い出の品々を持ってきてくれた。その中には、彼が居ないときに読んでいた彼の詩の書かれた手紙も含まれていた。そこに読み取れる署名には、オタカル・プリンス・ロプコヴィッツや、若い女優のものもあった。彼女の名前はイルムガルトであったが、将来のハリウッドを念頭に置いて、「ヴィオラ・キャロル」と署名していた。驚いたことに、三〇年後、ニューヨークで彼女が私を訪ねてきて、メトロポリタンにおけるリヒャルト・シュトラウスのオペラの初演に、彼女の友人で有名な精神分析家のボックスに招待してくれた。

厄介なことに、ゲシュタポが我々の詩の夕べのことを嗅ぎ付けた——常連のひとりによる密告で——、そしてゆっくりとではあったが、捜査が進んでいた。私を呼び出そうとしたときには、すでに私は半ユダヤ人として収容所に入れられていた。幸いなことに、ゲシュタポは会合のことは把握していたが、地下出版については知らなかったか、あるいは無視した。

イジー・オルテンの運命

一九四一年八月三〇日のプラハでの出来事であった。地方から出てきたある若者が、煙草を買おうと思い、ヴルタヴァ川沿いにあるスミーホフ地域の波止場の道路を横切った。彼の下宿屋の娘は向こう側で彼を待っていたが、小さな煙草屋は閉まっていた。彼が戻りかけて道路車線の中央にさしかかったとき、店を開けたよという店屋の叫び声が聞こえた。若者が立ち止まって振り返ったとき、そこへ飛ばしてきたドイツ赤十字の救急車に轢かれて引き摺られた。運転していたドイツ人は、少女に懇願されて、意識のない若者を車に乗せると近くのカレル広場に面した病院に運んだ。しかしチェコ人職員は彼の診察を拒んだ。彼の書類から彼がユダヤ人であることが分かったからであった。ドイツ人の運転手は姿を消していた。市の救急車が呼ばれ、患者は近くのユダヤ人のためのカテジンキ病院に搬送された。多くの人から絶賛されたチェコの詩人イジー・オルテンは昏睡から覚めることなく、一九四一年九月一日に二二歳の若さで死んだ。もしも彼が甦っていたら、彼は直ちに黄色のユダヤの星を付けるように言われたであろう。ハイドリッヒがプラハに着任する数日前、九月一九日に、ドイツと保護領のユダヤ人が着用を義務付けられたからである。

イジー・オーレンシュタインの両親は（彼は後に詩人としてオルテンと名乗った）、ともにユダヤ人であり、ゴシック建築で有名な豊かな鉱山の町クトナー・ホラにやってくる前は、中部ボヘミアの小さな村の出身であった。彼の父エドヴァルトは内気で正直な男であり、小さな織物店を営んでいた。彼はこの店を妻のおじから、高価な値段で買い取ったのであった。イジーの母ベルタは活発な女性で、お伽噺をするのが好きで、アマチュア劇団に参加して、彼女の長男オタ（彼は戦後に亡命先のイギリスから戻って有名なプロデューサーになった）と次男イジーに彼女なりの生き方を熱心に示したのであった。この家族が、宗教的伝統に深く関わっていたことを示す証拠はあまりない。イジーはクリスマスについての詩を書いた（クトナー・ホラの荘厳な大聖堂のすぐ近くでクリスマスを無視することはできなかった）。そして彼の父は若い頃からの活動的な社会民主主義者であり、地方の社会主義新聞の編集に携わったこともあった。平穏な時代でもあったし、家族は母方のおじヨセフ・ローゼンツヴァイクを誇りにしていた。彼は法律の研究をやり終えた後、詩集を二部出版した。彼はローゼンツヴァイク＝モイラと自称して、チェコのデカダン派の同人雑誌「モデルニー・レヴュー」との親和性を滲ませていた。

イジーの子供時代は幸せであった。当時のことを彼は後に感謝の念を持って思い出していた。兄によると、イジーは『三銃士』とジュール・ヴェルヌを熱心に読み始めた。しかし、家族が驚いたことに、彼はテニスとスキーに転向し、地域の優秀なアスリートになった。あちこちの集会やレースに出かけ、家でも違和感のあるスポーツ用語をよく口にするようになった。それでも、一五歳になると再び読書に耽るようになり、労働者階級の子供たちと一緒になって森での秘密集会に参加して、互いに詩を朗読し合ったりした。一九三五年、彼は、南部モラヴィアで開催された「進歩的貧乏学生組合」（社会主義者と考えられている）のサマーキャンプに参加した。そこで彼は最初の詩を書いた。

その一年後、スロヴァキアでの組合のキャンプに参加し、北部ボヘミアを徒歩で放浪した。明らかに、彼は家を出るつもりであった。彼の不幸な母親に倣って、プラハ音楽院で演出法を研究することを決心した。突然、クトナー・ホラの学校時代と関係を断って、彼はプラハにやってきたが、まだ認められるには早すぎて、一年間、英語の学校に通い、クレジット会社で文書整理係として働いた。不幸な時代ではなかった。暗雲の立ち込めたプラハではあったが、以前と変わらない活気があり、彼は、詩人や劇場関係の多くの友人に恵まれた。自分の決心は間違っていなかったと感じていた。

プラハでの最後の年月は、ミュンヘンや第二共和国の諸事件の暗雲に覆われていた。そしてドイツによる占領は彼の状況を残酷なものに変えた。彼はほぼ三年間音楽院で学び、中央労働組合の学生劇場や若者集団劇場の催しに参加できた。彼の名前で発表された初期の作品は、「ハロー・ノヴィニィ」（「ハロー新聞」）その他に掲載された。彼の世代のもっとも思想の豊かな詩人たち、カミル・ベドナーシ、イヴァン・ブラトニー、そしてハヌシュ・ボンらとの親密な関係を保っていた。

しかしオルテンや彼の兄弟、そしてユダヤ人の友人が道を選ばねばならない時がやってきた。そして、多くの人々——その中には、オタやパヴェル・チグリッド兄弟（後のBBCとラジオ・フリー・ヨーロッパ、そして一九九〇年代には、チェコ共和国の文化相）も含まれていた——は、イギリスに亡命したが、オルテンはプラハに留まった。チェコ語は彼の真の故郷であり、彼の学生仲間でもあり恋人でもあったヴィエラを残してはいけなかった。しかし彼女は彼を見捨てて他の誰かに乗り換えたのであった。保護領は、彼の深甚な詩、瞑想録でもあった日記、そしてしょっちゅう引っ越した借り部屋のがらんとした空間で積まれた学識を孤塁の徒としたのであった。ユダヤ人コミュニティセンターの会やルズィニェ空港の滑走路の除雪作業などに狩り出された時以外は、彼は一日に二、三冊の本を精読した。オルテンは幸運なことに、忠実な友人がいて彼の作品を大切に守りぬき、彼の生前に四冊の抒情詩集を出版した。『春の読者』（一九三九年、）および『厳寒への道』（一九四〇年）はペンネーム、カレル・イィレクの名前で出版され、『イェレミアの涙』（一九四一年）および『ノハラガラシ』（一九四一年）はペンネーム、イジー・ヤクプの名前で出版された。

オルテンは中年の詩人フランチシェク・ハラス（一九〇一—四九年）によって世に送り出された。ハラスは嵐の中でも平静を保つ術を知っていた。抒情詩人の作品を特集した処女出版に対して、チェコのファシストはイィレクとは誰のことかを正確に把握していて、新聞紙上で彼やクトナー・ホラの家族を名指して攻撃したが、フランチシェク・ハラスの出版業界の友人たちはこの攻撃に対して動揺することがなかった。（同じような光景は、一九四五年以降、共産主義者が彼の「ブルジョワ」個人主義に対して悪意のある攻撃を行った時にもみられた。）『月刊批評』の編集者ヴァーツラフ・チェルニーは、できる限りオルテンの詩を本名で出版し続けた。その後は、若い詩人の中で「第一級」であるという地位を与えて、イィレクやヤクプの名前で出版し続けた。「彼の円熟味は」、と一九四〇年にチェルニーはイィレクについて書いた、「苦難を経て得られたものである、と私は思う。そして彼の苦難はずっとつきまとっている。終わりはみえず、希望もなく、成果もない…自分の目を見つめ、苛烈な世界の暗い片隅を探っている。」後にオルテンは実存主義詩人と呼ばれるようになったが、フランス実存主義者からは独立した存在であった。彼の詩、若い友人の詩は、チェコ詩における重要な時代を画した。街の明かり、バカ騒ぎ、そして革命に対するシュールレアリズム的な、陽気で集団的な陶酔に距離を置いて、根源的な自己検証、そして孤独な個人は如何に生きるべきかを問うたのであった。

　オルテンは人生の最後の日々を、執筆、読書、そして彼の大量の「ノート」に書き込まれていた詩の整理に費やしていた。彼は、ほとんど詩の形で、ユダヤ人に許されなかった事項を注意深く一覧表にしていた。そして、一九三九年一二月一二日に、彼のお気に入りのひとりであったリルケの研究を続けた。そのほかに、フランシス・ジャム、ボリス・パステルナーク、そしてフョードル・ドストエフスキーを愛読していた。彼によると、彼のドイツ語は「まあまあ」であったが、彼はヘッセやゲーテの詩をいくつか翻訳した。ノートに残されているのは、リルケの詩二五篇の翻訳、二篇の試訳である。彼は、ヘッセ、ゲーテ、そしてヘルダーリンを以前に増して読むようになった。一九四一年二月末から四月初めごろに、パウル・アイスナーのチェコ語訳で読んだリルケの『ドゥイノの悲歌』から刺激を受けて、彼自身の『悲歌』を書いた。彼の死の五カ月前であった。文学史家が、一九四一年六月六日、イジー・オルテンとハヌシュ・ボンが一緒に昼食をとったときに、何を論じ合ったのかを知りたがるのは当然のことである。ハヌシュ・ボンは、ユダヤ人共同体事務所に雇われた若い詩人で、リルケの『ドゥイノの悲歌』の数篇を翻訳した人物であった。オルテンはいつも、豊かな韻に彩られたストローフィ形式で詩を書いていた。しかし、一九四〇年の冬の終わりごろ、自由詩の前ぶれの後、リルケの無韻の詩行法に転じた。一篇の例外はあるが。彼は単に、リルケの形式に従っただけであるのか、あるいは経験があまりに浅く伝統的な詩連では表現できなかったからそうしたのか、あるいはその両方であったのか、疑問は残されたままである。

　自分自身の詩の地平線を描くとき、オルテンはリルケの詩『ドゥイノ』を模倣していない。そして彼は徹底的に狭めた自分の居場所から書いている。晩年のリルケは、ミュゾットの古い塔に引き籠り、『ドゥイノの悲歌』は、古代や近代のナイル川やテベレ川近郊の出来事をモチーフとしながら、恐ろしい天使が現れ、遠洋航海の無限の広がりを放浪する。オルテンは、子供時代の部屋に引き戻され、彼の傍にいる穏健で身近なものに救いを求めるが叶わない‥

私の文鎮、私の元に再び帰って来い
あなたを失ってからというもの、私はとても軽い
微風でも、私の体は宙に浮き
一吹きで飛ばされ

この世のものとも思われない、天上のものでもない音楽が流れ
鏡の裏で、身振りをするだけで
私は存在しなくなり、転んだと思ったら、完全に消滅する。[9]

リルケは、批評家が精神分析的と形容している彼の『第三の悲歌』が証拠立てているように、彼の苦難の子ども時代について相反する懐疑的感情を抱いている。オルテンは母や父を愛することを止めたことがないし、彼らの想像を超えた彼の限りなく深い孤独の中で、運命、時間、あるいは歴史の彼方にある幻想の世界に身を置いて苦しみから解放されたいと望んでいる：

隠棲ではない、そうではなく、私は最後の歓びを歌う
記憶の彼方、向こう側で
私の昔を歌う、何を恐れるのだろう
私たちの昔を、曇りなく鮮やかに
時が押し流してしまう前に
意識が私たちを押しつぶす前に
愛が我々の魂を略奪する前に
我々が戸口を見失う前に
それは誰でも自由に通れる戸口
女性の心に降りていく道程は
子供時代を思い出すこともない
悲嘆の炎に身を包まれたとき
生き場を失った生命、愛
星、胎児と大人、母親、故郷――
死に果てる

「悲歌」の最も憐み深い個所の一つで、リルケは町のはずれの遊園地を横切りながら、豊かであるが空しい幸福、虚飾の喜びに満ちた自由の約束、ジャズ、射撃練習場、パン屋などについて考える。オルテンは、プラハの聖マタイの定期市を訪れ、あれこれと探し物をしながら、数を数えたり（頭を振って）質問に答えることができる「調教されたポニー」のところに魔法で導かれたようにやってくる。オルテンは第六エレジーで言う、調教されたポニーは「穏やかに頷く、まるで我々は随分昔からの知り合いであるかのように」：

彼は私に言う、何か聞きたいことがあるだろう。

9　英語訳は Lyn Coffin と Eva Eckert による。

そこで私は聞いた：私の居場所はどこにある？
ポニーは微笑んだ。彼は静かであった。彼は静粛にすることを知っていた！
立ち上がると、彼は私のところに近づいてきた。
そして、ゆっくりと言った：私はここで数を数えている。
私はその理由を知っている。だがその方法は知らない。
それでも私はやらねばならない。分かったかい？　それなら結構。
それなら帰りたまえ。帰って魔法の勉強をしたまえ。

ミレナ・イェセンスカーの生涯

いまだに新しく出版される伝記、アンソロジー、そして学術的エッセイから判断すると、ミレナ・イェセンスカーは、二〇世紀のチェコ人女性の中で最も有名な女性であった。そして、フリーダ・カーロとの類似性は、むろん多少の違いはあるが、決して誇張ではない。ミレナは結婚しており、フランツ・カフカはユリエ・ヴォリツェクと婚約中であったが、彼らの一九一九－二〇年の短い恋愛沙汰が、ミレナ・イェセンスカーの後半生における政治的著作や、プラハにおける占領ドイツの権力に戦いを挑む勇敢な闘士としての生き方よりも注目に値するかどうかについては疑問が残る。男女同権主義者であったことも含めて、様々なエピソードが残されているが、彼女の人格を体系的に描くのは不可能である。彼女の伝記作家マルタ・マルコヴァー＝コチコヴァーが指摘しているように、彼女はたびたび変身し、有名であろうとなかろうと、夫、パートナー、そして愛人を含めて、それ以前の痕跡を全く消してしまったのである。

ミレナは一八九六年八月一〇日に生まれた。彼女の父親は、若い無一文の医師で、中産階級の良家の内気な娘を妻とした。彼は愛国主義者らしく、一六二一年、白山の戦いでカトリックに敗れて他のプロテスタントとともに斬首されたカレル大学の学長ヤン・イェセニウス博士の子孫であると称していた。ミレナはエリートであった。彼女は、若い女性の学問的教育のために創立されたミネルヴァ・ギムナジウムに入学した。（もうひとりのミネルヴィストは、第一共和国大統領の娘アリス・マサリクであった。）そして、ミレナの父親はとんとん拍子で出世した口腔医学の臨床教授であった。彼女は学校の論文を書いたり、彼女の尊敬する教師アルビーナや、その他の様々な男たち、特に芸術家にのぼせ上ったりした。そして、ゆるやかな長い服を着て、コルセットも着用せず、ストッキングも履かず、友人のスターシャやヤルミラと一緒に組んで、レスビアンの三人婚の振りをして街をそぞろ歩きながらプラハの鈍感な市民をたきつけたりするなど、時間を持て余していた。（ただし、病気の母の看病があった。彼女は一九一六年に死んだ。）さらに悪いことに、ミレナは、プラハの民族の居住区に頓着しなかった。そして、民族主義者の父親の怒りを買ったのは、ヒベルンスカー鉄道駅の近くにあるカフェ・アルコの辺りに出没し始めたことであった。ここは、若いドイツ系ユダヤ人インテリゲンチャや作家が集まって、アイデアや原稿について雑談する溜り場であった。

ミレナはあまりドイツ語を話さなかったが、理路整然としたエルンスト・ポラックに強く惹かれた。彼は銀行員であったが、最近の哲学に強い関心をもっていた。（カフカは、アルコにはほとんど顔をみせなかった。）流産の後、彼女は父親によって精神科の施設に送られた。過ちを繰り返さないことと、恋人から遠ざけるためであった。しかし彼女が二一歳を超えた時に、彼女の叔母が間に入って父親を説得し、ミレナはポラックとの結婚を認められた。ポラックはほどなく他の銀行で外国語通信員としての地位を得てウィーンに移ったので、ミレナは亡命者としてプラハを去らねばならなかった。

一九一八年から一九二四年の、ポラックとのウィーンでの生活は、彼女にとって苦渋に満ちていた。彼は業務に追われ、それ以外では、当時名を馳せたウィーンの知識人たちとセントラルやヘレンホーフといったカフェで多くの時間を過ごしていた。ミレナは、ウィーンの言葉と奮闘しながらひどく取り乱していた。その絶望的な姿はまるで「ドストエフスキーの七巻分ぐらい」に見えた、とフランツ・ブライは表現している。しかし彼女には溢れるほどの自己主張が漲っていたので、チェコ語の講義を計画し、ウィーンでプラハの新聞に投稿し始めた。飢えた寒いウィーンについて書かれた彼女の最初の記事は、一九一九年一二月三〇日、「トリビューナ」紙に掲載された。一九二〇年代には、「ナーロドニー・リスティ」紙とリベラルな「リドヴェー・ノヴィニィ」紙で定期的な寄稿者となった。彼女はまた翻訳の仕事で生計を得たかった。彼女の同胞にはあまり知られていなかったフランツ・カフカの許可を得て、彼の散文作『火夫』（後にある小説の第一章となった）を翻訳し、左翼系の雑誌「クメン」に発表された。カフカが賛辞として、彼女の文体はオリジナルに非常に近いと言った時、彼女はあまり嬉しくもなかった。

長い優柔不断な手紙のやりとりの後、ミレナとカフカは、一九二〇年七月二九日から八月四日の数日間、ウィーンで幸せな時を過ごした。森を歩き回り、ひなたぼっこをした。そして、八月一四日、オーストリア＝チェコの国境にあるグミュントの貧相な、むさ苦しい小さなホテルで過ごした。ミレナは、彼の思いやりのある共感と同情心に心を打たれた。そしてカフカは、フェリーツェ・バウアーとの不幸な結末のあと、その反動で別な女性と婚約中であったが、肉体的愛の対象に興味をそそられたり反発したりした。（彼は売春婦にほとんど抵抗はなかった。）ミレナは活き活きとしていた。それはカフカが友人のマックス・ブロートに語ったように、燃え盛る「炎」のようであった。しかし彼は、自分の肉体に嫌気がさしていた。それは彼の病弱さ故にではなかった。彼は、幸福感と恐怖が、繰り返し、突然やってくることが避けられないと感じていた。グミュントでの不幸な逢引きのあと、相変わらずエルンスト・ポラックを愛していたミレナであったが、カフカは、彼らが道を同じくすることはないことを知りながら、彼がそれまでつけてきた日記帳を深い信頼の証としてミレナに渡したのであった。

一九二四年、ミレナは、エルンスト・ポラックを残したまま（彼はその後、哲学の博士号を取得し、ロンドンに亡命中、高貴な生まれの女性と結婚した）、ウィーンのレルヒェンフェルダーシュトラッセのアパートを出て、ロシアの捕虜収容所から戻ってきたエルンストの親友フランツ・キサヴェル・シャフゴッチ伯と一緒に、ドレスデンの近くの自立した左翼知識人のコロニーに合流したが、そこでの生活は長続きしなかった。「赤い伯爵」と別れて再びプラハに戻り、彼女は、中産階級向けのナーロドニー・リスティ紙と一般向けの週刊誌の編集の仕事に精を出した。記事は、スタイルや人物の表現、建物の内装、そして先進的な暮らしに関する内容が多かった。

彼女はアヴァンギャルドの連中と付き合い、大胆な機能主義者の理念をもった若い建築家ヤロミール・クレイチャルと結婚し娘を産んだ。彼女は娘を男の子のようにホンザと呼んでいた。彼女の人生は楽ではなかった。関節の炎症性疾患に悩まされ、数か月の入院生活を余儀なくされ、右膝の術後に右足は動かなくなり、症状は悪化して次第に鎮痛剤に依存するようになった。一九二八―二九年までに、彼女は共産党員となり、中産階級向けの記事を書かなくなり、左翼のために、そして共産党の路線を擁護して、週刊誌トゥヴォルバに書き始めた。一九三四年、彼女の二人目の夫はソ連に向かった。そこで彼のモダニストの企画を実現したいという希望を抱いていた（彼は打ちのめされた）。一九三六年のモスクワ粛清裁判のあと、ミレナ自身はもはやソヴィエト政治局員の要求を受け入れることはできなかった。クレイチャルは別の女性を連れてモスクワから戻ってきた。ミレナは　からやり直したいと願った。

ここでも彼女は本領を発揮した。いまや彼女は四〇歳になっていた。発育盛りの娘の母であり、身体的には膝の曲がらないハンディキャップを負っていた。彼女は過去を断ち切って他人を助けチェコスロヴァキア共和国に迫る危険に対して真っ直ぐに立ち向かう決心をした。彼女は左翼知識人の男たちを惹きつけ続け、固い決心で、薬物依存から立ち直った。しかし、娘を連れて毎日映画を観る習慣は止められなかった。彼女は映画無しには生きられなかった。そしてリベラルな週刊誌『現代』と、そこの親切な編集長フェルディナント・ペロウトゥカのために寄稿し始めた。彼女はかつてペロウトゥカを民衆の敵として嫌っていたこともあった。彼が、一九三九年の春に逮捕されたとき、彼女はすぐに彼の後釜に納まり、週刊誌が廃刊になるまで編集を続けた。ホンザの教師でありミレナの愛人でもあった若い詩人ルミール・チヴルニーの支持を得て、彼女は非合法新聞「闘争へ！」に投稿し続け、それらは勇猛な将校によって維持されていたチェコ軍の抵抗組織によってまとめられて出版され、プラハで頒布された。

それで終わったわけではなかった。スポーツタイプの小さなエアロ車を乗り回し、小さな鍵十字を縫い込んだレザーコートでぴったり決めたプラハのドイツ人医学生ヨアヒム・フォン・ツェドヴィッツ伯と一緒に、彼女はポーランド国境を越えて国外に逃亡する人々を無報酬で手助けした。共産主義者、自由主義者、トロツキスト、ユダヤ人、チェコ人、ドイツ人など。一九三九年一一月一一日、彼女はゲシュタポに逮捕された。そして一九四〇年七月、ベルゲン・ベルゼンの強制収容所に送られた。収容所での生活は――生活と言えるものがあったとしたら――ミレナにとって特別困難なものであった。収容所内のチェコ人の多くは、共産党員で、ソ連の未来における使命を信じており、彼女が共産主義活動を裏切ったことやリベラルのために書いていたことなどを、憎むべき「トロツキスト」として、彼女を軽蔑した。その中でもグスタ・フチーコヴァーは、ミレナに対して特別強い敵意を抱いていた。なぜなら、彼女は、後に共産党の聖人となった殉教者の夫と、ミレナが恋愛事件を起こしたと疑っていたからであった。ミレナがベルゲン・ベルゼンに到着したとき、彼女は関節痛に苦しんでいた。そして、性病に罹患した女性や、医学実験で危険な状態にあった女性の記録の保管係を命じられた。それでも彼女は保護されていた――収容所の運営にあたっていた年配のウィーン社会民主主義者によって――、そしてそこでマルガレーテ・ブーバー＝ノイマンとの友情が生まれた。マルガレーテは、モスクワ亡命中に銃殺された指導的ドイツ共産党員の未亡人であった。彼女は、独ソ不可侵条約の有効期間中に、ＮＫＶＤによってゲシュタポに引き渡されたのであった。

ミレナの健康状態は急速に悪化した。彼女は腎炎と診断され、片方の腎臓は切除され、大量の輸血を受けた。そして一九四四年五月一七日に死んだ。彼女は、ツェドヴィッツ伯がベルリンの弁護士の助けを借りて彼女の釈放のために尽力していたことを知ることが無かった。彼自身も一五か月間監禁されていた。ベルリンの事務所は連合軍の爆撃で破壊され、弁護士も死亡した。彼の必死の努力は何も報われずに終わった。

リベラルの「プシートムノスト」誌に寄稿した初期のエッセイで、イェセンスカーは、共産党について公に語る機会をもった。共産党は、一九三八年一〇月二〇日にチェコ政府がその活動を禁止してから、静かに公衆の面前から姿を消した。党は、その革命的主張にも関わらず、あるいはそれ故に、共産党の主要な敵である社会民主党によって支配されている現実社会にほとんど影響力をもたなかったので、党員であることは常に「困難」と「危険」を伴うと書いた時、疑いもなく、彼女は彼女自身の経験について語ったのであった。一九三三年、共産党は、ファシズムに対して自由主義者や社会民主主義者と共闘する必要があると主張して、突然、その方針を転換した。しかしこの方向転換は、ソ連の指示に従ったものであり、その変わり身の早さに対して、「労働者の精神はそれほど変わりやすくはなかった」のであった。この変身を契機として、党は内部の民主主義精神を失うことになり、その後、「盲信」や「絶対服従」を要求せざるを得なくなった。だがこれは、「自律的な政治的思考」に結びつかなくなったのであった。思想が花咲かなければ詩も花咲かない、と彼女は付け加えた。

「プシートムノスト」誌に寄稿した他のエッセイで、イェセンスカーは、常々、そして決然と右翼民族主義へと傾斜しつつあった彼女の同胞に対して、Ｔ・Ｇマサリクの遺産を色濃く反映した戦闘的理念を掲げて、挑んだ。彼女は、合邦（アンシュルス）後にウィーンのユダヤ人に起こったこと、ユダヤ人であれ、非ユダヤ人であれ、オーストリアやズデーテンからの多くの難民がプラハに流入している由々しき状況を報告した：「人々は…証明書もなく、徒歩で、手荷物すら無かった。放浪は何百という身の毛もよだつ人間の運命の表徴である。何十万という痛ましい別れ、自殺、そして不当な仕打ちである。」

消極的な同胞市民の間にあって、彼女は、共和国が労働者階級のドイツ人社会主義者の間で支持を失っていった理由を理解しようと努めた。そして彼女の議論は哲学者エマヌエル・ラードルの考えに近づいた。ラードルによれば、プラハの中央政府があまり重視しなかったので、経済危機はより重くズデーテン地方にのしかかることになるだろう。「国の人々が三年間失業」している間に、ズデーテン地方の人々は、「六年間」失業しているのである、という彼女の主張に誰も耳を傾けなかった。これによって生じた難民を念頭に置いて、イェセンスカーは、英仏が署名したミュンヘン協定によって生じた問題の国際的解決を求めた。現時点では、「第一に、真っ先にチェコ人」であることが彼女の義務であるという、ある友人のいい意味での警告を受けて、一九三九年五月一〇日のエッセイで、彼女は、「好感のもてる人間」であることがとても重要だという思慮深い結論に達した。チェコ人であるということは、それ自体は決して、「特別なものに囚われない」とか、「最高度の倫理的規範」であるとかを意味するのではなかった。

一九九五年二月一二日、エルサレム委員会から、「諸国民の中の正義の人」の称号がミレナ・イェセンスカーに授与された。そして彼女の名が、ホロコースト記念館にある正義の人の庭園の名誉の壁に永久に刻まれることが決定した。

私の友人ハンス・Wコルベン（個人史）

占領期間、半ユダヤ人として分類された人々は新しい友人を作るのが特に困難であった。なぜなら、「アーリア人」に対して説明することがあまりに多かったし、母親、父親、あるいは親戚の人々が、新しい法律や警察の布告によって危険に晒されるといった事情について聞く気があるかどうかも分からないからである。我々半ユダヤ人は、群ネズミのような場所に移り、私は、プロレタリアートのジシュコフ地区で四つか五つのむさ苦しい部屋に住んでいたアルト家と一緒になった。母親、二人の娘、二人の息子、そして台所で寝起きしていた忠実な家政婦がいた。全員大人であり、全員が脆弱な立場にあった。聞くところによると、父親は、ソ連総領事館の経済部門でしがない事務員であったが、無神論者でユダヤ人共同体には属していなかった。彼は数年前に死んでしまったので、彼のユダヤ性については最早知ることができなくなった。そこで家族は、すべては「正常」であると装っていた。姉のマリアは、プラハの社会保障事務所で働いていた。妹のクリスチナはカルリーンで歯科技師をしていた。男の子たちは、中古の機械を売買していた。アルト夫人は、やせこけていたがすこしも動じない女性で、古びた台所を使って切り盛りしていた。誰もが配給クーポンをチップとして渡し、日曜日にはコーヒーとケーキにありつけた。夏には、我々はヴルタヴァの森を散歩した。そしてディナーのキノコを採集した。（アルト家の人々はキノコ採りの名人であった。）冬になると、我々は、城の丘にある貴族的レストラン、ヴィカールカの特別室で楽しい時を過ごした。ここは今も昔も有名である。一九世紀のチェコの著作家がビールを痛飲したり、最近では、ヴァーツラフ・ハヴェルが、大統領に選ばれた後に、仕事の合間にここで食事をしたりするのを好んだ。

二人の居候は、アルト家に何も説明を求められなかった。ひとりは有名な発明家で強力な企業家の孫ハンス・Wコルベン、そしてもうひとりは私であった。我々二人ともがヴィカールカで浮かれていた理由は、我々が妹のクリスチナに熱を上げており、毎週、彼女を賛美した詩を捧げたことであった。私の詩は友人の詩に遥かに及ばなかったが、クリスチナは文学的趣向に動かされる女性ではなかった。時は流れ、彼女はペトシーンの丘の夕方の散歩に私を招いた。愛や五月、その他のことを詠ったロマン派詩人K・H マーハの記念碑の近くのベンチに腰かけて、彼女はキスの仕方を教えてくれたのであった。

ハンスは、一九三九年にドイツ占領軍がやってきた時には一七歳であった。強制収容所の石切り場で、腸チフスで死んだ時には二〇歳であった。彼の祖父エミル・コルベンはニュージャージーで、トーマス・A エジソンの助手であった。そして後にプラハ・コルベン工業を設立し、機関車や重機を生産し、シュコダ財閥と堂々と張り合った。コルベン家はユダヤ系であった。ハンスはルター派であり、彼らは、小塔を具えた宮殿のような豪華な建物で平穏な生活を送っていた。他のユダヤ人が黄色の星を付けていた時に、コルベン家の人々は、不思議なことに、公共交通機関を利用していたし、カフェやレストランに入るときも星を付けることも無かったし、何憚ることも無かった。しかし一九四一年の晩秋のことであったが、ハンスはカフェ・スラヴィアの近くで、市街電車の中で逮捕された。以前の同級生が、星を付けてないユダヤ人がいると警察に通報したためであった。コルベン家は、チェコ政府の法的意図によって、反ユダヤ法の適用から免除されていた数少ない家系であることが判明した。ハイドリッヒが赴任して、政府の免除はすべて無効であると宣言するまではあったが。エミル・コルベンはテレジーンに送られ、そこで死んだ。そして彼の孫ハンスは、プラハ刑務所からテレジーンを経由して、マウトハウゼンとカウフェリングに移送された。ハンスの弟は奇跡的に収容所から脱走して生き残った。

ハンスは、脆弱な「免除」の時代、一八歳から一九歳にかけて、詩を書きつけていたが、そこには若者らしい忙しさや革命的なあせりがみられない。プラハの詩人として、新表現派的な言い回しはみられなかった。むしろカフカのように、古典派的伝統の範囲内にあった。もしもカフカがゲーテやシュティフターに興味をもっていたら、コルベンは、かつて内在的リズムや安定した連に忠実であったゲーテや初期のホーフマンスタールに遡っていたのではなかろうかと思う。彼は論客ではなく、沈思黙考のタイプであった。彼の至幸の時は、順風満帆な家族の中でのまじめな子ども時代であった。そして彼は、飢えた囚人のことを想像して、「彼らの青白い半開きの唇」そして「ぞろぞろと列をなし、その醜い姿は、生ける石膏である」と表現することはできたが、形而上学的な意味で、一体、自分は何者であるかを探索しようとした。そしてその答えをボヘミアの森に見い出そうとした：

そして、私は指で触れて、再び見い出す
これらの鬱蒼とした木々が織りなす秘密を
不思議の森——私はそれを感じる
ある日、恐らく、森は私に語ってくれるだろう

ノートに書き記されたもう一つの詩「夕暮れ時の感傷」では、歴史を無視して、将来のテロからの解放の夢想から詩が現れる：

この憂鬱は消え去るだろう
いつの日か、ケルビム（智天使）のように、バイオリンが
歌の翼で舞い上がり、そして我らは聞くだろう
その高尚な音楽が流れだして、澄んだ
煌めく炎の饗宴、歓喜の賛歌を

コルベンの詩「パンとワイン（聖餐式）」は、多分に、歴史や人間性の問題に直面した彼の憂鬱な心を表している。そして古代のシンボルの彼なりの扱い方は、伝統的遺産や希望に縛られてはいなかった：

見よ、新しい種が肥沃な土地に落ちるのを
外来の草が、見渡す限り、草原に芽を出した
周りの背の低い草はすべて
逞しい麦穂のうねりに屈した

谷間に身を寄せて並ぶ掘立小屋、
そこで暮らす人々は食糧で不満を言わなかった
彼らは質素に暮らした。力強く、かくしゃくとしていた
凛として端麗であった——パンを味わった者たちであった。

「質素な暮らし」は耐え難く、崇高な行為への人間の渇望は、祝福と危険を併せ持つアンビバレントなものを心底に含む：

再び種が蒔かれた：
細長いブドウが伸びて蔓を巻き
忽ち熟した。ブドウ畑に林立するは
紫の果汁の煌めく重たげな壺

以前の生活が充足していた人々は
落ち着きを失い、そして希望の行先は
崇高な行動であった。突然の嵐が
極彩色の神や像を浮かび上がらせ、歌を呼び覚ました。

私が、古いタイプライターでコルベンの詩のコピーを作っていた時、彼は死の直前にあった。しかし私は、一九四七年に、ウィーンで彼の詩集を出版した。プランでは、オットー・バシルもパウル・ツェランを最初に出版した。私はコルベンの最後の詩をどうしても埋没させたくなかった‥

私のことを忘れないで欲しい
音楽が庭から聞こえてくるように、ダンスが
夏の靄に包まれるように、震える調和
山、土、そして海のか細い歌

プラハにおけるハイドリッヒ

ハイドリッヒが、ある晴れた週末にプラハに着任した時、彼は軍事パレードや公式の歓迎会などの無駄な時間を費やすことなく、一九四一年一〇月四日の占領機構の最初の高官会議で明らかにした政策を着実かつ迅速に実行した。だがこれはずっと以前から準備していた政策であった。彼は、交渉したり意見を述べたりするようなタイプの人間ではなかった。古い政策を廃し、新しい政策を命じた。彼が、ナチ党の党官房長マルチン・ボルマンに通知したように、「偽装自治を持続し、同時に、内部から自治を掃討する」政策であった。

一九三九年九月九日以来、チェコ政府の首相であったエリアーシュ将軍が捕えられ、反逆罪で裁かれた。工場労働者（インテリゲンチャと接触があった）は、配給制と、靴と煙草の割り当てを言われた。そしてアイヒマンを含むハイドリッヒの高官を交えた一〇月一〇日の秘密会議で、ユダヤ人のプラハからの移送が決定し、即日実行に移された。最初はウーチに、そして後にテレジーンに向けて出発した。これは、ドイツから東欧へのユダヤ人大量移送の始まりの時と軌を一にしていた。

ハイドリッヒは戒厳令を準備していたし、ドイツの体制内でその合法性を確保するために、プラハに発つ前に、あらかじめベルリンの人民裁判長オットー・ティーラックにコンサルトしていた。だから彼は、その秘密会議での発言通り、思うがままに「異常な出来事を処理することができる」と感じていた。一六週間の戒厳令の間に、四八六件の死刑判決が下され、二二四二人が強制収容所に送られた。それらの人々の多くは、一九四〇年に逮捕された「民族防衛」の創立メンバーであったヨセフ・ビーリー将軍と同様に、軍事的あるいは市民のレジスタンス組織に所属していた。

ハイドリッヒは、以前ドイツで行っていたように、最大限の効果を狙って処刑を巧みに演出した。初日には六人を銃殺刑とし、翌日には二〇人、九月三〇日には五八人を処刑し、その後は徐々に減らしていった。少なくとも、六人の将軍、一〇人の陸軍大佐、そしてその他二一人の将校たちが処刑された。しかし農民や労働者は処刑されず、工場労働者の共感を得るために、ハイドリッヒは、戒厳令の犠牲者として、多くの肉牛販売業者、食肉処理業者、経済的な「内部戦線のハイエナども」を含む一六九人全員を、銃殺ではなく絞首刑とした。同時に、約五〇〇〇人以上の人々が逮捕され、非共産主義地下組織の活動は当分の間活動ができなくなった。ハイドリッヒは、九〇の非合法の短波放送局を探り当てたことを自慢した。共産主義者地下組織は、その活動が緒についたばかりであったので、あまり含まれていなかった。

エリアーシュは、長期間、ゲシュタポの監視下に置かれた。彼が逮捕された時、彼はゲシュタポ本部に連行され、四八時間の尋問の後、一〇月一日、ハイドリッヒが法的には変則的であったが新しい権限に基づいて正当性を主張した国家検察官として機能していたゲシュタポ組織の人民（即決）裁判所で迅速な裁判を受けた。チェコスロヴァキア国家警察長官であったエリアーシュは、地下組織との接触を保っていた。そしてゲシュタポは、彼のベネシュとの接触については半分も把握していなかったが、すでに政府広報課内部で小規模ではあったが有能なレジスタンスグループのシュモランツの組織員の取り調べや、強制収容所から引きずりだされた糖尿病の前プラハ市長オタカル・クラプカの自白に基づいて作成された、長大な活動家リストを用意していた。エリアーシュは死刑宣告を受けた。チェコ政府は、抗議のために即時総辞職するべきかどうか（そうはならなかった）、会議を開いて熱心に語り合い、大統領ハーハは、エリアーシュの助命を二度にわたって懇請した。一週間後、ハーハは、処刑延期の連絡を受けた。エリアーシュは、レジスタンスの更なる捜査にとって必要であるという理由であった。エリアーシュは、最終的には、一九四二年六月一九日に処刑されたが、それはハイドリッヒが暗殺された後であった。

ハイドリッヒは、労働者を知識人よりも優遇することによって、レジスタンス運動の分裂を図った。彼の政策は、ライヒの労働戦線に倣ったものであった。すなわち豊富なプラグマチズムと、オトマール・シュパンの「非政治的階級グループ」の理念の奇妙な混合物であった。（「ズデーテン僚友連盟」に所属していた、このウィーンの哲学者の数人の弟子はすでに強制収容所に送られていた。）ハイドリッヒは、あらゆる手段を用いて――すなわち、中央労働組合本部――、その職員に、大きな変化が間もなく起こると構内アナウンスするよう命じた。一〇月二四日、彼は組合の代表をフラチャニー城に呼んで激励の言葉をかけた。それに続いて、彼はいくつかの項目で配給の量をドイツのレベルまで引き上げ、靴二〇万足を工場に配布し、長時間労働者が好きな時間にランチを摂れるように職員食堂の設置を強調し、そして、ルハチョヴィツェ・スパ（モラヴィア南部の保養所）やその他の豪華なホテルで労働者が休暇を過ごせる計画に着手した。（一九四四年までに八万人の労働者が利用したが、拒絶したものもいた。）一九四二年四月までに、社会体制の改革が準備されていた。老齢者や傷病者への年金が二〇％増額され、未亡人への年金は三分の一増額された。スターリン主義の立場から一九三九―四五年の経済情勢を分析して、三巻本の研究書を出版したヴァーツラフ・クラールは、労働者階級の従順な態度の理由が説明できなくて、研究の矛先をブルジョワ階級上層部の悪事に向けてしまった。

反ユダヤ法は、一九三九年一月には第二共和国で施行され、ユダヤ人が公職から排除された。そして、ノイラートの時代に、ニュルンベルク法を保護領に拡大適用するという六月二一日の布告によって反ユダヤ法は継続した。それから三週間後の一九四一年九月一九日、ハイドリッヒの命により、ユダヤ人は黄色の星を着用せねばならなくなった。彼がプラハに着任した時、本格的な国外追放が開始され、最初のウーチへの移送が一〇月五日から一一月三日の間に行われた。（父はヘルムノに送られ、そこではエンジンの排気ガスによる殺人が行われた。）プラハのユダヤ人共同体とそのゲシュタポ監視団が、ゲットーの建設場所を巡って、数週間にわたって話し合いをしたが、――モラヴィアのスタラー・ボレスラフ、キヨフ、チェスキー・ブロド、あるいはボスコヴィツェなどが候補に挙がったが――ハイドリッヒの部下は明確にテレジーンを主張した。この一八世紀の駐屯地は、一七八〇年代にヨゼフ二世によって建設され、母である女王の名前マリア・テレジアからテレジエンシュタット（テレジアの都市）と命名された町であった。ここには多くの要塞や兵舎があった。ユダヤ人共同体は黙って従うしかなかった。一一月二四日、プラハから、三四二人の屈強の男たちが建設部隊としてテレジーンに向かう最初の移送が始まった。更に、一二月四日、一〇〇〇人の男たちが移送された。それに続いて一週間以内に家族が移送されたが、到着するとすぐに引き離された。

一〇月一日の時点で、保護領には約八万八一〇〇人（その約半分はプラハ）のユダヤ人が住んでいた。しかし、ハイドリッヒのSSは、ドイツ、オーストリア、オランダそしてデンマークからのユダヤ人を含めると、一四万一〇〇〇人のユダヤ人をテレジエンシュタットに移送した。この小さな町は、一一か一二ある古い兵舎、じめじめした防護砲台、そしていくつかの家があるだけで、その生活条件の劣悪さは言語を絶していた。栄養状態は貧しく、病気が猛威を振るっていた。八万八〇〇〇人が更に東に移送されて、ガス室で殺されたが、ここの収容所で三万三五〇〇人が死んだ。（H・Gアドラーによれば、一九四四年一一月一日以前にテレジーンに送られた人々の中では、一〇分の一余りが助かっただけであった。）

ノイラートとは対照的に、ハイドリッヒはプラハのドイツ人大学に対して明確なプランをもっていた。すなわち大学の存在意義は、歴史、社会人類学、法律、そして人種科学における民族的視点からの研究によって、スラヴ人の居住地である東欧や南東欧のゲルマン化に寄与することであった。ハイドリッヒの部下でこの仕事の監督を任されたのはハンス・ヨアヒム・バイヤーであった。彼は、ハイドリッヒ指揮下にあった国家保安本部に所属して、四三歳のときにダンツィヒとポーゼンの大学で教鞭をとるように派遣された親衛隊大尉であった。一九四二年二月にプラハに着任し、強力な大学学長の不在をよいことに、ベルリンの教育省の見解に逆らって、中年の教授連を排除しようとした。ナチ党で活動しているSSの若手をその地位に就ける目的であった。彼は完全に成功を収めたわけではなかったが、ハイドリッヒの死後、適切な学問研究は四つのグループで遂行されるというハイドリッヒの基本的理念の実現を目指した。彼は、その分野のひとつである民族学講座の教授におさまった。そして、ハイドリッヒの後継者の全面的支援を受けて、彼はマラー・ストラナの古い宮殿にスラヴ図書館を設置して、チェコ人大学やワルシャワ、ミンスクの図書館から多くの書籍を取り寄せた。幸いなことに、大した陰謀や再組織はなかった。バイヤーに対する逮捕状は、一九四六年七月一日にでた。そして彼は後に、西ドイツ北部にあるフレンスブルクで教鞭をとった。

ハイドリッヒのメディア政策は、新聞、ラジオ、そして書籍において、チェコ民族のドイツ人ライヒへの親密な統合を第一原理とする「行動主義者」の偏愛であった。「行動主義」ジャーナリストのひとりエマヌエル・ヴァイタウエル（一八九二年生）は、哲学と心理学の研究を終えた後、チェコスロヴァキア青年共産党の極左派に属するアナーキストとしてアメリカ合衆国に渡り、急進的活動により逮捕投獄され、本国に送還（一九二一年）された。彼は矢継ぎ早に本を出版した。『人間の魂』（一九二二年）、『エリスの島』（一九二八年）を出版し、後には、雑誌『チェコの言葉』の編集者となった。（一九四五年、彼はチェコスロヴァキアから逃亡し、その後は行方不明であった。）もうひとりの「行動主義者」ヴラヂミール・クリフターレク（一九〇三年ブルノ生まれ）は、工科大学での研究は終了しなかったが、一九三〇年代の中頃、「リドヴェー・ノヴィニィ」紙で働き、研究旅行で中国とソ連を訪れ、農業雑誌『田舎』誌の編集長になった。そしてジャーナリスト国民連盟の会長に指名された。ドイツ占領期間、彼は政治的亡命者の家族員は、特別の収容所に投獄されるべきであると要求した（その通りになった）。（一九四五年以後クリフターレクは懲罰裁判にかけられ、一九四七年、絞首刑になった。）もうひとりの「行動主義者」カレル・クリフターレクは、坑夫の家に生まれた。一九二五年までは共産党で活動していた。一九三〇年代になって、様々な自由主義新聞で働いた。一九四〇―四一年にかけて『チェコの言葉』誌の編集に携わり、『歴史との会話』（一九四〇年）を出版してドイツ占領軍の要求に沿ってチェコの歴史を再解釈した。

これらの「行動主義者」は、ゲッベルスのお気に入りとなりドイツに招待されたが、ライヒの理念に関する彼らの宣伝論説はチェコ人の心に届かなかったし、彼らの新聞は読者を失っていった。グループとして、行動主義者たちは常にハーハ政府に圧力をかけて、占領体制に都合のいい宣言を発するよう働きかけたり、見当違いなインタヴューによって個々の大臣を挑発して、声高にロンドンからの放送に抗する戦いを支持すべきであると要求した。政府は彼らを厚遇することはなかった。一九四一年九月一八日、エリアーシュが行動主義者を座談会の軽い食事に招待した時、劇的な事件が起こった。数日後に、四人の行動主義者に奇妙な流感の症状が現れた。カレル・ラズノフスキーが一〇月一〇日に死亡したとき、付き添った医者は、ラズノフスキーが稀なタイプのチフスに倒れたと診断した。ハイドリッヒは、ラズノフスキーが殺されたと宣言した。ラズノフスキーは国葬に付された。そして彼の墓石の前で、超行動主義者エマヌエル・モラヴェッツは、最後の勝利まで闘い続けると宣言した。

モラヴェッツ自身は、ハイドリッヒに個人的に気に入られており、違った意味で厄介者であった。彼は、一〇年以上、軍団兵、参謀部大佐、大統領マサリクやベネシュの執務室に近い軍隊物著作家として広く知られていた。そして、絶望的なミュンヘンの日々に、この直情径行の愛国者は、チェコスロヴァキア共和国は何としてでも守らねばならないと決意したのであった。逆説的であるが、彼をドイツの腕の中に追い込んだのは、ミュンヘン協定のトラウマであった。

出発（個人史）

一九四一年九月末のある午後、私の母はヨセフォフのユダヤ人共同体の事務所に行ってきたと言った。（彼女はいままでそこに行ったことがあったのかは知らないが。）彼女は、列に並び、黄色の布に黒い線で描かれた星（ユダヤの星）の中央にJudeと書かれたバッジを受け取った。彼女は、法令に従って、バッジを二つのブラウスとドレスに縫い付けた。たちどころに、この星は彼女から街を往来する自由を奪ったのであった。公園、庭園、多くの街路はユダヤ人の立入り禁止区域であった。しかし彼女はしばしば、禁令を無視した。そんな時、彼女は私を利用して、一般市民のようなふりをした。母は、四角い黒のきらきらした優雅なハンドバッグを持っていた。ちょっとしたハリウッド女優クローデット・コルベール風であった。持ち方によって、それを胸に押し当てると、黄色のバッジは全く見えなくなるのだった。私たち、母と子が一緒に歩いていると、誰も疑いの目で見なかったのである。だから私たちは、公園の中をゆっくりと歩いた――できるだけ知人のいない、遠くのヴィノフラディ公園であった。晴れた日に、新鮮な空気と温かい日光を浴びながら歩いたが、流石に、年寄りたちとベンチに並んで座ることはしなかった。

一度、私たちは、ある特別なイベントで法令に挑戦したことがあった。あの最悪の年、一九四二年の新年の夕べで、父がプシーコピの映画館で催される夜会に家族全員で参加しようと言い出した。彼は我々にチケットをくれた。万一、大急ぎで退出せねばならない事態に備えて、角に近い雛壇式桟敷の席であった。そこで愉快なコメディーを鑑賞した。母はすっかり楽しんで、有名な黒の財布を握っている手が緩んだ。そして最後に、照明に照らされた時に、思わずそれをドレスに押し当てた――ちょうどその時、退席しようとしていたある夫婦が私たちのほうを怪訝な目でみていた。父は私に、その男性は、私たち家族のことを以前から知っている、Kという昔の劇場仲間であることを教えてくれた。かくして、新年早々暗い影が差した。最初の三日三晩、Kが警察に通報しやしないかとびくびくしていた。しかし彼は誠実な男であり、そんなことはしなかった。これは母が映画を観た最後の機会となった。というのも、その後そんな危険を冒すようなことはしなかったし、公園の散歩にも出かけなくなったからである。

移送が始まった後、知り合いや友人はほとんど声をかけ合うこともなく姿を消した。まだ残っているものたちの間で居なくなった者たちのことを聞かれても、混沌の中で沈黙したり肩をすくめたりするだけであった。別れの会を開くことも困難を伴ったが、本屋の同僚で私と同様の半ユダヤ人グラス氏が、テレジーンへの移送命令を受けたエヴァ・Lのお別れ会に招待してくれたことがある。我々全員が彼女の憂鬱と複雑な話を知っていた。エヴァは辛うじてイギリスに亡命した有名なプラハのジャーナリストで著作家の娘であったが、彼女は約束を交わしていた若いオーストリア人と恋愛中であったので亡命しなかった。彼らは一緒に逃げるつもりであったが遅すぎた。エヴァはしばらく投獄され、男はダッハウに送られた。彼女は釈放された後、出国を試みたがうまくいかなかった。彼女は移送センターに行く前に、我々を最後の夕食会に招いてくれたのであった。

私の同僚がホストを務め、その他の二人の若者と私が座って、白ワインをちびちび飲んだ。最後に彼は、彼女がここを去る前に、ここに招待した人、ひとりひとりと愛を交わしたいという彼女の意向を発表した。それは輪姦（その言葉がどんな意味であるにせよ、私はこの言葉を知ったのは五〇年後であった）ではなく、何かしら礼儀正しい出来事だった。私は、小さな寝室に呼ばれた。エヴァがそこにいて、私の前の男が出ていった後で、彼女の体は温かく、好景気時代から始まったシュミーズを着ていた。彼女は私よりすこし年上だった。彼女は灰色がかったショートカットのブロンドであった。彼女はすぐに私を抱き、私は直ぐに反応したが、私はわだかまりを払拭できず違和感が残った。彼女は、無言の強烈な感情のほとばしりを期待したのであろうが、私は出来る限り、彼女に対して優しくしようと望んでいたのであった。私は寝室を出た。私たちはもう一杯飲んだ。次の男の番であった。最後にエヴァが出てきた。彼女は私たち一人一人を抱きしめ、我々は帰っていった。我々は二度と彼女に会わなかった。戦争の最後の年に、ベルゲン・ベルゼンで死んだと風の噂に聞いた。

数か月後、父が私に、パウル・キッシュにいとまごいをするように言った。パウルは、メラントリホヴァ街の古い家に住んでいた古いプラハの家系で、有名なエゴン・エルヴィン・キッシュの兄弟であった。私は気の進まないままにパウルの家まで歩いて行った。文学史、というよりはプラハの噂によれば、パウルは、エゴンとは全く対照的で、多少自由主義的傾向も無いわけではなかったが、頑固なドイツ民族主義者であった。スラヴ人のことを「奴隷民族」呼ばわりした一九世紀のドイツ劇作家フリードリッヒ・ヘッベルに関する論文を書いた。プラハ、ウィーン、そしてベルリンの知識人の間で周知の逸話は、一九一八年の秋に、彼の急進的な兄弟が赤軍にウィーン政府の建物を占領するよう命じたのを、パウルが見つけたというものであった。彼はエゴンの事務所に飛び込んだ。そこには燦然たる、間に合わせではあったが、ボリシェヴィキの制服を着たエゴンが座っていた。彼は単刀直入に言った、「待ってろ、ママに言いつけてやる！」だが、今は一九四三年の秋であった。私が彼の部屋に入った時に見かけたパウルは、老人で、ソファに腰かけたまま不動の姿勢で、一九一〇年のドイツ決闘学生社交クラブの服装をして、手袋、羽飾り、そしてサーベルを身に着け、まるで、違う時代からやってきた異次元の石像であった。私たちはあまり話もしなかった。私は、どもりがちに翌朝に始まる旅での彼の健康を祈念し、そして私が後ろ手にドアを閉めた時、大昔のある若い学生が、プラハの忘れ去られた過去の何かを、恐らくは、一八四八年革命の最初の数週間、チェコ人の盟友とともに闘ったドイツ自由主義的民族主義者の黒、赤、そして金の栄光を、誇らしく私に示したかったのではなかろうかとふと思った。

私の父は、一九四八年の春に、今では国際的に有名な共産主義者エゴンをダウンタウンで見かけ、間近に迫った選挙に負けたら同志は何をするか、と冗談のつもりで質問したことを私に話した。するとエゴンは、そのような事態になれば赤い機関銃がヴァーツラフ広場の至る所に据え付けられることになるだろうと答えた。エゴンと彼の同志は選挙で勝利したが、彼は翌年の新年の夕べには死んだ。危うく、共産主義者の階級制度における上位にいた他のユダヤ人やスペイン内戦の英雄たちと一緒に、彼自身の同志による粛清裁判に引きずり出されずに済んだのであった。これらの人々は、社会主義社会に対してシオニストや帝国主義者の陰謀に参加したという罪状で裁かれたのであった。六年後にテレジーンのメモリアルブックを読んで知ったことであるが、彼の兄弟は、アウシュヴィッツのガス室で、一九四四年一〇月一二日に死亡した。

ブロド家の写真　1912 年頃

父と母　結婚記念写真　1920 年

詩人だった父。領地劇場のバルコニーにて 1914 年頃

母　1936 年頃

日曜遠足中の母　1921 年頃

プシーコピィ通りを歩く私
1941 年

ラディン人の子どもたち　1898 年頃

ラディン人の祖母

エマヌエル・モラヴェッツの場合と新政府

エマヌエル・モラヴェッツは一八九三年に、クトナー・ホラ出身のプラハの中堅の商家に生まれた。(彼の母親にはドイツ人の先祖がいた、と彼は主張していた。)少年はスミーホフ・ハイスクールに通い、その後、実業訓練専門学校で学んだ。このことは彼をある意味で不利な立場に立たせることになった。というのも、チェコの教養のある階層は、通常、子弟をラテン語やギリシア語の人文主義ギムナジウムに送り、卒業後は、二つのプラハの会社で地味な社員として働いたものであった。第一次世界大戦の初日に彼は動員され、ザルツブルクで機関銃射撃手として訓練を受けた後、カルパチア戦線に送られた。そこで多くの他のチェコ人とともにロシア軍に降服し、遠く離れたサマルカンドにある愛国的な捕虜収容所に送られた。ここで彼は最初の妻となる女性に出会った。彼女は、偶然にも、レーニンの後継者で一九三八年に粛清されたアレクセイ・リーコフに近い親戚であった。モラヴェッツは、チェコ人部隊に入隊してオーストリアと戦うことを希望したが、ツァーリ政府は理解がなく、彼の仲間ラドラ・ガイダと同様に、彼はセルビア義勇軍師団に編入となった。彼はドイツと同盟を組んだ(スラヴ人の)ブルガリアと戦った。彼は、ブルガリアの村アムザッチでの戦闘に加わった。そして一九一六年九月に、彼は神経麻痺と戦争神経症のため、病院に搬送され六か月間の入院生活を送った。後に、キエフで、形式的にはオーストリア軍であったが、チェコ人とスロヴァキア人兵士によって編成され、連合国と独立チェコスロヴァキアのために戦う用意のできていたチェコスロヴァキア人部隊に入隊した。彼は、敬愛するT・Gマサリクと出会った。そしてすぐに、さらなる訓練のためにルーマニアに送られた。帰還後、彼は落馬して鎖骨を骨折し、軍事物を書き始めた。彼の最初の労作は要塞に関する技術的論文であり、一九一八年の夏に軍事新聞に掲載された。それ以後、数百の論文を書くことになる。モラヴェッツは、一九一八年の秋、オムスクで陸軍大尉に昇進した。そしてチェコスロヴァキア政府の戦争相M・Rシュテファーニク将軍が、シベリアへの視察旅行で、モラヴェツの戦争に関する質の高い豊富な知識を評価して、彼をウラジオストクの近くの島の責任者に任じた。そこで、軍団兵は、ボリシェヴィズムに染まった同胞の検疫を行った。モラヴェツと彼の若い家族は、アメリカの船で本国に送還された。一九二〇年八月にトリエステに到着し、そこからプラハに戻った。部隊の将校はチェコスロヴァキア正規軍での軍務継続の機会を与えられ、モラヴェツ大尉は軍の諜報機関に配属されて、ただちに極東ウジホロドに送られた。そこで軍は、敵軍ハンガリー人と対峙した。

多くの危険を潜り抜けたが、彼の軍人としてのキャリアは断続的であった。プラハ戦争大学でしばらく働き、スロヴァキア東部のミハロフツェの司令部勤務、そして再びプラハに戻って戦争大学やプラハ工科大学で教鞭をとった。二人目の妻（スロヴァキア人）と結婚した。彼の上官は、モラヴェツが「思慮深く」、「良く読んでいる」と評価し、一九三〇年代の初めまでに、彼の地政学的、戦略的問題に関する論文が、フベルト・リプカ博士（彼は後に、エドヴァルト・ベネシュに接近した）が監修していた「民主主義的センター」誌を含む、重要な自由主義的新聞や雑誌に掲載された。モラヴェツはまた、「リドヴェー・ノヴィニィ」紙やフェルディナント・ペロウトカの「現代」誌にも寄稿した。

モラヴェツは大統領マサリクの兵士向けの分かりやすい簡略な演説集を出版した。そして一九三三年五月五日、再び彼と会い、マサリクは彼に戦略的心理学的方面からの考察を加味して、共和国の軍事状況に関する本を書くよう要請した。モラヴェツは、煩を厭わず二冊の本を書いた:『現代の兵士たち』（一九三四年）、『国家の防衛』（一九三五年）。多くの人々は、これらの本の著者が軍事的問題に関して大統領のスポークスマンになったと確信した。

モラヴェツの外交政策に関する見解は、しかしながら、煩雑な事態を招くことになった。彼は、次第にベネシュの以前からのフランス頼みに疑問を感じ始めた。イタリアのアビシニア（エチオピア）侵略戦争後、増大するドイツの危険性を認識して、イタリア、ポーランド、ハンガリー、そしてロシアとの関係強化を提起した。個人的には、彼は、政争に明け暮れる政党政治よりも、「強力な指導者」の下の民主政を好んだ。そして、一九三七年、作家ヤロスラフ・ドゥリフがスペインのフランコ将軍に共感して、リベラルのカレル・チャペックをあまりに「文民的」であると攻撃した時、モラヴェツはドイツの脅威に対するチェコスロヴァキアの決然とした防御態勢の必要性を主張しながら、ドゥリフに賛意を表明した。

対ヒトラー戦に備えた最後の動員やミュンヘン会議の頃、彼は、彼の国が降伏しないように断固たる決心を固めていた。ある時、彼は南モラヴィアにおける司令官の身分を捨てて、自分のプライベートの車でプラハに向かい、軍服を着て、銃を取って戦うよう説き勧めるために、大統領府に押し掛けた。（参謀長の将軍ヤン・シロヴィーによって追い返された。）ベネシュが降伏文書に署名した後、一部の将校がモラヴェッ大佐と共に再び大統領を説得することにした。しかし無駄であった。一九三八年一一月一四日、モラヴェッツ大佐は、「休暇」を与えられた。多くの他の将校も解雇された。裏切られたと感じ、絶望した。そして、中央アメリカの小国に亡命して、軍事アドバイザーになろうかとも考えた。

これは実現しなかった。ドイツ人は、彼らの目的に適うものを獲得する優れた嗅覚を具えていた。プラハの参謀が彼の本を出版停止に決める前、一九三八年の一〇月中ごろ、モラヴェッツはその最後の出版物のなかで、チェコスロヴァキアはたとえボヘミアや国境周辺地域を奪われても軍隊を維持する必要があると主張した。なぜなら、戦争の危険が継続している状況にあれば、軍隊の存在は共和国が流血の戦闘に巻き込まれることを防ぐであろうから。国境地域を失えば、チェコスロヴァキアは更に小さな国になるが、軍隊を失えば「国が消滅する」、と彼は考えた。絶望した彼は、本を書き始めて、その年の夏に書き終えた。それまでに、ドイツ人は全く予想外の方法で彼と接触することを決めた。最初は、ライヒの保護領総督府に関連した軍事専門家の訪問から始まったようだ。いずれにせよ、彼はドイツに招待され、彼が帰国した時には、彼の信念に従って…占領国を支持した放送を行った。

モラヴェッツ自身は、この『ムーア人の役割において』という著書は「漫然とした考察」であると言ったが、ドイツの軍事評論家も含めて、この本が多くの人々に読まれたという事実にはそれなりの理由がある。（二年間で五刷の出版があった。）タイトルの中で、モラヴェッツは、ルーチーンの仕事をきちんと終えた後は全く儀式ばらない優秀な召使のことに触れたドイツ詩人フリードリッヒ・シラーの有名な詩に言及していた。しかし、彼の本は、少なくとも、部分的には地政学的エッセーであり、チェコスロヴァキアの軍隊、飛行機、そして鉄鋼産業の統計、そして共和国が占領された事実に対して深奥に怒りを秘めた兵士の心情吐露でもあった。モラヴェッツは以前の考えをいくつか復活させた。ヨーロッパ全体における世代間の争いを含む問題であった。二〇歳代の「経験の浅い夢想家」、四〇歳代の「熟練した生産的人々」（彼自身はこの世代に属していた）、そして、これからの共和国を守るための勇気が湧いてこない嘆かわしい「打算的で慎重な」六〇歳代の人々。

モラヴェッツは、歴史の変化を常に研究することを薦めたマサリクに対して、揺るぎなき敬意を払ってきた。モラヴェッツは、常に、一九三〇年代前半の状況の変化に対応する政策を打ち出せず、最終的にはドイツの領土要求に乗じたポーランドやハンガリーの領土的要求をかわすことができなかったベネシュを批判した。モラヴェッツは、フランスがヨーロッパにおける軍事的ヘゲモニーを失った一九三五年以降から、一九三八年のアンシュルス（オーストリア併合）とミュンヘン協定に至る経過の詳細を、正確かつ分かりやすく報告した。そして、今や不可逆的に失われた「古代のボヘミア王国」に対する驚くほどノスタルジックな感情をそこかしこに露呈した。「民族は激怒し、絶望的痛みに…兵士は黙した。」彼に関する学問的、批判的伝記作家イジー・ペルネスによれば、彼の著作は東欧諸国の強力な結束に拘ったことを示す資料ではなく、むしろ、ドイツは運命であるという事実を、チェコ人が面目を失うことなく受け入れる方法を示したテキストであった。しかし、モラヴェッツは、共和国の悲劇を生んだ三重のエゴイズムに対して悪態をつくところに見られるように、偏狭な理念にかぶれていた。三重のエゴイズムとは、一つ目は、「チェコスロヴァキアを従属的な植民地と考えている西欧の金権政治体制」、二つ目は、伝統的な諸政党の老人政治家、そして三つ目は、軍事規範に従わない、チェコ人の愛国主義を手前勝手に捻じ曲げる「ユダヤ人」であった。

モラヴェッツは活動主義者の中では、最も専門的で理論家であった。しかし、ハイドリッヒがプラハに着任して、このかつての兵士の真の野心を見抜いてから状況は一変した。大統領ハーハの抗議にも関わらず、ハイドリッヒはモラヴェッツを、第三保護領政府における教育および一般文化の閣僚として取り込んだのであった。

ハイドリッヒは政府の強化を急がなかった。政府はエリアーシュが逮捕されて以降、確実に機能を喪失していた。そしてその空白期間に、ハイドリッヒは、労働組合、活動主義ジャーナリスト、そして処刑や大量検挙のショック効果を巧みに利用して自分自身の目的を遂げていった。大統領ハーハは、一九四一年九月二四日、深刻な心臓発作に襲われた。首席補佐官で無任所大臣でもあったイジー・ハヴェルカは、忠実なリベラリストであった。ハイドリッヒが、ハヴェルカを逮捕して、病気のハーハに不名誉な政治的妥協を押し付けたことは明白である。ハヴェルカは自宅監禁となったので、ハーハの言葉は、ライヒの理念の野心的信奉者で大統領府勤務のヨセフ・クリメントによって書き取られた。一九四二年一月一九日に、ようやく新しい政府が誕生し、ライヒ保護領総督府によって承認された。K・Hフランクの画策であった。この内閣は、奇妙な混成体であった：チェコスロヴァキア共和国に長年貢献した専門家、年配の中道右派の官僚、ライヒ保護領総督府のドイツ人（最初だけ）、そしてモラヴェッツであった。

ヤロスラフ・クレイチーは、法律学の専門家で第二共和国の法務大臣を務めたが、エリアーシュ将軍が逮捕された後、首相になった。彼の内閣でリヒャルト・ビーネルトが内務相に任命された。ビーネルトは、一九一六年にはボヘミア警察機構の一員となり、第一次世界大戦の終わりまでマサリクやベネシュの秘密組織で活動した。一九二〇—二五年にはプラハ警察署長、その後はボヘミア地方行政長官を務めた。K・Hフランクは彼に信をおかなかった。そしてビーネルトは、ポーランド侵攻が始まった時に、しばらく勾留された。農業大臣に任じられたアドルフ・フルビーは、若い頃、ボリシェヴィキの軍団兵であったが、その後は地方の農業組織で政治的キャリアを積んだ。一九三五年、チェコスロヴァキア議会の代議員に選出され、彼は初代の「民族の防衛」議長となり、ファシストとの攻防でかなりの手腕を発揮したが、ドイツ当局とハーハのトラブルに巻き込まれ、この度は、ハイドリッヒが農民に対して機嫌を取り始めて、再登場することになった。

若い頃にチェコスロヴァキア税務局に勤務したヨセフ・カルフスは、一九三六年に財務相に任命されたが、ミュンヘン後にシロヴィー将軍とベランによって再び任命された。彼は軍事費の運用で手腕を発揮した。彼は、一九三九年三月一四—一五日の夜中に、巨額の政府預金口座を速やかに民間に移してドイツ人に差押えられるのを回避するという鮮やかな大胆さをみせた。生涯を鉄道員として過ごしたインドジーフ・カメニツキーは、一九三八年九月のミュンヘン前の内閣で郵政運輸大臣を務めた。彼は軍の総動員によって生じた諸問題を鮮やかに解決した。そして一九三九年までに、鉄道の総裁となり、一九三九年一一月に大学が閉鎖された時に、ただちに、何百人という学生を雇用した。

二人の大臣は、ハイドリッヒが選んだ人事であった。ドイツ人経済学者ヴァルター・ベルチは、一九四五年からかなり経ってブルノの刑務所で死んだ。もうひとりはエマヌエル・モラヴェッツであった。かれはただちに政府のスポークスマンの役目を引き受け、チェコの若者を再教育するために、ヒトラー・ユーゲントを模した組織を設立した。

美神タレイアの困惑

占領者と被占領者は、保護領政府とライヒの保護領総督府との間で遂行された行政執行をめぐって互いに争った訳ではなく、レジスタンスグループがゲシュタポと戦った地下の戦場で争うこともなかった。公共の文化施設が巻き込まれた。その中にプラハの劇場が含まれていた。一八世紀以来、一般の人々に開かれていたが、今や、観客にとって、言語と理念の両方の分野で厳格に分裂してしまった。

ドイツ人占領下におけるプラハのチェコ人劇場は、観衆の民族的制度を支持する熱意と、敵を排斥しながら表立った反対の意思表示が表面化するのを抑え込もうとする占領体制側の政策の間を揺れ動いた。劇場の存続は、劇場や映画のチケットを買うだけの余裕がなければ不可能であった。プラハでは、地方と同様に、大小の劇場は毎日のように満員御礼であった。このことは、人々が財政の問題よりも、検閲（もちろん、その裏をかくためであった）やレパートリーの問題をよく論じあっていたという状況を物語っていた。占領体制側は、劇場よりもプラハの映画産業のコントロールの方に強い関心をもっていたかどうかという疑問に関しては、チェコ愛国主義文学の中ではあまり取り上げられなかったが、答えは明白である。ベルリンは、劇場よりも、映画産業の技術や大衆に訴える力を重視していた。

プラハの劇場を監視していたドイツ人――アウグスト・リッター・フォン・ホープ（チェコ語では「カンガルー」、なぜなら彼の名前は「ホップ」と発音したから）、保護領総督府の上司ヴォルフラム・フォン・ヴォルマール（オスラム・フォン・トゥングスラムと呼ばれていた）、そして後には、絶えず口を挟んできたエマヌエル・モラヴェッツであった――は、意のままに劇場を開いたり閉鎖したりした。一九三九年三月、まさに発足直後から、保護領総督府はミュンヘンの頃に倒産してチェコ国家の管理下にあった「新ドイツ劇場」を引き継いだ。そしてそれを、主に巡業劇団によるオペラやオペレッタの上演に使用するためのドイツ・オペラハウスであると宣言した。占領側は、一九二〇年に反抗的なチェコ人俳優たちによって引き継がれていた古い領地劇場をドイツ人劇場としてドイツ人の管轄に戻した。そしてワイマール以前からアヴァンギャルドの劇を上演し続けてきた有名な「小さな舞台」を引き続き維持したが、「室内劇場」と呼ばれ、観客席は二六〇に減らされた。

これに対してチェコ人は直ちに、仮劇場として使用するために数週間でカルリーンの古い「多目的ホール」を改装した。これは現在も、海外のミュージカルに利用されている。さらに、多くの小説や映画と並んで、ドイツの占領者の圧力に対する反骨精神は、チェコスロヴァキアの伝統的財宝を再評価した新歴史主義として現れた。舞台で言えば、V・Kクリッペラ、Kサビナ、そしてJ・Kティル作のポピュラーな一九世紀の劇やクリスマス劇が上演され、また舞台での詩の朗読など大衆的遺産の朗読会があった。ドイツ人やオーストリア人の作品の翻訳劇が以前にも増して多く上演された。クライストのいくつかの作品、ゲーテの『原ファウスト』や『タッソー』、グリルパルツァーや、ゲアハルト・ハウプトマンの多くの重要な劇作、その中には、『同僚クランプトン』や風刺的作品『ビーバーの毛皮』も含まれていた。シラーはほとんど含まれていなかった。当時の状況を考えれば、彼のレトリックはあまりに高尚であった。その間、シェイクスピアやモリエールのチェコ語の上演は切り詰められ、戦争の進展とともにポーランド、フランス、イギリス、そしてロシアの演劇は、稀に一九世紀のロシアのリアリストA・Nオストロフスキーの地方公演を除けば、上演禁止となった。その代わりに、スカンジナヴィア、とりわけイプセンに注目が向けられた。ドイツ占領時代を超えて生き残ったのは、カルロ・ゴルドーニの再発見であった。多くの優れた劇、とりわけ喜劇の題材となり、演出家が「コメディア・デラルテ」を復活させる絶好の機会を与えることになった。一九五〇年代にボフスラフ・マルティヌーが、ゴルドーニの『ラ・ロカンディエラ』の喜劇を脚本にしたとき、彼は保護領劇場の伝統に従って仕事をしたのであった。

初期のアヴァンギャルドの仕事は、E・Fブリアンによって、ユングマンノヴァ街の近代的モーツァルトビルの小さな劇場で生き続けた。しかし彼には、彼の集団的リサイタル、ヴォイス・バンドの実験、そして台詞、照明、音楽、および撮影を組み合わせた演出のために、もっと大きなスペースが必要であった。彼は、D三四(劇場三四)から始め、より大きなポジーチーに移ったが、一九四一年三月一二日、彼と二人のアシスタントが逮捕され、強制収容所に送られた。ブリアンは、彼自身のチェコ語のレパートリーを作ることに熱心であった。そしてテキストが失われた時に、彼は近代的なチェコ語の散文の物語をドラマ化することに大成功を収めた。ボジェナ・ニェムツォヴァーの若い娘のはかない物語『ヴィイェラ・ルカーショヴァー』（一九三六年）、あるいはタイトルの人物がヒトラーによく似ていたヴィクトル・ディクの『クリサジ』（『ハーメルンの笛吹き男』、一九四〇年）。彼は特にロマンチックで愛国的な韻文を好んだ。すなわち、マーハの『五月』は古のヴァルトシュテイン宮殿のバロック調の庭で朗唱された。そして、現代チェコ散文の伝統を確立したボジェナ・ニェムツォヴァーを祝したフランチシェク・ハラスやヤロスラフ・セイフェルトの新しい詩を好んだ。政治的には、ブリアンは屈折した左派であった。彼は共産党を支持したが、一九三七年、ソ連がアヴァンギャルディストのフセヴォロド・メイエルホリドを批判逮捕（一九四〇年に処刑＝粛清）したことに反撥して、戦後、強制収容所から戻った時に、彼自身のアヴァンギャルドの過去を捨てて逆のコースをたどった。議会のリベラルの女性と左翼の反体制知識人（絞首刑になった）に対する共産主義体制の死刑判決を正当化する劇を書いた。彼は軍の劇場を引き継ぎ、一九五九年に死んだ。

ブリアンの脚本による『マノン・レスコー』は、聖職者プレヴォの一八世紀の小説にならって、詩人ヴィーチェスラフ・ネズヴァルによって書かれたものであるが、保護領劇場の最も楽しまれた作品であった。一九四〇年五月七日に初演され、連日、チケットは売り切れた。人々は何度も何度も観劇した。この劇はコメディに近いロマンチックな娯楽作品であったが、「つらい時代にチェコ語の勝利を目指した戦い」であったという後の批評家の主張は、正鵠を得ていた。ブリアンは、劇に合わせた音楽を入念に計画した。しかし、リハーサルの途中で彼は心変わりをした。なぜなら、ネズヴァルの言葉はそれ自体が素晴らしく音楽的であることに気付いたからであった。ネズヴァルはプレヴォに忠実であった。天真爛漫な若い魅力的ヒロイン、マノン（マリエ・ブレショヴァーによって演じられた）、彼女への恋に身をやつすデ・グリュー（ヴラジミール・シュメラル）は、全てを許し、すぐに騙され、そして盲目的な情熱に身を焦がした。散文は、繰り返し入念に練り上げられたバラード、詩、そして聖歌に取って代わられる。『オールマン・リバー』（老人の川）を偲ばせるミシシッピ川についての最後の歌を含んでいた。何年経っても若者がプラハの街を夕方の散歩で、「ああ、マノン、マノン、神は君を許している」というネズヴァルの詩を口ずさんでいた。

このくだりは呪文のようだった。私もそのひとりであった。

一つの協会によって運営され、市行政府によって助成されていたプラハのチェコ市民劇場群の運命は、占領時代の政治的制度的問題によって複雑な経過をたどった。市民劇場群は、ヒベルンスカー街にあり、華麗なヴィノフラデスカー劇場を含んでいて、国民劇場や小さな室内劇場としのぎを削っていた。あらゆる階級の人々をターゲットにして、主に現代物を上演していた。一九四一年三月に、ゲシュタポがブリアンのアヴァンギャルドのポジーチー劇場を閉鎖した時、ドイツとチェコの当局は、市民劇場がそれを引き継ぐことを主張した。六月に、カルロ・ゴッツィの『トゥーランドット』の上演をもって再開された。不運なことに、この後に、エーベルハルト・メラーの毒気を含んだ反ユダヤ主義の『ロートシルトはワーテルローにて勝利す』の上演が行われた。五か月後、ヴィノフラデスカー劇場は予告なしに閉鎖された。ライヒ保護領総督府が、そこを「大ドイツ演芸場」として、プラハの陸軍将校のために使用する計画であった。ヴィノフラディの建物をベルリンのバラエティショーのディレクターに提供したが、彼はプラハに来るのを嫌がり、ヴァーツラフ広場に途轍もない建物を含めて、できもしないことを要求した。その結果、エマヌエル・モラヴェッツの大仰な身振りとともに、ヴィノフラデスカー劇場は再びチェコ人の手に戻ったが、内装は、そこを映画撮影に用いたドイツ人チームによって見る影もなく壊されていた。

保護領期間中、公務員、小説家、そして劇作家でもあったフランチシェク・ザヴジェルは、プラハの劇場関係者の中では最も疑わしい目で見られ、そしておそらく哀れでもあった。彼はガイダ将軍のような軍人ファシストではなかったし、エマヌエル・モラヴェッツのように第三帝国のひとつのようなチェコ人の国を夢見る政治的協力者でもなかった。むしろ彼は古風な保守的な民族主義者であった。不運なことに、彼は共和国のリベラルや左派が彼の文学的才能を潰しにかかっていると信じ込んでいた。そして彼自身を、マサリクやベネシュに忠実な小妖精のなかのファウストであると思い込んだ。占領下の時代に、彼は敵に対してエピグラムやパンフレットを自分で配って怒りをぶちまけた。ザヴジェルは一八八五年、チェコ＝モラヴィアの境界にあるヴィソチィナの丘の小村で生まれた。教師の息子であった。フルディムの小さな町のギムナジウム、そしてプラハの法科で学び、商務省で働いていたが、彼の書いた反ベネシュ小説が警察によって押収されて、一九三一年に退職を余儀なくされた。彼は弁護士として働き、イタリア（ファシストのローマよりもルネサンス文化に注目した）やフランス（ナポレオンを称賛した）を旅した。チェコの歴史をテーマとした彼の初めての劇作は一九二〇年に上演され、その後いくつかの作品が続いた。しかし彼は、劇作家としての道が強力なリベラルの敵によって妨害されているという被害妄想を抱くようになった。保護領時代の一九四〇年までに、彼はモラヴェッツとドイツ人占領者に対して、国民劇場における彼の劇の上演では半分が空席であると苦情を吐いた。一九四二年に、彼は回想録を書いた。その中で、彼は戦い続ける固い意志を表明したが、劇を書き続けることはないであろうと示唆した。

ザヴジェルの民族主義は、どうみても完全な時代錯誤であり、彼の回想録は、彼が生きていた時代よりも、むしろ一九世紀中ごろの時代に身を置いていたことを示していた。彼の祖父は、老チェコ党の愛国主義的党首F・L・リーゲル（一八一八―一九〇三）を崇めていた。そして若いザヴジェルは、リベラルのマサリク（慇懃無礼に、偉大な道徳家と呼んだ）よりも保守主義者カレル・クラマーシュ（チェコの王座についた皇帝をみたかった）を好んだ彼の父を自分と同一視していた。『フォーティンブラス』（一九三〇）の中で、彼の考えとして、チェコ人には残念ながら不屈の精神が欠けていて、ムッソリーニを遠くから観察し、ヒトラーを無視し、そしてベルリンへの途上で、ドイツ人の顔は一九一八年の時の顔ではなく、顕著な「古のプロシア返り」――チェコ人の生活にとって、腐敗と倦怠の危険性がある――を示していると主人公に発言させた。彼の無二の親友ペトロ・ダンは、間違いなく親ドイツ的ではなかった。一九三〇年、ブルノへの途上で、モラヴィアの首都はまだ非常にドイツ風のようだと悲しげに記している。そして、アウステルリッツの近くに逃避して自由なナポレオン崇拝に耽っていた。

エマヌエル・モラヴェッツは、国民劇場の演出家フランチシェク・ゲッツとの張りつめた対談（一九四〇年）の中で、ヴァレンシュタインについてのザヴジェルの劇は、第三帝国に対する「チェコ人の国がもつ理念的なリアルな関係に合致している唯一の劇」であるという発言は明らかに過ちであった。ザヴジェルは、シーザー、キリスト、ヤン・フス、ヴァレンシュタイン、そしてナポレオンについての五つの劇で、彼の「神格化された英雄」の理念を、ドイツの総統の顕現としてではなく、彼の自我の反映として讃えたのであった。ヴァレンシュタインは、一九四〇年代の中欧の武力外交の視点からザヴジェルの模範となる政治的人物というよりは、彼の（死んだ）息子の頭上に中世帝国の王冠を夢見る半狂人的夢想家である。ザヴジェルは飽くことを知らないエゴイストであった。彼の劇の上演にあたって、根回しを誤り、一九四七年一一月には家を失い、飢餓状態で病に侵されて、レトナーの丘のベンチでたおれているところを発見された。それから一か月後にプラハの病院で死んだ。

保護領下のプラハで、オーストリア人劇作家リヒャルト・ビリンガー（一八九〇―一九六五）の作品がドイツ語と同じくらいチェコ語で上演されたのは不思議な感がある。ビリンガーの政治的姿勢は曖昧であった。二篇の短い詩で、彼は総統にライヒへの忠誠を請け合った。そして、体制側の公的な祝賀会に時々招待されたが、彼はナチ党員にはならなかった。彼が同性愛者であるという批判が出て三か月間投獄された。そして、ゲッベルスやローゼンベルクといったイデオローグから憎まれた。ほとんどバイエルンの血と土で構築された彼の舞台背景は、党批評家の思念からは程遠く、軟弱で退廃的であった。そして主な登場人物は、ディオニュソス的な性格を帯び、典型的なナチの英雄の青い目をした勇者とは著しい対照をなしていた。ヴァイト・ハーランがビリンガーの作品『巨人』（一九三七年）を、彼の不愉快な映画『黄金の都市』の原作として選んだ時、強い父親と情熱的な娘を描いた原作に無い、反スラヴ的な脚本を書かねばならなかった。ビリンガーは強烈な独特の劇作家の本能を具えていた。表現派の幻想とは対極的に、自然主義者の具象性を対置していた。ドイツ人とチェコ人の観客は、それぞれにまるで違った角度から、彼の劇を楽しんでいたのかもしれない。

『パッサウの魔女』（一九三五年）は、一九四〇年一〇月一〇日、プラハの「三民劇場」で上演され、一九四一年六月二〇日、チェコ国民劇場で上演された。時は、中世末、あるバイエルンの女性が魔女の罪状で火刑に処せられたことが引き金となって、教会当局の重税や十分の一税に長年苦しめられてきた農民の暴動が惹き起こされた経緯を描いていた。鍛冶屋で農民の指導者の娘ヴァレンチナ・インゴルドは、大司教が嫌悪した宗教的遊び、特に『マグダラのマリア』にまつわる遊びを好んだ。彼女は魔女であると非難される。なぜなら、彼女は人々の心を惑わすからである。彼女は焚刑の宣告を受ける。しかし、教会当局者は彼女の火炙りを躊躇する。なぜなら、反抗的な農民たちを恐れたからである。裕福な製粉業者の息子、若いヨルグは、ヴァレンチナに恋をしており彼女に結婚を申し込んで助けようとするが、ヴァレンチナは、一瞬迷いをみせたが彼の手を拒み、陸軍将校で彼女に恋をしていたクリンゲンベルク伯の好意を受け入れる。彼女は火刑に処せられる。クリンゲンベルク伯は、蜂起の準備をしていた反乱農民に参加する。

中世末期の平凡な話にもかかわらず、ビリンガーは、最新の舞台技術を投入し（ヴァレンチナの演技では、舞台上の舞台）、プラハの批評家はドイツ語での演技で、ヴァレンチナを演じたマルガ・クラースを手放しに称賛した。そして、チェコ語ヴァージョンでは、カレル・チャペックの未亡人オルガ・シャインプフルゴヴァーを称賛した。『新しい時代』では、評論家はこの劇が古代ローマ法に対して民俗的理念を対置していると考えたが、チェコ人観客は、抽象的な事柄にはあまり関心がなく、鎮圧された農民反乱を観て楽しんだであろう。

一九四二年一〇月一七日、仮劇場が、もうひとつのドイツの魔女狩りをテーマとする歴史劇で、主人公が教会や法の過酷な抑圧に対して反乱を起こすという、ハインリッヒ・ツェアカウレンの『騎馬武者』を上演することになったのは必然的結果であった。チェコ人観客は、騎馬武者が典型的なヒトラー・ユーゲントの指導者に似ていることを知る人はあまりいなかった。プラハ城に置かれている、魔女を容赦する「狂った」皇帝ルドルフの肖像画はよく知られていたにもかかわらず。

一九三九年九月六日、ゲッベルスは、オスカー・ヴァレックをプラハのドイツ人劇場の監督に任じた。彼はブルノで生まれ、モラヴィアとボヘミア地方で働いてきた五〇歳の俳優兼監督であった。初期からのナチ党員であった。彼は一九三四年に、ミュンヘンのゲルトナープラッツ劇場の監督に就任した。ヴァレックはモラヴィア出身であったが、一九三九—四四年のプラハのドイツ人劇場は強力な植民地的性格をもち、この町に駐在していた多くのドイツ人兵士や職員同様に、土地の人々の娯楽と教育を上から押し付けた。舞台係は、一九三八年に閉鎖された古いドイツ人劇場から連れてこられた人々であったが、チェコ人を含むほとんどの田舎の才能や期待は無視された。ライヒ保護領総督府から直接助成金を得ていたヴァレックは、主要な俳優をライヒ全体から集めることができた。そして一流どころも含まれていた。ベルリンからマリア・シャンダ、ボンからエディス・ヘルデーゲン、ケルンからマルガ・クラース、ドレスデンからアルバート・ヨハンネス、ハンブルクから

O・E ハッセ、そして、戦後にウィーン・ブルク劇場のスターになったインゲ・シュールマンが、一九四〇年までにケルンからやってきた。

もちろんヴァレックは、三つの劇場すべてを満足に運営することはできなかった――「三民劇場」、オペラハウス、そして室内劇場。そこで彼は、ドイツやイタリアの一座による豪華なゲスト公演を体制的に組織した。ベルリン劇場、ウィーン・ヨーゼフシュタット劇場、ウィーン・フィレンツェ劇場、そしてミラノスカラ座などが含まれていた。ゲストの中には、俳優兼監督のフリッツ・レーモンもいた。彼は、少なくとも彼の芸術の中には、ナチスとは無縁の世界があることを観衆に思い起こさせた。ある重要なフランクフルトの劇場は、今もなお誇りを持って泰然と彼の名を付している。

一九四一年の秋に、デュースブルクのオペラ劇団の建物が連合軍の空襲で破壊されたとき、ゲッベルスは、劇団のプラハへの移動を命じた。一一月二八日、ワーグナーの『ローエングリン』の公演から始まった。資金は、自力で十分に賄うことができた。そしてヴァレックは自分のレパートリーに集中するように言われた。彼の好みは、真摯で古典的なものに傾いていた。教科書的作品に焦点を当てるのが好みであった。クライストの『ホンブルクの王子』、シラーの『陰謀と愛』そして『メッシーナの花嫁』、レッシングの『ミンナ・フォン・バルンヘルム』、『メデア』を含むグリルパルツァーの多くの作品、時には、ローマ・ファシストに近い作家ツェーザレ・メアーノによるイタリア喜劇など。ゲーテはほとんどなかった。ヴァレックは、オーストリア、ドイツ、そしてハンガリー由来の喜劇を、彼の助手に残しておいた。彼らは、軽めの出し物を切望する戦時中の観衆に応えねばならなかった。アントン・ハミックの『売られた祖父』、マーチン・コスタの『宮中顧問官ガイガー』（戦後に、オーストリアで映画化された）、そして作曲家ラルフ・ベナツキーによるミュージカル作品『悩殺娘』など。クリスマス休暇中にヴァレックが計画したシラーの陰気な『メッシーナの花嫁』にはほとんどだれも見向きもしなかったが、喜劇『ウィーンからのダイヤモンド』は鳴り止まない拍手と満員御礼で、四〇回以上も上演された。

一九四三年までに、ヴァレックは、親衛隊大佐に進級した。そして型どおりに、クルト・ランゲンベック、ゲアハルト・メンツェル、そしてエルヴィン・ギュード・コルベンハイヤーを、体制側の表現として上演した。しかし彼は、若いエッカート・ペテリッヒによる劇『ナウシカアー』も上演した。ペテリッヒの『ヴェネチア・ソネット』は、地下出版で、イタリア戦線の兵士の間で読まれた。戦後に来るべき非ナチ文学の最初のシグナルであった。ヴァレックは、さらに、小説家で劇作家のフランツ・ハウプトマン（一八九五―一九七〇）による三つの劇を上演した。ハウプトマンは、弁護士で銀行の支店長を努め、戦後はライプツィヒで脚本家、マインツでは編集者として働いた。ハウプトマンの初期の歴史物は、一九三〇年代、プラハのドイツ人劇場で上演された。戦時中に上演された作品は、――ナポレオンについての劇『決意』、村の喜劇『黄金の兜』、そしてボルジア家についての劇『悲運』――かなり受け入れられたが、演劇的効力よりも学識を示すものであった。最初にハウプトマンは、三層のステージを巧妙に採用したが（恐らくは、シェイクスピアの舞台面の修正）、そここの冗漫な会話と歴史的服装で満たした。

一九四四年九月一日、「総力戦」は、すべての戦闘力を結集する必要があると宣言したゲッベルスの命令によって、チェコとドイツを含むライヒの全ての劇場の舞台が閉鎖された。それにより、プラハのドイツ人劇場は、オペレッタ『鳥屋』と、『売られたおじいちゃん』の夏公演をもって、その活動を停止した。ヴァレック自身はドイツのコブルクで引退していたが、連合軍に後押しされて、フランス占領軍の監視下に、インスブルックでチロル州立劇場のプロデューサーとして、一九四五年の秋に復帰した。彼は、一九五三―五六年に、リンツで上オーストリア州立劇場の監督に指名された。その後、ドイツで引退した。

テレジーンの劇場

保護領下のプラハにおいて、以前にもまして、ドイツとチェコの劇場の在り方は異なるものになっていった。しかしテレジーンの囚人は、ゲシュタポの管理下で絶滅の影につねに怯えながらも驚くべき勇気と想像力を示した。病気、飢え、そして絶え間ないガス室送りが行われたにも関わらず、イディッシュ語を含む様々な言語で、薄暗い屋根裏部屋や地下室で劇が催され、新しい台本が書かれた。そして一九三〇年代半ば以前の、プラハの特徴的な創造的調和が戻っていた。

「テレジーン自由時間活動局」では、多くのユダヤ人知識人や芸術家が力を合わせて、講演会や読書会、劇や音楽の公演会の手配を頑張っていた。プラハ、ベルリン、あるいはウィーンからやってきた年配のユダヤ人はドイツ語を喋っていたが、プラハや田舎からやってきた若者はチェコ語を好んだ。それ以外の者は、完全にバイリンガルであった。しかし何語を喋るかはそれほど重要ではなかった。重要なグループは、宗教的、政治的、そして哲学的な基盤のうえに形成されていた。マサリクの自由主義的第一共和国の伝統を重んじたチェコ・ユダヤ人グループ。ドイツ観念論と古典文学の伝統を遵守したユダヤ人グループ。ローマ・カトリックとルター派（人口の約一〇％）のキリスト教徒。秘密会合を開いていた共産主義者。とりわけ、ヘブライ語よりもイディッシュ語を修練していた若いユダヤ人の間に認められた宗教的、そして／あるいは、社会主義的信条をもったシオニスト。そして、ハンガリー系、デンマーク系、オランダ系ユダヤ人は、しばしば音楽活動に参加した。

しかし、テレジーンの文化活動の成果を全員が信じたわけではなかった。テレジーン共同体における学識のある音楽理論家で、一流の分析社会学者でもあったH・Gアドラーは、「自由時間活動」のスターによって作られた幻想あるいは自己欺瞞に陥らないよう警告した。そして、テレジーンの文化活動は、ユダヤ人強制収容所が、あたかも保養所であるかのような印象を国際世論に与えようとしたゲシュタポの狙い通りになっていることを示唆した。歴史家リヴィア・ロートキルヒェンが示したように、他の多くの人が、文化を「不老不死の霊薬」として信じ、ガス室に送られるまで、彼らなりに文化活動に勤しんだ。不幸にも、自己欺瞞と「不老不死の霊薬」は、生身の彼らに、必然的に、その矛盾を露わにした。たとえば、一九四四年の秋に、テレジーンのSS司令官が、ジャック・オッフェンバッハの『ホフマンの物語』を含む公演により、国際視察団に感銘を与えるよう要求した。

テレジーンの屋根裏や地下室の狭い空間で、文学と音楽のジャンルをきちんと分けることは困難であったろう。一九四一年の末から一九四四年の運命的な大量移送の間、単純な友人の集まりは、もっと組織的な講演、読書会、そして即席の舞台公演へと発展した。ミレナ・イロヴァーやアンナ・アウジェドニーチコヴァーを含むミロシュ・サルスのグループは、チャペックによるアルチュール・ランボーやその他の最近のフランス詩人の翻訳と同様に、K・Hマーハ、S・Kノイマン、フランチシェク・ハラス、そしてイジー・ヴォルカーなど、古今のチェコ詩の朗読会をよく開いていた。あるドイツ人グループは、ベルリン出身のフィリップ・マーネスの周りに集まり、オットー・ブロート（マックスの兄弟）、ゲオルク・カフカ、ペーター・キーン、そしてH・Wコルベンによってテレジーンで書かれた古典的な著作や詩を組織的に読んだ。「自由時間活動」は、五二〇人以上の質の高い演者による二二〇〇以上の講演を計画した。演者には、各講演毎に、三〇グラムのマーガリンが支給された。ベルリンのラビ（ユダヤ教指導者）で有名な哲学者レオ・ベック博士は、「プラトンからカントへ」という連続講演を行い、氷のように冷たい屋根裏部屋に、およそ七〇〇人の聴衆が詰めかけた。ベルリンからは、フェミニストでラビのレギナ・ヨナスもきた。テレジーンでは、在住のラビ委員会によって、彼女はラビの資格を直ちに剥奪されたが、ユダヤ人の社会的問題に関する講師として話すことは認められた。多くのグループが、劇の理論と実践に関する講演を一〇〇以上企画した。迫真の朗読会、とりわけ、ゲーテの『ファウスト』や、レッシングの『賢者ナータン』は多くの聴衆を惹きつけた。演者のなかには、プラハのグスタフ・ショルシュや、ベルリンのカール・マインホルトらがいた。彼らは、初めて、完成度の高い公演計画を作り上げた人物であった。

テレジーンで上演されたチェコ語劇のレパートリーは、一九三〇年代の終わりから一九四〇年代の初め頃のプラハ・チェコ人劇場におけるレパートリーと大差なかった。

そして、時には、プラハのアヴァンギャルドの理念や成果を反映していた。四人仲間による劇は、――たとえば、ズデニェク・イェリーネクの作品で、キャバレー・スタイルに近い『わなのコメディ』――大いに歓迎された。イジー・オルテンの友人で「プラハ音楽院」の卒業生、そしてトピッチの大衆向けの本屋で小さな実験的ステージD九九を立ち上げたグスタフ・ショルシュは、テレジーンで多くの演劇セミナーを教えていたが、子供たちと一緒になって、一九四四年二月、ゴーゴリの『結婚』を演出した。彼の独創的なこの劇は、二二回繰り返し上演され、生存者の記憶に長らく残った。彼はまた、収容所の日常生活を題材とした、ペーター・キーンの『操り人形』（ドイツ語からの翻訳）を上演した。それ以外に、ロランド、グリボイェドフ、そしてカルデロンの作品の上演計画を立てていたが、不運にも実現しなかった。

女優ヴラスタ・シェーノヴァーは、プラハのユダヤ人孤児院で、若い作家や俳優のグループと一緒に働いていたが、コクトーの『人間の声』、イジー・ヴォルカーの『墓』、一九四一年に二一回上演されたヨセフおよびカレル・チャペックの『愛の運命のゲーム』、そしてフランチシェク・ランガーの人気作『針孔を通るラクダ』を演じた。オタ・ルージチカに率いられたグループを含む他のグループは、一九四四年四月まで、ヘクホフの一幕物や、モリエールの『ジョルジュ・ダンダン』、そしてE・Fブリアンのアヴァンギャルドの伝統を踏襲して、チェコ語のバラードや、バロック調の民間伝統劇のひとつである『エステル』[10]を上演した。ヴォスコヴェツやヴェリフと一緒に自由劇場で仕事をしたのは、プラハでもっとも革新的なアヴァンギャルドの建築家で舞台の背景デザイナーのひとりフランチシェク・ゼレンカ（一九〇四―四四）であった。ヴォスコヴェツやヴェリフは、テレジーンの最も重要な演劇のもよおしで、舞台背景やコスチュームの創作を行った。チェコ人とかドイツ人とかを問わず、『エステル』のコスチュームを含めて――無からの魔術であった。

テレジーンにおけるドイツ語のレパートリーは、チェコ語のそれに比べて、中産階級的で保守的であった。実のところ、若い才能のあるドイツ人やオーストリア人のプロデューサーや俳優は、より好条件のチャンスを求めて早くから主にアメリカに渡航していた。だから、ベルリンや

10　エステル：ペルシア王アハシュエロスの妃となったユダヤ人の娘。ユダヤ民族を虐殺から救った。旧約聖書中の一書。

ウィーンからテレジーンに移送されてきた連中は、やや年長の世代であった。若いブレヒトと仕事をしていたクルト・ゲロンは、オランダから移送されてきた。ドイツ人やオーストリア人のプロデューサーや俳優の中に、少なくとも四つのベルリン劇場を運営していたカール・マインホルトや、テレジーンで、G・Bショー、フェレンツ・モルナールの面白い『宮殿の遊戯』、フーゴ・フォン・ホーフマンスタールの陰気なドイツ語のドラマ『痴人と死』、そして四人仲間オットー・ブロートやゲオルク・カフカによる劇をプロデュースしたエーリヒ・エスターライヒャーやベン・シュパニールがいた。

一九四三年の夏と秋に、テレジーンで子供向けの演芸会が催された。ヴラスタ・シェーノヴァーは、ヤン・カラフィアートの子供向けの本『蛍』をドラマ化し、これが三三回も繰り返し上演された。成人向けの真面目な劇のどれよりも多く繰り返された。小さな操り人形劇場は子供向けの劇を行っていた。そして、操り人形、舞台背景、コスチューム、そして照明のすべてが有名な彫刻家ルドルフ・ザウデックによって準備された。時を同じくしてプラハの名高いロウトコヴェー劇場（操り人形劇場）も開演中であった。

早くも一九四一年に始まったキャバレーの舞台は、すべての聴衆に人気があった。しかし、チェコ人とドイツ人、あるいはむしろウィーン人のグループは、文化的伝統や期待の違いに従って、それぞれのスタイルを持っていた。テレジーンのアリストファーネスと呼ばれたカレル・シュヴェンクは、左翼の過去をもっており、四四回も上演された彼のキャバレー・レビュー『命よ』が、揺るぎない楽天主義的な挿入歌（「ゲットーの崩壊の時、我らは笑うだろう」）と、反ナチスというよりも反資本主義的な短い議論の場面の、ほとんどが共産主義のアジテーションの作品であったのは、驚くに当たらない。そして彼の劇『最後のサイクリスト』の中で、ユダヤ人の主人公ボジボイ・アベレスは、偶然にも宇宙ロケットに点火し、狂人の政府（ナチ）を宇宙空間に送り出す。（この劇は、人前でリハーサルが行われただけで、公演には至らなかった。長老会議が、収容所司令部の介入を恐れたためであった。）ヨセフ・ルスティヒとフランチシェク・コヴァニッツに率いられたもうひとつのチェコ人のキャバレー・グループは、シュヴェンク以上に、ヴォスコヴェツとヴェリッヒの自由劇場からの刺激を受けていた。彼らは、脚本にイェジェクの音楽を乗せ、収容所の運営の問題を含めて、機転を働かせながら的確に、日々の問題に取り組んだ。これらのチェコ人やウィーン人のキャバレー・グループのメンバーは、年齢も訓練も様々であった。チェコ人はアヴァンギャルドの門弟であり、ハンス・ホーファーやレオ・シュトラウスなどを含むドイツ人やオーストリア人は、ウィーン人の伝統を嘲笑しながらも、前年の香しいオペレッタからのハイライトを提起する古い世代のプロであった。新しいオペレッタ『ゲットーの娘』の上演は不評であった。

音楽は驚くほどにテレジーンでは活発であった。そして多くのやり方や形があった。プラハで仕事をしていたラファエル・シェヒターは、スメタナの『売られた花嫁』(一九四二年一一月二八日)と『接吻』(一九四四年七月二〇日)、そして、ペルゴレシの『メードは女主人になった』を演じた。他のグループは、劇場用に簡素化しながらも光彩を放つ『アイーダ』、『リゴレット』、そして『カルメン』をとりあげ、そして、一九四四年の秋の移送前の最後となったヴィレーム・ブロデクのもっと現代風の『井戸の中で』を演奏した。ハンス・クラーサのオペラ『ブルンディバール』は、いい子たちが、犬、猫、そして雀と一致協力して、最終的に、手回しオルガン弾きブルンディバールに打ち勝つという物語であるが、もともと一九四二―四三年の冬に、プラハのユダヤ人孤児院でリハーサル、演奏されたものである。作曲者がテレジーンに移送された後、楽譜は子供の聖歌隊指揮者によって保管されて紛失を免れ、一九四三年九月二一日、テレジーンで演奏された。多少の脚色を加えながら、演奏は四四回繰り返された。

ヴィクトル・ウルマンのオペラ『アトランティスの皇帝』は、ペーター・キーンによる歌詞が付けられ、テレジーンで本格的なリハーサルが行われたが、公演されることはなかった。アウシュヴィッツへの大量移送がそれを阻んだのである。この楽曲は、五人の歌手と一五種のオーケストラで構成され、ブルンディバールに比べて旋律は乏しいが、ジャズの要素を含み、ヨセフ・スークの暗喩では、強烈に現代的であった。そして皮肉なことに、ナチの頌歌を想わせた。しばらくの間、楽譜は失われたと考えられていたが、H・Gアドラーのテレジーン資料集の中で発見された。

ユダヤ人の理想の劇場が、紆余曲折を経ながら、アヴァンギャルドのチェコ人やドイツ人と並んで、形をみせてきた。そして、オーストリアのユダヤ人は、根底を揺るがす環境の変化の中で独自の文化的伝統を育んでいた。エゴン・レドリッヒの女優の一人芝居『偉大な影』は、ジャン・コクトーの『人間の声』を模倣して書かれた。洗礼を受けたユダヤ系チェコ人女性が、テレジーンに到着後の生活を振り返ると、同化についての疑問が絶えずつきまとった。レドリッヒ自身は、日記に記していた：聴衆の好みには沿わないが、問題を民族的にではなく、宗教的観点から扱いたいと。ユダヤ人劇場のポスターは、一九〇九年に書かれた劇作、J・Lペレッツの『黄金の鎖』からの引用句を提示した。ヴィクトル・ウルマンがユダヤ民謡のメロディを乗せた『屋根の上のバイオリン弾き』の目立たない前身、ショーレム・アライヘムの『牛乳屋テヴィエ』の中で、賢者ラビが圧巻の独白と同様に安息日を引き延ばすことによって悪を終わらせようとする。一九四三年一〇月一〇日、関連グループが、イレネ・ドダロヴァーによって集められた脚本とギデオン・クラインのピアノ伴奏で、『ユダヤの詩歌』を演じた。女王エステルやハヌカーにちなんだ「プーリーム祭」の寸劇を模倣した伝統的なユダヤ人の物語が、ヴァルター・フロイトによって、子供たちに舞台でささやかに提示された。一九一二年、プラハを訪れたイディッシュ語の俳優一座に魅了されたフランツ・カフカならば、大喜びであったろう。

ハイドリッヒの死

一九四〇年七月一八日、チェコスロヴァキア（臨時）亡命政府はイギリスに公式に承認された。アメリカは真剣に考慮することを約束した。（一九四一年夏、ドイツがソ連に侵攻した後、ソ連はベネシュ政府を公式に承認した。アメリカも九月に続いた。）チャーチルはチェコスロヴァキアに好意的であったが、少なくとも、前任者たちよりもそうであったが、ベネシュは重大な問題に直面した。保護領における軍需品の生産量が少なくとも二〇％増加したのであった。農民は必要な農産物を提供した。これはドイツの戦闘能力を高めることに寄与することを意味した。そして、以前の諜報部の兵士は、国内でのレジスタンス運動に対して反占領者活動の指示が十分に伝わっていないことに不満を抱いていた。

亡命政府の諜報部司令官フランチシェク・モラヴェッツは回想録で主張した：ハイドリッヒの暗殺計画については、ベネシュ自身に責任があった。しかし、それはベネシュの常日頃の政治的考え方ではなかった。コミュニケーション、議論、そして交渉が彼の政策決定の特徴であった。しかし一九四一年の初秋、ベネシュは、チェコスロヴァキア共和国の高潔さを改めて示す必要性に強迫観念のごとく囚われていた。そして連合国からの圧力が強まる中で、チェコ人とスロヴァキア人がこれまで以上に積極的に戦争に参加していく用意があることを示そうとした。プラハのレジスタンスグループから連合国諜報部に送られてくる情報の正確さと重要性を彼は誇りにしていた。しかしハイドリッヒのプラハ着任後はチェコスロヴァキアとロンドンの通信はほとんど途絶えてしまった。交信の再開が急務であった。そのために訓練を受けたチェコとスロヴァキアのパラシュート部隊が、ボヘミアに新しい指令を伝えるために通信装置を運ぶ必要があった。イギリスの特殊工作員に訓練を受けた一六〇人のパラシュート部隊員の中から、ハイドリッヒ暗殺の任務を受けた二人が選ばれた。

イギリス人から受けた特殊訓練は十分であったが、イギリスにあるチェコの諜報部は、保護領の現在の状況、あるいはゲシュタポの技量をあまり把握していなかった。ゲシュタポは、情報屋を地下に潜らせて「レジスタンス」グループを作り、活動家をけしかけていたのであった。ベネシュは焦っていた。一〇月二八日は、チェコスロヴァキア独立記念日であった。民族の決意の発揚として、特別の行動に相応しい日であった。しかし、訓練の進捗と気象条件は無視できなかった。最初の降下作戦は悲惨な結果に終わった。最初のパラシュート部隊員は、ボヘミアではなくオーストリア・アルプスに着地し、二人目は狙い通りの地点に着地したが、探し当てた地下組織にはゲシュタポの工作員が潜入していたために、彼は逮捕され、その後、プレッツェンゼー刑務所で処刑された。

一九四一年一〇月初め、フランチシェク・モラヴェッツは、スロヴァキア人下士官であるヨセフ・ガプチークとカレル・スヴォボダをハイドリッヒ暗殺工作員に決定した。しかし、スヴォボダにアクシデントがあり、ただちにガプチークの友人ヤン・クビシュに交代した。ガプチークとクビシュは、イギリスの片田舎に設けられた秘密訓練所からロンドンに移動し、彼らの任務を聞かされた。その後ベネシュに招待されて会見した。モラヴェッツによれば、ベネシュは彼らと別れる時に目に涙を浮かべていた。一二月二八日、最終指令が下った。長距離重爆撃機ハリファックスがロンドン近郊の仮設滑走路に用意され、カナダ人パイロットがアンスロポイド・グループ（ガプチークとクビシュ）だけでなく、レジスタンス・グループおよび、ドイツ人であったがチェコ人のために働いていた優れた工作員パウル・チュンメルとの連絡網を回復するために無線通信の訓練を受けた隊員からなるシルバーAおよびシルバーBグループも輸送することになった。合計一六人の隊員、多くの武器、弾薬、そして通信機械を積み込んで、午後一〇時にハリファックスはロンドンを飛び立った。カレー、ダルムシュタット、そしてバイロイト上空を通過し、パイロットは巧みにドイツ軍航空機を回避した。しかしながら、ボヘミア上空で雲の中に入り込んで方向を見失った。それでもアンスロポイドは飛び降りなければならなかった。彼らに続いて、装備を括り付けた二つのパラシュートが投げ降ろされた。

その日から、二人の兵士は、一九四二年五月までの五か月間、ハイドリッヒ暗殺の準備を秘密裏にすすめた。その間の彼らの行動については、ライヒの保護領について書いたハインリッヒ・マンや、ハリウッド映画を製作したダグラス・サークも知り得なかった。三〇年後に、ミロスラフ・イワノフ、G・Sグラバー、ギュンター・デシュナー、ヘルムート・G ハーシス、その他の多くの歴史家によって解明された物語は、信じがたい勇気、致命的な過ち、悲劇、そして流血の惨事であった。

重爆撃機ハリファックスは、轟音をたてながら、冬空のボヘミア上空を旋回し、ガプチークとクビシュを、誤って、プラハの東一八マイルのところにあるネフヴィズディ村の近くで降下させた。そのために、二人は全く方角が分からなくなった。地面は凍てついており、ガプチークは着地の際に左足を痛めてしまった。数日間、彼は助け無しでは歩くことができなかった。パラシュートを処分できず、重い足を引きずり、雪の上に足跡を残しながら、近くの採石場にやってきた。そこで、爆音を聞きつけていた現地の猟場番人と製粉業者に発見された。彼らは何も聞かず、兵士たちをプラハ北東のエルベ河岸のリサーにあるソコルの愛国的メンバーグループと連絡をとれるようにしてくれた。彼らは、引き続き治療を行い、二名の若者は消化器疾患を患っているという診断書を偽造して、一月八日、プラハ行きの列車に乗った。

首都では、ガプチークとクビシュは、隠れやすかった。多くは家族向けのアパートで、時には一緒に、時には別々に。ジシュコフ、デイヴィツェなどなど、一か所に長居することなく転々と居場所を変えた。任務遂行に好条件の場所を探索するために、飽くことなく市街をぶらついた（フラチャニー城を含めて）。彼らのホストファミリーとなったモラヴェツ家、ファフェック家、そして後に無慈悲にも処刑されたオゴウン家は、いずれもソコルであった。あるいは、マサリク結核研究連盟に所属し、現在も現役で医療の啓蒙活動を続けている市民連合、教会ではチェコ兄弟団の活動家などであった。春が来て、最も厳重な軍の命令にも関わらず、ガプチークとリビェナ・ファフコヴァーが恋に落ち、彼女の家族のアパートで、五月二四日、日曜日に正式な婚約を交わすことを阻止できなかった。

二人の兵士は、彼らが大陸に派遣される以前に、ロンドンで議論されたことについては何も知らなかった。しかし、フランチシェク・モラヴェツは回想録に書いている：ハイドリッヒ暗殺に対するドイツの報復は恐るべきものとなるだろう、そして占領者に対するプラハの組織的レジスタンスの居残りを危険に晒すであろうとベネシュに警告した。ベネシュは、行動が待ち遠しく、自分自ら総司令官になりたいと考えていること、そして、国際的状況を勘案すれば、犠牲は避けがたく必要でもあると語った、と書いている。ガプチークとクビシュは、ゲシュタポの工作員が潜入している可能性がありレジスタンスとの接触を持たないよう指図されていたが、生き残りと任務遂行のためには、地下組織の支援なしでは不可能であった。

プラハの地下組織では、この二人がハイドリッヒに関わる特殊任務を帯びているという疑いが高かった。アンスロポイドが話をしたかどうかではなく、レジスタンスの地方のメンバーは、皆殺しに遭うことを恐れてロンドンの指令を遂行しようとしなかった。（後の研究者によれば、少なくともプラハの二〇人がガプチークとクビシュが心に秘めていることを知っていたか、あるいは正確に推察していた。）しかしロンドンとの無線通信は機能していなかった。ガプチークとクビシュと一緒にハリファックスに搭乗し、パラシュートで降下した三人のシルバーAの無線通信士の一人アルフレッド・バルトシュは、通信装置をもって潜伏していたが、ようやく五月四日になってロンドンに抗議の打電を行った、「暗殺は…囚人や人質の生命を危険にさらし、その他の何千という命が犠牲になるだろう。国民は未曾有の服従へと投げ込まれるだろう。そして、同時に、我々の組織は跡形もなく一掃されるだろう。」同様の警告の無線通信が、五月一二日に、他のグループからもなされた。

五月二三日、地下組織の代表者会議で、ガプチークとクビシュの計画はほぼ全員の反対を受けた。ガプチークは、直ちに、単独ででも行動すると言った。しかし彼は、アンスロポイドよりもずっと以前に降下潜入していたパラシュート部隊の最高責任者アドルフ・オパールカから叱責を受けた。この指令は単独実行してはならない、と。オゴウン家のアパートで行われた会議で、再び、アンスロポイドに関して地下組織とロンドンとの意見の相違が明らかになった。

復活祭の時期に、ハイドリッヒとその家族は、パネンスケー・ブジェジャニィの大邸宅に転居した。ここは以前、ユダヤ人の家族が所有していた家であった。ハイドリッヒは、ここから、オープンカーに乗って、ボディガードも付けずにフラチャニー城の事務所まで、通勤していた。城のアンティークな家具のメンテナンスに雇われていたチェコ人大工が、偶々、ハイドリッヒのスケジュール表を見る機会があり、それを地下組織にリークした。それは、ハイドリッヒが五月二七日に、ベルリンと恐らくはパリでのアポイントのためにプラハを出発する予定である、という情報であった。パラシュート部隊の隊員ヨセフ・ヴァルチークと合流したアンスロポイドは、もはや行動の延期は不可能であることを知った。

一九四二年五月二七日の朝、彼らは、ハイドリッヒの車が速度を落とさざるを得ないホレショヴィツェ郊外のヘアピンカーブのところで待ち伏せた。午前一〇時三〇分、ヴァルチークは、小さな手鏡で車の接近を伝える合図を送った（幸いなことに、その日は全くの曇り空ではなかった）。そして親衛隊曹長であるヨハネス・クラインの運転するダークグリーンのメルセデスがスピードを落としながら三番線の路面電車を避けながらカーブにはいったとき、ガプチークは、コートの下からステンガンを取り出して撃とうとしたが作動しなかった。ハイドリッヒは、運転手に、スピードアップではなく車を止めるよう命じた。そして、座席から立ち上がって彼のピストルでガプチークを撃とうとしたが、これも作動しなかった。すかさずクビシュが、反対側から卵形手榴弾を投げつけ、メルセデスの後部に命中してハイドリッヒは重傷を負った。あたりは大混乱に陥った。この爆発で近くの路面電車の窓は全て閉じられ、通行人は逃げ惑った。ガプチークは、木の下に止めておいたママチャリで逃げ去った。ハイドリッヒの太っちょの運転手クラインは、クビシュを捕まえようとしたが、クビシュは彼の膝を撃ち抜き、近くのヴルタヴァ川の橋の向こうに消えた。通りかかったパン屋は、ハイドリッヒの制服をみて、彼の配達用のバンに乗せることを拒否したが、最終的に、寄木細工でワックスをかけた軽トラックに乗せられて、三〇分後には、現場からそう遠くないブロフカ病院に搬送された。ハイドリッヒは、イギリス製のペニシリンと輸血で治療されたが、傷からの感染症が敗血症へと進行して、次第に意識が薄れて昏睡状態になった。襲撃から八日後の六月四日、彼は死んだ。

ハイドリッヒ襲撃事件は、雪崩の如き報復のテロルを引き起こした。五月二七日の正午、ヒトラーはこの襲撃の報告を受け、K・Hフランクを呼びつけると、一万人のチェコ人を直ちに処刑するよう命じた。そして、有力な情報に対して、一〇〇〇万ライヒスマルクの懸賞金を出すよう命じた。チェコ政府も同額の懸賞金を発表した。ヒトラーは、フランクに保護領副総督の職を引き継ぐよう依頼したが、翌日には、前言を翻して秩序警察長官クルト・ダリューゲを保護領副総督に昇進させることにした。そしてフランクは再びナンバー2に留まった。ダリューゲは地下組織の動きを待つべきであると信じていたが、フランクは状況を知悉しており、保護領政府もフランクの見解を受けいれていた。彼はただちに戒厳令を布き、プラハのあらゆる交通をストップし、五月二八日の夜の間に、二万一〇〇〇人の制服のSSと国防軍将校が町の一軒一軒を虱潰しに捜索したが、これといった確実な成果は得られなかった。クビシュは、彼の寄宿した家族に匿われ、ガプチークは髪を染めて、彼の愛するリビェナと春の陽気の街を散歩していた。人質の処刑が始まった。

六月七日、プラハで、そして六月九日、ベルリンで、ハイドリッヒを悼むチュートン式の煌びやかな葬儀が行われた。警察もゲシュタポもいまだに犯人の手がかりを掴めなかった。ヒトラーの怒りは、外からの潜入者の基地と思われていた鉱山村リディツェと、イギリス製の無線機が発見されたレジャーキィに向けられた。リディツェ村の名は世界中に知れ渡ることになった。村の男は全員射殺され、女は、ベルリンの北にあるラーヴェンスブリュックの強制収容所に連行された。子供たちは「再教育のために」散り散りとなり、ほとんどはヘルムノのガス室へと消え、九八人中六人だけが戦後に生き残った。家屋や施設はすべて破壊され焼かれ、村は地上から消えた。

六月一六日、事件は急旋回した。オパールカ・パラシュート部隊の隊員のひとりカレル・チュルダが、自分の命かわいさと、報酬に目がくらんで、チェコ警察とゲシュタポに味方を売ったのであった。彼は、陰謀者たちを匿っていた家族のひとつ、モラヴェッツ家を名指した。モラヴェッツ家の若い息子が、パラシュート部隊全員はプラハのレソロヴァ街にある聖キリル・メトディオス教会に潜伏していることを自白した。六月一八日、SSは教会を襲撃し銃撃戦が展開された。クビシュを含む三人の隊員が死んだ。クビシュは、重傷を負った後の自殺であった。他の四人は地下聖堂に逃げ込んだ。そこに安置されていた柩用に彫琢された古い壁龕に隠れた。その中で、彼らは催涙ガスに耐え（攻撃側もガスを浴びた）、水攻め（チェコの消防隊の協力を得た）にも耐え抜いた。しかし、終には、古い石壁が壊され、地下室への道が開いた。手榴弾が投げ込まれ、銃弾が雨霰と撃ちこまれて四人は死んだ。だが彼らのほとんどは自殺であった。戦後の裁判で、クルト・ダリューゲは、ハイドリッヒ死後の報復テロルによって、二〇一人の女性を含む一三三一人が処刑されたと証言したが、当時、テレジーンからアウシュヴィッツに送られた三〇〇〇人のユダヤ人については何も語らなかった。裏切り者のカレル・チュルダは、一九四七年に裁判にかけられ、短い審理の後、絞首刑の判決が下った。

母の出立（個人史）

ハイドリッヒ襲撃の日の夜、犯人のひとりが乗り捨てた自転車は見つかったが、ドイツ占領者がまだ手がかりを掴めていないとき、大掛かりな人間狩りが組織された。真夜中ごろ、カレル広場の近くのプシーチナー通りに面した我が家――祖母、母そして私が住んでいた――に、ＳＳのパトロール隊が玄関のベルを鳴らしライフル銃の台尻でドアを叩いて踏み込んできた。私がドアを開けると、ひとりの兵士が廊下に残って見張り、他の数人の兵士が雪崩れ込んできた。彼らはベッドのカバーを引き剥がし、祖母と母をナイトガウンのまま壁に向かって立たせ、私は少し離れた場所で両手を挙げさせられた。彼らはドアというドアを全部開け放ち、隅から隅まで、ベッドの下も隈なく探索し、そして、靴音や武器のガチャガチャという騒音を鳴らしながら出ていった。彼らは隣の家で空しい捜索を繰り返していた。祖母は、家族の言い伝えによれば、ドイツ人は文化的な民族だから事態はそんなに深刻にはならないだろうと言っていたそうだ。彼女が震え出したので、母は祖母の肩にショールをかけ、キッチンに行ってお茶を入れた。誰も眠ろうとしなかった。その夜は、トラックのブレーキ音や軍の掛け声が闇を劈き喧しかった。兵士はバルコニーの外側を覗くことはしなかったので、そこに誰かを隠すことができるのではないかという考えが頭を過ったが、通りの向こう側の隣人が、――自分の身がかわいくて――プランターの間に人影を見つけて、警察に訴えることがあるかも知れないとも思った。

スタンダールは、彼の小説『赤と黒』第二巻第一章の中で、政治的陰謀に巻き込まれそうになった市民が安全と平和を望むのであれば、「シャンゼリゼから離れたアパートの四階に」潜伏するのが最善の策であろう、と教えている。しかしプラハのユダヤ人市民にとって、ハイドリッヒとフランクの時代にそのような提案に従うのは軽率な行動であった。田舎ほどチャンスは大きかった。中世の都市はあまりに狭かったし、そこの住民は（特に管理人は）貪欲であったし、チェコ人は人種差別主義者ではなかったが、ユダヤ人――ドイツ語を喋る人もいたが――とチェコ民族主義者との間には古くから続く緊張関係があった。イジー・ヴァイルの有名な小説『星と暮らす』は、プラハの銀行員ユダヤ人がすべてを失ってしまう物語である。彼はしばらくの間、ユダヤ人共同墓地で掃除夫をしながら生きながらえる（少なくとも彼と彼の友人は、墓石の間に野菜を植えて飢えを凌いでいる）。溺死による自殺とみせかけるためにあれこれと考えをめぐらし（川のほとりで遺書の入った彼の鞄が発見される）、戦争の間、彼の友人で隣人のマテルナの小さな郊外の家の小部屋に隠れ住む。マレルナは労働者で活動的な社会主義者で、思想的には共鳴しなかったが、彼のパンフレットの手直しを手伝ったりしたことがあった。実際、プラハには二二七人のユダヤ人が隠れ住み、偽造の身分証明書で生き延びていた（いわゆる、ポノルキ「潜水艦」）。彼らは解放の日に姿をみせた。ベルリンには一三二一人、ウィーンには八〇〇人近くが暮らしていた。

移送される数か月前、母と祖母は、彼女らのアパートをひきはらって、ヨセホフに移った。そこは、テレジーンに移送される前にプラハのユダヤ人が集められる古い地区のひとつであった。母は落ち着いていた。見知らぬ人々の中で不快な思いをする代わりに、便利な解決法をみつけた。母と祖母は、おばのイルマの家に投宿した。彼女はアパートを出て、シックなドレスメーカーのサロンを経営していたが、閉店を余儀なくされたので部屋がいっぱいあいていた。少なくとも、三人の女性は一緒になった。おじカレルとその家族は、東部のどこかに行ってしまい、おじレオは何処か知らないイギリスに住んでいた。電話もラジオも無かったが、私は三人の女性から朝の楽しみがあると聞いた。父が広場の反対側の地下アパートに、田舎から出てきた自称ダイアナ・ヨークという若い女優と住んでいることを発見したからであった。おばイルマは、五階の窓越しにオペラグラスを使って彼らをつぶさに観察して、他の二人に逐一実況報告した。父は毎朝ぼさぼさ頭で（イルマのコメントによれば）地下アパートから出てきて、空のバンダスカ（金属のビン）を持ってダイアナの朝食用にフレッシュなミルクを取りにいった。もちろん彼は（イルマによると）ドイツの配給券を持っていた。母と暮らしている頃には、言うまでもなく、父が家事をすることは一切なかった。それが今、彼はミルクを取りに行っているのだ！

この三人暮らしもあまり長くは続かなかった。祖母とおばイルマが居なくなってから数週間後、母は移送命令を受け取り、彼女のスーツケースに荷造りを始めた。私は本屋に数時間の暇をもらった（店主の妻はぶつぶつと不平をこぼした）。母はもう準備ができており、スポーティな服装で、黄色の星を着け、ウールのストッキング、そしてシュレジアやオーストリアの丘の遠足でいつも使った重い靴を履いていた。集合場所であるプラハ商業市場のホールに向かう一四番線の電車を待った。幸運にも、ユダヤ人の乗車が許される二両編成の電車が来た。しかし問題が起こった。ドアが開いて、私たちが乗り込み、真ん中辺に立ってスーツケースを置いたとき、中産階級のチェコ人が、後部車両の真ん中にユダヤ人がいることは許されない、警察の命令で許されているのは、後ろの方だけだと叫んだのであった。彼は、顔を真っ赤にして叫び続けたので、私はスーツケースを持って、混み合った中を、母を連れて後ろの方に移動した。人々は、目を背けて、黙って道を開けてくれた。羞恥と恐怖のためであった。電車はヴルタヴァ川の橋を渡り、ホールの前で停車した。私たちが混雑している玄関に向かって歩いていると、命令書を持った若いユダヤ人が我々を手招きした。星をつけた母と、星のない息子、彼らにとって、このような状況は決して珍しいことではなかった。

サッカー場ほどもある大きなホールで、人々はしゃがんだり、荷物の上に腰を下ろしたりして、家族や友人が小さな輪をつくっていた。当番兵（白の腕章をつけていたように思う）が、芝居じみた無用の長物のように、行ったり来たりしていた。スーツケースを置く場所を見つけて、みんなと同じように、母はその上に座った。その後何年も、私はその時に母と交わした会話の内容を思い出そうと努めたが、ほとんど思い出せない。濃い茶色の丈夫なスーツケース、白いものの混じった母の髪、周りを走り回っている無邪気な子供たち、老人たち、そういった光景しか浮かんでこない。

母は私に、将来の勉強を疎かにしないよう諭していたように思う――私たちは二人とも、占領は程なく終わり、私は大学に通えるようになるだろうと考えていた――そして私たちは、おばイルマと祖母がテレジーンにいるので、母はひとりぼっちではないことを語った。私たちは抱き合って、彼女は私にキスをした。私の身分証明書にユダヤ人の「J」が無いことを確認した当番兵に付き添われて、私は出口に向かった。彼は、いずれ私も移送されることになるだろうから、ここに留まったらどうかと冗談混じりに言った。私は表通りに出た。車や電車が行き交い、仕事帰りの人々が家路を急いでいた。そこで私は二人の男に呼び止められた。父と、父に連れ立ってホールまでやってきたチェコ人アナーキスト作家ミハル・マレシュであった。彼らは、中の様子を私に尋ねた。私は知っていることを彼らに話した。彼らは、しばらく何やら相談して留まることにしたようだ。しかし私は店に戻らねばならなかった。店長の妻は、私の不在を怒っていたし、マレシュと父が鉄道駅への移送が始まる朝方までホールに留まっているとも思えなかった。それに、母も、出発の時に、見送り人として遠くから手を振る父の顔を見たいとも思わなかったであろう。

第四章　保護領の終焉

K・Hフランク：成り上がり者

カール・ヘルマン・フランクは、一八九八年一月二八日、カールスバートで生まれ、一九四五年五月二二日、プラハのパンクラーツ刑務所において絞首刑で刑死した。地方の党職員であったが、ハイドリッヒの死後、ライバルを出し抜いてその仕事を引き継ぎ、プラハの支配を任された時期には独裁権を振るった。ヒトラーは、名ばかりの権力を軍と陸軍元帥フェルディナント・シェルナーに託した。フランクは、不正規で不完全な教育しか受けていなかった。そして彼の友人たちの評によると、彼はキャリアの問題となるとずる賢く、粗野でひとりよがりであった。プラハの教育のあるドイツ人中産階級の女性ローラ・ブラシュケMDとの再婚（彼の二番目の結婚）が、彼の目覚ましい昇進に貢献したことは明白である。成り上がり者のフランクが、全く別世界の優雅なハイドリッヒに出会った時、彼は遅まきながら乗馬の訓練を受けようと決心した。しかし写真で見る限り、彼は馬の背ではなく、明らかにヒトラーを意識して、黒のメルセデスのオープンカーの中で立ち上がっている。彼は遠大な戦略を描ける人物ではなかったし（ドイツの勝利後、チェコ人を東方に移住させる考えを除けば）、ハイドリッヒとは対照的に、彼はリディツェを焼き払ったときやベスキッド山地における反ナチ・パルチザン運動の鎮圧を指揮した一九四四年冬のアウエルハーン作戦のときもそうであったが、その場の思いつきで命令を下す性癖があった。それでも彼にはプラグマチックな側面もあった。例えば、一九四五年、東からソヴィエト軍、イタリア方面からは西の連合軍が迫ってくる状況を打開するために、彼はアメリカ人と取引する考えをもっていた。

フランクの父ハインリッヒは、小学校の教師で、「体育連盟」の活動家であり、ビスマルクの称賛者であった。息子の洗礼名をカール・ヘルマン（K・H）としたのは、ウィーン議会の急進的な汎ドイツ主義者、K・Hヴォルフに忠誠を表すためであった。オーストリア、教会、そしてチェコ人に対する父親の嫌悪は、息子に恒久的視野狭窄をきたした。フランクは腕白坊主であった（喧嘩の時に友人の放ったパチンコで彼は片目を失った。彼のガラスの目は冷たい表情を与えることになった）。プラハ・ドイツ大学で法律を学んだが学位の取得には至らず、モラヴィアのヴィートコヴィツェの下請け企業で働き、その後、故郷に戻って鉄道会社で働いた。彼は次第に民族主義政党の周辺や、本来、父祖のプチブル世界に対する反抗的若者組織であるワンダーフォーゲルで活動するようになった。一九二三年までに、彼は出版業界に学び、本屋を開業しようと決心した。ザクセンに転居して、ワンダーフォーゲル出版社マテス書店で見習いをし、ライプツィッヒ支店で働いたあと、三年後に再び故郷に戻り、エルボーゲンで書店を開店したが、これは完全に経営破綻して数年に亘って債権者に悩まされる結果となった。一九二五年に田舎のタイピスト、アンナ・ミュラーと結婚した。二人の息子が生まれ、妻は本屋の仕事を手伝った。しかし彼女はフランクの結婚観やビジネス感覚にはついていけなかった。一九三一年、大不況の真っ只中で、もう一度、カールスバートの繁華街に本屋を開店した。しかし経営は相変わらず不調で、最後に彼は、この世界経済の危機はチェコ人の陰謀によるものだと主張するようになった。彼は、「体育連盟」や、地方やチェコスロヴァキア議会で組織的な権力を得ようと画策している様々なズデーテンの団体と一緒に過ごす時間が多くなった。

ドイツにおけるヒトラーの権力奪取は、直ちに、ズデーテンラントにおけるこれらの民族主義グループの熱情を煽ったが、チェコスロヴァキア共和国との戦いにおいて、すぐには彼らの大ドイツ的統一戦略を創出するには至らなかった。ライヒの姉妹党に最も近い、過激なＤＮＳＡＰ（ドイツ民族社会主義労働者党）、よく組織されたＤＮＰ（ドイツ民族党）、そして協調組合主義的な理念を固く信じていた学者で構成されていた「友愛同盟」などが互いにしのぎを削りながら、一九三三年の秋になってようやくある種の統一組織らしきものが出現した。その組織は、南チロルの民族主義者で、プラハ・ドイツ人大学の学長マリアーノ・サン・ニコロの提案に沿って、「体育連盟」の議長であまり灰汁の無い人物コンラート・ヘンラインを指導者として、軍隊風に「ズデーテン・ドイツ郷土戦線」（ＳＨＦ）と命名された。フランクは、ＳＨＦの地方組織をカールスバートで創設した。彼の本屋は倒産し、彼は地方の党事務所で秘書として働き、そこそこの給料をもらっていた。彼は宣伝部門を担当し、純粋な政治的人生を送ることになった。

一九三五年、今や「ズデーテン・ドイツ人党」（ＳｄＰ）と呼ばれる新しい運動が、「自治論者」の間の抗争によって引き裂かれていた。ヘンラインと、「友愛同盟」の数人のメンバーは、統率者原理を拒否し（一九四〇年までに、彼らの中には強制収容所送りになった者もいた）、汎ゲルマン主義者は、ライヒとファジズムに傾いていた。フランクは、父から受け継いだ古い世代の民族主義に共感していたので、ヘンライン周辺の「友愛同盟」の人々とは一線を画しながらキャリアを積んでいった。一九三五年の段階で、SdPは一〇〇〇ほどの地方グループを誇っていた。そして、五月に選挙が施行されたとき、一二五万票、すなわちチェコスロヴァキア投票数の一五・二％の得票数を得て共和国内で最強の政党になり、ドイツ人活動家と自由主義共和国自体の両者に対して痛打を浴びせた。一九三七年、ヘンラインはフランク（プラハのSdP議員団の議長になった）を彼の代理に指名し、一一月一九日のヒトラーへの書簡で同意を求め、オーストリア併合（アンシュルス）の後、ヒトラーの承認を得た。ミュンヘン後、チェスカー・リーパからプラハまで、ヒトラーの自動車パレードに同行したのはフランクであった。そしてフラチャニーの丘にあるボヘミア王の城に一緒に入城したのであった。

占領後、ノイラートが保護領総督に指名され、フランクは再びナンバー2であった。ヒトラーは、保護領総督の指名には年来のこだわりがあった。なぜなら、彼の保護強国としてのドイツ帝国の中世的な植民地的理念において、その機能を古来の帝国そのもの（ズデーテンではない）の代表に委ねるという考えには揺るぎないものがあったからである。その意味で、フランクにはヒエラルヒー上の欠陥があった。しかし彼には他の切り札があった。一九三八年の秋、ヒトラーは彼を親衛隊少将に昇進させた。そして間もなく彼は親衛隊中将となった。ヒムラーは、一九三九年四月二八日、彼を保護領におけるSD、ゲシュタポ、および全ての親衛隊組織を含む「親衛隊および警察高級指導者」に指名した。フランクは、行政的な摩擦のリスクがあっても、自らの権威を行使することに躊躇することはなかった。同時代人の証言によれば、ノイラートとフランクは、高度なレベルでの意見になると、互いに受け入れることはなかった。ノイラートに対してフランクは無骨な田舎者であったし、フランクに対してノイラートはイギリスを宥めるためにヒトラーが指名した物腰の柔らかい外交官に過ぎなかった。

しかし、重要な政治的問題になると、ハイドリッヒも驚くほどノイラートとフランクは互いに協力し合った。最初はそれぞれの事務局で粗案が作成され、その後持ち寄って整理統合された保護領とチェコ人の将来に関する覚書は、フランスに対する戦勝のタイミングで、一九四〇年の八月終わりから九月初め頃にヒトラーに提出された。その覚書では軍需産業が本質的な問題であるが、それ以外にフランクは、同化策、すなわち多くのチェコ人を民族同化するための遠大な計画を展開した。高等学校、そして順次、小学校も閉鎖すべきであると。全てのチェコ人はドイツ人学校に通い、チェコ語の使用は極力限定して、地方の方言とすべきであると。フランクは、チェコ人を三つにグループ分けした。第一のグループ：年配のインテリゲンチャと並んで、共和国から利益を得ている人々は、同化できない。第二のグループ：一九一八年の共和国の政策に疑問を抱いている古い世代の人々は、同化の可能性を考慮すべき。そして第三のグループ：農民、労働者、そしてドイツ当局から十分な指導を受けたことはないが順応性を持った人々。「人種的に」価値のあるチェコ人だけがドイツ人として同化されるべきである。その他、政治的関心のない、中立的人々は、東欧のどこかに移住させるか、あるいは、「特別処置」（通常は、肉体的絶滅の意味）に処するかであろう、と。

フランクは、ヒムラーを通じて巧みにノイラートの立場を掘り崩していたが、一九四一年九月二四日、東プロシアのラステンブルク（ヴォルフスシャンツェ）にあるヒトラーの大本営に報告を命じられた時に、当面、ノイラートの仕事をハイドリッヒが受け継ぐことを知らされて驚いたであろう。ハイドリッヒはとんとん拍子に親衛隊大将に昇進したが、フランクは再びハイドリッヒを補佐する立場に据え置かれた。フランクは、自律的行動の機会が潰えたことを悟った。ノイラートは筋の違う行政的システムの出身者であったが、ハイドリッヒはヒムラーに次ぐ国家保安本部の最強の指揮官であり、同じ警察、SS組織に属していた。ハイドリッヒは、SDやゲシュタポを通じてチェコスロヴァキア情勢に通じていた。一方フランクは、ハイドリッヒにミュンヘン時代のフランクの盟友で保護領総督府の国防軍指揮官を任された将軍ルドルフ・トゥサンを思い起こすように説得して、彼の個人的立場を強化した。ハイドリッヒは、人目に触れる写真をとるときには、常にフランクを彼の右側に置くように気を使っていた。チェコ政府の「自治権」を削減するときには、二人は必ず一致協力して行動した。

一九四二年五月二七日、フランクは、ハイドリッヒが待ち伏せにあったホレショヴィツェの現場に真っ先に駆けつけた。そしてその日の午後に、ヒトラーは副総督の職務を代行するようフランクに電話で命じた。六月四日、ハイドリッヒが死に、フランクはようやく万年副官の立場から抜け出せると確信した。一片の疑いもなく、彼はあたかも保護領の支配者のごとく振る舞った。処刑命令書に署名し、外国から送り込まれたハイドリッヒの敵やその協力者を摘発する大規模な捜索を開始し、指揮した。彼はまた、一九四一年六月、ＳＳが東方正教会で行った殺人や、リディツェ村大虐殺の現場に立ち会っていた。彼は、ヒトラーが一万人のチェコ人を処刑せよと命じたのに対して、産業労働者や農業労働者の間に後遺症を残す恐れがある、と反論したと主張した。保護領総督には保護領外の人物を任命するべきであるというヒトラーの信念をフランクは思い知らされた。一九四二年八月二八日、ヒトラーは、二重の人事を選択した。フランクをベーメン・メーレン保護領担当国務相（大臣待遇）の地位に昇格し、以前の保護領総督が遂行した行政責任をそっくり課した。そして新保護領総督には秩序警察長官クルト・ダリューゲが任命された。フランクはこの新体制の中では、やりにくかった。しかしダリューゲは体調不良で、一九四三年八月二三日、ヒトラーに二年間の病気休暇を願い出た。その後任のヴィルヘルム・フリック博士は、以前のプロシアの内務大臣で古参のナチ党員であったが、儀礼的な仕事に全く興味がなく、バイエルンでの生活を満喫し、ドイツ官僚機構の権力争いは言うに及ばず、ボヘミアをめぐる争いを等閑視していた。

　フランクが、プラハやそれ以外の場所でドイツのために無欲な情報屋として奉仕していたヴライカ運動の息の根を止めることに一役買ったことは決して矛盾した行動ではなかった。ヴライカは二度、稚拙な計画と準備不足ながら、保護領政府の仕事を妨害しようとした。一度目は一九四〇年八月八日、プラハ旧市街の「民族共同体」[11]の政党本部の襲撃を試み、そして二度目は、一九四一年一月二五日、プラハ政府の建物の乗っ取りを企てた（動員の呼びかけに呼応したのはわずか八％のメンバーであった）。その後、ヴライカ運動は内部紛争に明け暮れた。活動的ジャーナリストを襲い、その中でも特に以前の共産党のメンバーや、フリーメーソンの会員でマサリクに近かったが今では政府の一員であるエマヌエル・モラヴェッツを標的にしたりであっ

11　Národní souručenství：「民族共同体」は、保護領時代に、唯一公認されていたチェコ人の政党。一九三九年三月二一日に創立され、一九四五年五月に解党した。極右政党。指導者はエミル・ハーハ大統領。

た。モラヴェッツは、一時期、彼らと友好的な関係にあった。それというのも、高い報酬を支払って、ヴライカ青年組織やその議長フランチシェク・チューナー博士を、彼自身のチェコ青年教育委員会に勧誘する意図があったからである。しかし襲撃は止まなかったので彼はフランクに不満をぶつけた。フランクは、ヴライカの指導者ヤン・リスに、一九四二年四月一八日、モラヴェッツに対するあらゆる攻撃を止めるように命じた。そしてヴライカは一九四二年四月二一日をもって活動停止を厳命された。

ハイドリッヒの死後、リスは、SDやフランクとよりを戻そうとしたが、その時には既にドイツ人は愛想をつかしていた。ヴライカの三五〇人の活動家はドイツの工場に送られた。その中にはミュンヘン行きを命じられたリスのガールフレンドも含まれていた。そして、一九四二年一二月一二日、リスと、ユダヤ人企業を恐喝して名を馳せたヴライカ新聞の編集長フランチシェク・ブルダは、名誉囚人としてダッハウ強制収容所に送られた。そこで彼らは他のチェコ人囚人から極度に嫌われた。（一九四五年、リスはダッハウを解放したアメリカ軍によって自由の身となった。彼は、療養のためにカプリに送られた。しかし、彼自身やヴライカの友人たちに浴びせられた非難に対する釈明のためにプラハに戻るよう要請された。彼は、ブルダとともに裁判にかけられ、一九四六年六月二七日、死刑宣告を受け絞首刑となった。ヴライカ政府の外務相であったトゥーン＝ホーエンシュタイン伯は、無期懲役の判決を受けたが、ドイツやカナダでの社会的勤労奉仕の任務を放棄して逃げ出して、そこで結婚し、一九九四年、平穏の内に死んだ。）

一九四三年と一九四四年に、保守的なドイツ人将校連合のヒトラー暗殺計画は、フランクの台頭を終わらせたが、杜撰な総統殺害計画は失敗続きであった。一九四四年七月二〇日、クラウス・フォン・シュタウフェンベルクは、ラステンブルク指令本部にあるヒトラーの会議室のテーブルの下にイギリス製の時限爆弾入りの鞄を置くことに成功したが、何も知らない将軍のひとりがその鞄をヒトラーのところから持ち去った。爆発を起こした時に、四人の将校が死んだかあるいは重傷を負ったが、ヒトラーは打撲傷を負い鼓膜を損傷しただけで命に別状はなかった。シュタウフェンベルクは、爆弾をセットしてすぐに退室し、直後に爆弾が爆発したので、ヒトラーは死んだものと確信し、打ち合わせ通りヨーロッパ占領中の国防軍将校に「ワルキューレ」の暗号を打電した。これは、全ての党職員や

SS司令官たちを逮捕せよという指令であった。しかしながら、ヒトラーは直ちにゲッベルスに電話をして、忠実な軍隊を使ってベンドラーシュトラッセにある国防軍司令部を襲い、陰謀に関与したメンバーを逮捕するよう命じた。（五人はその場で銃殺され、約二〇〇人が逮捕されて、後に処刑された。）

プラハでは、事態はグロテスクな展開をみせた。国防軍の将軍フェルディナント・シャールはフランクの副官ロベルト・ギース博士を逮捕した。フランクはちょうどデスクを離れていて不在であった。フランクがシャールからの電話を受けたときに、国防軍に捕らわれたギースの叫び声が電話口の向こうから聞こえていた。フランクはベルリンから混乱した噂を聞いていたが、闇雲な行動はとりたくなかったので、小人数の武装兵を護衛にして、ただちにチェルニーン宮殿を出て南のコースからベネショフに向かった。そこにはSSの強力な戦車部隊の駐屯地があり、彼は以前のオーストリア皇室の王位継承者の住居として使われていたコノピシュチェ城に引き籠った。不運にも、暗殺計画は失敗に終わったことが明らかとなり、シャールは最初にギースに謝罪し、次に、彼の行動は上司の命令に従っただけであると言い訳をしながら、プラハに戻っていたフランクに電話で謝罪した。フランクはシャールをゲシュタポに収監させた。シャールおよび彼と行動を共にした三人の参謀将校は、フランクの命令でプラハ近郊のシャールカ渓谷にあるイェネラールカ荘において直ちに処刑された。

しかしながら、事件の地域的な影響もあった。国防軍の陰謀に加担したとしてフリードリッヒ・カール・クラウシングが逮捕されたが、彼は、一九三三年からのナチ党員でありSAのメンバーでもあったドイツ人大学の学長フリードリッヒ・クラウシングの息子であった。息子の逮捕を聞いて、父のクラウシングはフランクのもとに行き、息子をロシア戦線に送って罪の償いとするようフランクに泣きついた。ズデーテンSAによって召集された名誉裁判は、父親の自発的な死のみが家族の汚名を晴らす唯一の道であると宣告した。クラウシングは、総統、フランク、祖国、そして家族に宛てた手紙（遺書）を書き、息子のことを知らないまま、一九四四年八月六日、プラハのオフィス内で拳銃自殺した。息子は、すでにその二日前に、プレッツェンゼー刑務所で処刑されていた。彼の妻は、学長の官舎を退去させられた。フランクは彼女に四部屋つきのアパートの提供を申し出たが、彼女は拒否し、ユダヤ人家族から取り上げた六部屋の住まいを供与された。

一九四四―四五年の秋から冬にかけて、フランクは、ボヘミアのことにいつも余計な口をはさんでくるナチ党総書記マルチン・ボルマンへの対応に苦慮した。連合軍の猛烈な空爆、ソ連軍の進撃から逃げてくる何万というドイツ人難民を、プラハや保護領に収容せねばならなかった。さらに、イギリス空軍機から続々と降下してくるパラシュート部隊、モラヴィアのベスキッド山地やボヘミアのブルディ山地でのドイツ人部隊に対するスロヴァキア人、チェコ人、そしてロシア人のパルチザン部隊との戦闘行為に頭を痛めていた。チェコの工場における規律は低下し、鉄道作業員のサボタージュが頻発した。一九四五年二月一四日、プラハは空爆を受けた。アメリカ人パイロットの誤爆であった（五〇〇人の一般市民が犠牲になった）。そして春には、連合軍の空爆は精度を高めて、プラハ、コリーン、オストラヴァ、そしてブルノの工場、精錬所、そして通信システムをより正確に破壊した。四月二九日には、プルゼニの巨大なシュコダ軍需工場がほぼ全壊した。

冬から、一九四五年の春にかけて、保護領の市民は、言語や人種を問わず、チェコ人、ドイツ人、スイス人、あるいは連合諸国は、およそ有り得ない噂を聞き、夕方のニュースにくぎ付けになった。そして大きな変化の時がやってくるだろうと思った。一九四二―四三年の冬、血のスターリングラード戦で、国防軍は、少なくとも二〇万人の兵を失い、スターリン軍は、ソ連からドイツ兵を後退させ始め、一九四四年の四月までに、ドイツはウクライナを放棄せざるを得なくなった。連合軍は、一九四三年の夏にシチリア島に上陸して、イタリアの北部へと進軍し、ムッソリーニは、一九四三年七月二三日、自国民によって逮捕され、一九四四年六月六日、ローマは連合軍を歓迎した。パットン将軍の戦車部隊はアヴランシュ（ノルマンジー）近郊のドイツ戦線を突破し、一九四四年八月二五日、パリは連合軍とドゴール将軍の自由フランスによって解放された。ルーマニア、ブルガリア、そしてハンガリーは、連合国側について反ナチ連合に加わった。ドイツの西部国境の町アーヘンが一九四四年一〇月にアメリカ軍によって占拠された。ドイツ東部の町ブレスラウは、一九四五年二月、ソ連軍によって包囲された。ソ連軍はさらにベルリンに向かって進軍を続けた。

四月三日、フランクは、ベルリンの地下の隠れ家に総統を訪ねた。これが最後の訪問となった。ヒトラーはあらゆる政治的問題への回答を拒否していた。なぜなら、ヒトラーは、遺言でドイツ軍総司令官として彼の後継者と定めた陸軍元帥フェルディナント・シェルナーの勝利を信じていたからであった。フランクはヒトラーの変わり果てた姿にショックを受けた。しかし、彼は、外相リッベントロップに勝ったと信じて、自分自身の政治的な実用的計画を推し進めた。四月の最後の週に、チェコ人とドイツ人の政府職員や企業家をチェルニーン宮殿に招集して、「混成代表団」を結成し、保護領が平和裏にアメリカ人の手に渡ること、チェコ人とドイツ人の平等の権利を保証し、その見返りとしてソ連軍の進行速度を弱めることなどを目的としてアメリカ人と交渉にあたることとした。この代表団は、チェコ政府の長ビーネルト、農業大臣アドルフ・フルビー、二人のチェコ人企業家、そして彼らのドイツ人同志ベルンハルト・アドルフ、退役将軍ヴラヂミール・クレチャンダ、スイス駐在前チェコスロヴァキア大使館付き陸軍武官、そして、国際法学教授でフランクの法的アドバイザーであったオーストリア人ヘルマン・ラシュホーファー博士らによって構成されていた。

彼らを乗せて四月二五日早朝に飛び立った特別機は、まだドイツ支配下にあったバイエルンのノイビベルクに着陸した。しかし、陸軍元帥アルベルト・ケッセルリングはほとんど提供すべき情報を持っていなかった。戦線が何処であるかも掴めていないと言った。代表団の中の二人はただちにプラハに引き返した。フルビーと二人のチェコ人企業家は、バート・テルツのSS指令本部を訪れ、高名な囚人の交換を交渉した。（成果はなく、三人はボヘミアに戻った。）その間、退役将軍クレチャンダとラシュホーファー博士はミラノ大司教を訪ねてローマ教皇による調停を取り付けようと望んだが、アメリカの手に落ちたボルザノで足止めをくらい、スイスに渡ろうとしたが果たせなかった。ことここに至ってラシュホーファー博士は両親とともにザルツブルクで亡命を決心した。冒険心旺盛なクレチャンダは、徒歩で帰路にたち、ヒッチハイクをしながらプラハに戻り、この度の試みは完全に失敗に終わったことをフランクに報告した。

五月六日、プラハでは、反ナチス武装蜂起が勃発した。そしてチェコ民族評議会は代表をフランクのもとに派遣して休戦の可能性を探った。フランクはフラチャニィの丘で拘束されたが、何とか抜け出して郊外のデイヴィツェに設置されていたトゥサン将軍の国防軍司令部にたどり着き、ボヘミアからの脱出準備にとりかかった。五月九日の早朝、町の境界で武装解除させられた二万五千のドイツ兵と一緒に、フランクは一般ドイツ市民に紛れてプラハの南西にあ

ロード革命後のプラハを訪れたと言われている。

るロキチャニィとプルゼニ方面に向かって出発した。しかし彼の四台の車――二台目に彼が乗っており、三台目には、彼の妻、三人の子供、そして女性家庭教師が乗っていた――は、そんなに遠くまで行けなかった。彼に気づいたチェコ人警察官が、彼の車の道筋を見張っていた同僚に電話で通報し、車がロキチャニィにさしかかったとき、フランクの車は畜殺場の前で停車を命じられた。

フランクは、ランツ巡査に拘束され、アメリカ軍によってプルゼニから、更なる尋問のためにヴィースバーデンに移送された。その間フランクは抵抗しなかった。その後、彼は二度と家族に会うことが無かった。最終的に連合国は彼の身柄をチェコスロヴァキア当局に渡すことを決定し、彼はプラハの人民法廷で裁かれた。一九四六年三月二二日、死刑判決を受け、二か月後に絞首刑が執行された。パットン部隊は、女医であった彼の妻をアメリカの監獄に輸送し、その後、彼女はソヴィエト当局に渡された。モスクワのルビヤンカ刑務所に拘置され、あるソヴィエト高官の厳重な監視の下にシベリアに送られた。ドイツ人囚人が本国に送還されるまで、彼女はそこで一〇年間の労働に服役した。彼女は、連邦共和国となった故国で彼女の三人の子供たちを探し続けた。そして、メイドの名前の証明書を持ってビ

ビロードのヘアバンドをした少女（個人史）

（ユダヤ人が）若いドイツ人女性と恋に落ちるのは許されない時代であった。そしてそれから六〇年以上経った今でも、私はその時の突然の出来事を思い出す。そして、戦時中の独特の雰囲気の中で、プラハの庭園や街路を何時までも歩き続けた時の私の感情が如何に強烈なものであったかを憶えている、あるいはむしろ思い出すのがつらい。最初に彼女を見かけたのは、彼女が小さな劇場――それは、三〇年前に、私の父が設立した「クライネ・ビューネ」（小舞台）であった――の前を、切符売り場が開くのを待って行ったり来たりしていたときであった。その時の彼女の服装や柔らかな空気の記憶から、季節は春だったに違いない。ナチの人種理論家は、彼女のダーク・ブラウンの髪と目、白くない日焼けした顔、そして絶えずよく動く長い手足を観て、直ちに彼女をディナール人、あるいはむしろアルプス人種に分類したであろう。彼女はシンプルなブラウスと地味なスカートの出で立ちで、一見してチェコ人ではなくドイツ人であることが分かった。ショートヘアを留めていた細めの黒いビロードのヘアバンドは、田舎くさいところもあったが上品な趣味であった。彼女の素直な顔つきや黒いビロードのヘアバンドが私の心に永遠の刻印を残したと言っても過言ではない。しばらくじろじろと観察した後、私は彼女の横を通り過ぎた。もう一枚のチケットが手に入る見込みはなかったし、休憩時間に入ってからドイツ人の群衆の中で出し抜けに話しかけることもできなかった。

もしも私が小説家なら、私はその時にはっと息をのんだと表現したかもしれないが、私はそうしなかった。なぜなら、彼女が次の土曜日の午後に本屋に入ってきた時にはまさしくそうであったからである。違った組み合わせであったが、ブラウスとスカートを着て、ビロードのヘアバンドで髪を留めていた。しばらく本棚を見て回っていたが、忙しく立ち働いていた店員の私を捕まえて、比較的古い著者の廉価本を置いてないかと尋ねてきた。私は直ぐに書庫から全四〇巻のゲーテ全集を持ってきた。そして私の詩を添えた。しかし、彼女に少しでも長くここに居て欲しかったので、私は彼女に、特別な世紀やロマン主義などを考えているかどうかを丁重に尋ねた。彼女は、アイヒェンドルフの中編小説『のらくら者の日記』（関泰祐訳『愉しき浮浪児』岩波文庫）を計画中の小旅行で読みたいと答えた。彼女の言葉はチェコ語の音声体系に近いことが容易に聞き取れた。プラハのドイツ語ではなかった。しかし、広い母音をもった北部のボヘミア山地の言い回しから、もしも彼女が「ドイツ女子同盟」の制服を着てやってきたら、袖の黒い三角形は、「ズデーテンラント」の印であることをいきなり思い知らされただろう。私はぞくぞくしていた。店にはアイヒェンドルフを置いていないことを知りながら、私は探すふりをしていた。そして彼女が旅行前にどうしても欲しいということであれば取り寄せておきますよ、と言った。彼女は私の提案に全く違和感を覚えなかったようだ。彼女は本駅から夕方七時二五分発の東ボヘミアの丘にあるブランダイス行きの列車に乗る予定であるとさらりと言った。そして彼女は店を出ていった。

今は四時、店は六時に閉店である。家まで走って帰り、父の本棚からアイヒェンドルフを拝借して、ヴァーツラフ広場を横切って本駅まで走りビロードのヘアバンドの少女を探すだけの時間は十分にある。彼女はいた。東の丘行きの小さな列車の開いた窓際にいた。彼女は薄手の本に手を伸ばし、私にいくら払えばいいかと尋ねた。これは彼女の週末旅行への私からのプレゼントだと答えた。彼女は、日曜日には森の散歩をしようとしてプラハでできなかったことを私に語ったとき、全く気のある素振りはみせなかった。私は、チェコのイィジェルスケー・ホリを一人で歩き回る若いドイツ人女性のイメージを思い描いた。そのときに汽笛が鳴り汽車は出ていった。私はそこに佇み何か大事なことが起こったという感覚はあったが、一体それが何であるかは分からなかった。何か素晴らしいことだったが、状況を考えれば辛く不可能なことだった。彼女が次の土曜日に店にやってきて本のお礼を言い、私たちは街を歩いた。私の心は混乱し何かに圧倒され、この散歩が永遠に終わりませんようにと祈った。

違う時代、あるいは違う惑星であれば、私たちは初めから手を取り合い、互いの目を深く見つめ合っていただろうに。しかし、歴史のこの瞬間は残酷だった。ほぼ一年間、彼女はいつも私のデートの相手だった。最初の三週間は特に怖かった。この国（彼女の国も、私の国も）の法律に照らして私が半ユダヤ人であることを彼女に打ち明けるのが怖かったのである。しかし私がそのことを彼女に告白し、遠くに視線をやっていると、彼女は全く取り乱すことなく静かであった。彼女の話によると、ある少女が彼女の学校で退学処分になる前に同様の困難な目にあったこと、私が制服を着ていないこと、兵役に服することなどについて私が語らないことについて疑問を感じているということであった。確かに普通ではなかった。そして後に、私が母やテレジーンやアウシュヴィッツについて彼女に語った時、彼女は黙って悪気もなく、真面目な平常心で私の言葉を受け入れた。もしも彼女が、彼女らしく、私への同情心を表現していなかったら、あるいは冷淡に見えたかもしれない。ある時、彼女はウィーンに一週間滞在して、ヴィルヘルム・キーンズルのオペラ『福音伝道者』を観劇した。そして、コーラス部分からの行を手紙に引用していた、「迫害を受ける者に祝福あれ」と。薄い便箋に書かれた引用部に、彼女はペンできつくアンダーラインを引いたので紙が破れていた。五〇年経った今でも、破れた緑色の紙を見ると心動かされる。

私の難事は、彼女の名前から始まった。ワーグナー風の響きをもち、彼女の外見からはしっくりこなかった。そこで私は、血なまぐさい戦場に生きる女性名ヴァルトラウトの子音をすこしいじって、森で生まれた女性名ヴァルトトラウトに変えた。そうやって私が彼女の名前を呼んだ時に、彼女はその変更を聞き入れなかったが、詩的でぴったりだと思った。私はこの可愛いズデーテンの敵（彼女）についてあまり知らなかった。彼女は医学生であったが、生理学研究所でパートタイムのアルバイト助手をしていた。朝は、実験装置の用意で時間に追われていた。彼女の教授は、その実験装置を入門講座の講義に使っていたのであった。私はいつも、私たちのアパートから、医学校や病院のあるアルベルトフ地区まで歩いていた――当時は二〇分であったが、いまでは三〇分以上かかる――、そして建物の前までくると、私はビゼーの『カルメン』か、あるいはプッチーニの『ラ・ボエーム』第二幕のコーラス部分を口笛で吹いた。正面玄関の上にある小さな部屋で準備が済んでいたら彼女は窓を開けそれから降りてきた。控えめでメイクした形跡もなかった。そして私たちは散歩に出かけた。ヴィシェフラドの丘やマラー・ストラナ（小地区）の庭を通り、フラチャニィ城に登ったりペトシーンの森を歩いたものだ。彼女はもちろんのこと、若者たちは愛と春の詩人K・Hマーハの碑にスミレの花束を捧げるというチェコ人の伝統については何も知らなかった。私たちは本能的にダウンタウンを避けていたように思う。ドイツ人であれチェコ人であれ、知人から奇妙なカップルとして変な目で見られたくなかったからである。あるチェコ人の友人が、私が彼女とナードニー・トゥシーダ「民族大街路」を川の方に向かって歩いているところを見かけ、彼は翌日私に声をかけ、明らかにドイツ人と分かる女の子と一緒に歩いているところを見られないようにした方が愛国的だと言い含めた。私たちは、はっきりとした理由から、「国民劇場」には決して行かなかった。しかし、辺鄙な場所にあるカフェや、時には、上流階級のチェコ人やドイツ人がよく通うミハルスカー通りのシックな場所で（配給のクーポン分も支払わねばならなかった）、優雅なディナーを楽しんだりした。ムッソリーニが逮捕された夜も私たちはそこにいた。そして私は彼女に、革製のメニューから料理を選ぶように勧め、私たちはフランベを注文し、非の打ちどころのない燕尾服を着たウェイターは最善を尽くしてくれた。

断片的にではあったが、彼女は少しずつ彼女自身と彼女の家族の置かれた状況について語った。幸せな話ではなかった。マサリクの共和国時代に彼女の父は学校の視学官であったが、ミュンヘン協定後のズデーテン新体制になってその地位を追われた。なぜなら、彼はカトリック教徒として不適格であると決められたからであった。そこで彼は一般産業の事務職を探さねばならなかった。その職場はザクセンの州境にあり、家族の住んでいるシュネーベルクから随分遠かった。彼の妻、すなわち彼女の母親は、奇妙な反復性の麻痺を患っていたので、彼が不在のときは親切な隣人に世話にならねばならなかった。彼女は規則的に教会に行く人であった。彼女は、礼拝堂勤務の牧師パウルスのグループに属していた。そして、彼の厳格なミサに規則正しく参列していた。彼女は、旧市街の聖ヤコブ教会で行われる日曜日の一一時のミサには滅多に参列しなかった。そこでは、壮大なオーケスラやコーラスが、モーツァルトやドヴォルザークを演じたので、私も含めて、多くのプラハの審美家が参列したのだが。休日になると、彼女はしばしばライトメリッツ（リトムニェジツェ）に消えた。ビターリッヒ神父の有名な説教を聞くためであった。彼は専属の司教総代理で、彼女の学校の先生であった。（私は、一九四六年、ビターリッヒ神父を、ウィーンの教会区に訪ねた。そこは彼の避難所であった。そして彼女の学生時代の写真を見せてくれた。）しかし、彼女はカトリック教徒ではなかった――残念なことに、私には自己弁護の資格はなかった――、当時の状況では、キリスト教徒であることは政治的行為となるという結論からであった。パウルスは逮捕と強制収容所から免れるために軍隊に入る決心をした。彼女は、この世の不条理について根源的な疑問を問うことなく信じ続けた。少なくとも、私たちは、何かしら言及することがあったとしても、ロマン主義、ゲーテ、プラハの歴史（古いほど良い）、そして我々の散歩の守護聖人であったリルケについて深い議論をすることはなかった。

私たちは、不意に制服のパトロールから身分証明書のチェックをされる危険性など気にせず、何食わぬ顔で振舞ったり、旅行をしたりすることもあった。ある時、ライトメリッツまで彼女に同行したことがあった。この古い司教管区はズデーテン地区との境界線を越えたところにあった。保護領になった今はライヒに属しているが、私の母が死んだテレジーンからわずか三マイルのところに位置していた。彼女は、プラハからそこまで自転車で行きたいと言った。私は、友人のカリに自転車を貸してもらったが、――理由は説明しなかった――彼女は、私よりもはるかに壮健で鍛えられており、私はハーハー言いながら途中でへばってしまった。運動競技では彼女に歯が立たなかった。ともかく、打ち合わせは、司教座聖堂で私が彼女を探すということになり、もしもそこで会えなかったら、検問所のチェコ側で彼女を待つことになった。

事の次第は次のようであった：検問所で、身分証明書と一緒に煙草二〇本の「通行料」を支払う。チェコの国境警察はそれ以上の手続きを要求しない。国境を超える。何も問われない、という訳だ。私は、煙草と身分証明書を置いてライヒに入った。しかし私は教会で彼女を見つけることができなくて、マーケット広場の居酒屋でビールを飲んだ。徴兵適齢の若者であるが軍服を着ていなかったし、どう見ても遠くからやって来たように思えただろう。私はのんびりと歩いて国境線まで戻った。そこで彼女は私を待っていた。にこやかで日光を浴びながらストッキングをくるぶしまで下ろし、生理学研究所から借りてきた自転車は草むらに横たえてあった。私たちは、自転車に乗って暗くなるまでにプラハに帰り着いた。今日は一九四四年七月二〇日であった。翌朝のラジオは、ヒトラー暗殺を企てた将軍たちの失敗に終わったクーデター（ヴァルキューレ作戦）を報じていた。もしも身分証明書もなく、テレジーンから三マイルも離れたライトメリッツで、軍やＳＳのパトロールが私を見つけたら、私（半ユダヤ人）は司教総代理を訪問中の若いドイツ人女性を待っているところだという説明に窮したことだろう、といった身震いするようなことは敢えて考えないことにした。

彼女は、私よりもずっと大胆不敵であった。あるいは、私の複雑な事情に思い悩むような人ではなかった。あるとき私は彼女に言った、ある友人グループがベスキッド山地で、ある農民家族に頼んで、彼らのスキーと他の冬の用具一式を隠したと。以前にドイツ当局に徴収されたことがあるが、それらはロシアで戦っている軍隊に必要であった。クリスマス後に数日間、ポーランド＝スロヴァキア国境のベスキッドにスキーに行こうと提案したのは彼女であった。そしてその後、安い列車でボヘミアを回り北東のモラヴィアを旅した。彼女は私よりもずっとスキーが上手であった。そしてベスキッド山地を見下ろすラトホシュチに登り始めるやいなや、彼女は私のずっと先を行き私が彼女についていくのはとても難儀であった。ラトホシュチ山のヒュッテは、ヒトラー・ユーゲントの一団で一杯だったが、彼らは午後には居なくなり、モラヴィア人のおかみさんは、民族、言語、人種、あるいは政治情勢には無関心で、私たちに清潔な小部屋を用意してくれ、部屋の隅の離れたところに二つのベッドを置いてくれた。私がパジャマに着替える間、彼女はトイレ（とてもロマンチックとは言い難い、薄っぺらな木製の仕切り板の後ろ）に避難し、古風なフランネルのナイトガウンを着て部屋に戻ると、すぐに向こうの隅のベッドに滑り込んだ。彼女はそこからお休みと言ったが、私は跪いて、しばらくでいいから隣で寝せてくれと頼んだ（私は大人しくしていると約束した）が、それは無理だとあなたも分かっているでしょうと彼女は言った。私は同意して、明かりを消して寝た。それから三日間、それ以外には有り得ないかのように、それぞれのベッドで寝た。

ある夏の日曜日、ヴルタヴァ川に沿った丘を散歩していたときのことであった。にわか雨にあい、近くには雨宿りする場所が見当たらなかった。雨を凌ぐために、樅の木の下でびっしりと生えた藪に逃げ込み、この緑の洞窟の中で横になった。この森が自然な機会を与えてくれたまたとないチャンスを逃す手はなかった。しかしながら、緑の洞窟が演出してくれた絶好のシチュエーションであったが、私が人間の雨傘となって、彼女にかがみこんでも、一インチかそこらは彼女から離れていて、私たちは互いに触れ合うこともなかった。奇妙であった――だが、全く奇妙でもなかった。私たちは、互いに、着実に接近していた。研究所の彼女の小部屋は冷たい水しかなかったので、私たちのアパートでときどき熱いお風呂を使わせてほしいと頼んできたとき、彼女は女子学生のように石鹸とタオルを持参してやってきた（私は、石鹸と香水を用意していたのだが）。

私たちは、互いに節度を守ることが当然であるかのごとく、道を踏み外すことはなかった。彼女は、風呂あがりに顔が輝きドレスからほのかに香りが漂った。私はお茶をいれ、優等生の紳士のごとく振る舞った（と私は思っているが）。六〇年ぶりにそのアパートに戻ってシャワーを使ったとき、実際に目の当たりにすることはなかったが、湯煙の中に浮かび上がる彼女の骨ばった若い肉体を思わざるを得なかった。

連合軍はノルマンジー上陸作戦を着々と準備していた。私は、半ユダヤ人としてまもなく収容所送りになるはずであった。いきおい私たちの会話は、以前にもまして、詩から離れて、完全な先験的真理の（彼女の）信念（理想の人生）とこの世の不条理とのあまりに大きなギャップの問題に移ろうのだった。彼女はしばしばうつ状態になった。プラハの病院で、チェコ人女性囚人のために看護助手として働くよう命じられあと、彼女は震え上がり、彼女の心の中に言葉にならない何かが生まれた。ある日の午後、彼女は電話をくれて、私にすぐに来てくれといった。私はアルベルトフに走った。私の口笛の合図を待たずに飛び出してきた。よれよれのガウンを着て、目を泣き腫らし、ロシア戦線で兵役中の航空兵で彼女の友人のひとりが戦闘で行方不明になったと語った。私は、ソヴィエト軍は戦い方を知っているよと言う代わりに、私の信念に反してはいたが、彼女を慰めるよう努めた。彼女は一人の人間であった。私の肩に顔を埋めて泣いていた。

彼女は直ぐに家に帰りたいと言った。私たちは駅までとぼとぼと歩いた。私は、国境線まで彼女に同伴しようと決心した。彼女は空いていた客車の木製の座席に横たわった。そして私は彼女に寄り添って跪き、彼女の胸に顔を埋め、沈黙の時の流れの中でガタゴトという線路の音を鮮明に感じていた。私が小説家であれば、次のように描いたであろう、五万羽近い黒い大きな鳥がギラギラとした目で私を睨みながら電線にとまっていた。プラハのユダヤ人四人はテレジーンまで一ないし二マイル手前のボフショヴィツェまで同じ汽車に乗り、そこから徒歩であった。あるいは少なくとも、私は客車の隅に座って黙りこくっている母を見る、と書いたであろう。しかし私の目には何も映らなかった。私たち二人だけがそこにいた。彼女は、私の敵のひとりの死のために涙を流していた。そして私は、彼女がドイツ人であるという事実を忘れようと努めていた。私はボフショヴィツェで汽車を降りたときのことを憶えていない。しかしそれが彼女との永遠の別れとなった。私は収容所に送られた。一九四五年二月一四日、一三四七年に建てられた古いベネディクト修道院からそんなに遠くない所への連合軍の空爆（誤爆であった）に遭って、彼女はカレル広場で死んだ。修道院はほぼ全壊した。戦後、ほとんどのズデーテン・ドイツ人は国外追放となった。彼女の父は退去命令を受けた時に、今や筋ジストロフィーで全身麻痺していた妻を殺し、家に火をつけ炎に包まれて死んだ。

占領期間中のプラハ映画

歴史家の一致した見解では、ナチスは時代遅れの理念を効率的に繋ぎ合わせてきた。例えば、一九世紀の人種理論を、映画の製作や配給、航空機やハイウェイの建設のような近代的なテクノロジーと組み合わせた。映画に関して言えば、ヒトラーは少なくとも一九三九年までマニアとまでは言えないが、熱心な映画ファンであった。毎晩のように映画（しばしばアメリカ映画）を観て、映画産業の管理についてはは文化宣伝相ヨゼフ・ゲッベルスに任せていた。ゲッベルスは、権力操作のうえで映画の果たす政治的役割の大きさを熟知していた。早くも一九三三年四月二六日に、ゲッベルスは巨大なドイツのウーファ映画会社（ＵＦＡ）のベルリン事務所やスタジオのスタッフ向けに談話を発表した。国家社会主義映画当局による統制（画一化）を行うこと、そして、九月二九日の法律で全てのドイツ文化組織を取り締まる方針を明らかにした。ゲッベルスの確信によれば、第一次世界大戦におけるドイツの敗北の原因は、一九一七―一八年のドイツ国民に蔓延した厭戦気分による戦争継続への意欲喪失であった。それゆえに、彼は、そのようなことが二度と起こらないようにしなければならないと決心したのであった。それ以後、第三帝国の終焉まで、ナチ映画の半数はコメディであったし、露骨なプロパガンダ映画は一四％に留まった。一九四〇年代の戦時中に、ゲッベルスはドイツ映画製作を維持しようとしたが、連合軍の空爆によってベルリンのスタジオが破壊されたために、彼は近代的な設備と熟練した技術を備えたプラハのバランドフ撮影所を徴発した。

ボヘミアとモラヴィアは、映画の本数や規模において、イギリスやイタリアに劣らなかった。そしてこのことはミュンヘン協定以後も変わらなかった。ドイツ占領期間中、プラハの映画館の数やチェコ人とドイツ人の入場券購買数は著しく増加した。チェコ人観客はドイツ映画をボイコットしたという愛国主義的な話は、原則として、割り引いて受け取られるべきである。というのは、タップダンスやハンガリー人マリカ・レックなど、ドイツのミュージカルは大変な人気があったからである。[12] 映像芸術への興味が高まっていたかどうかとは別次元の問題であった。多くの消費財は手に入らなかったし、アパートには暖房が無く、街は暗く、カフェやレストランでは警察のチェックがあり、公共のダンスは禁じられるという状況にあって、夜になれば人々は映画を観に行くか早々にベッドに入るしかなかった。

プラハ映画産業史上、ハヴェル家はずば抜けた実力を持っていた。だからこそ、彼らはドイツ占領者と衝突することになった――ライヒの保護領総督とは政治的に、UFAやドイツ内外で独立したプロダクション会社を購入したり収用したりする権限をドイツ政府から委託されていたカウツィオ信託会社（民間会社を装ったゲッベルスのホールディング会社）とは経済的に衝突した。貴族で保守的な家系の御曹司、後の大統領の父ヴァーツラフ・ハヴェルは、近代的な生活について遠大な理念を持ち続けた。そして、第一共和国の初期に、学生組織やチェコYMCAで活動した。一九二三年、彼はアメリカを旅した。ニューヨークからサンフランシスコ、そしてハリウッドを訪れ、投資、不動産、そして映画における最近の傾向を学び、帰国後、プラハにおける画期的な建築業に乗り出した。一九二四年、彼は、プラハの中心街から南に数マイルのところにある、ヴルタヴァ川を見下ろすバランドフの崖に、プレハブ式住宅からなる庭園都市建設を始めた。（バランドフの崖は、堆積岩を実地踏査した一九世紀のフランス人古生物学者バランドの名前に因んでいる。）これらの住宅は、多くのプラハの新しい経済界や芸術家のエリートたちによって購入された。一九二七年、その庭園都市バランドフのテラスの頂上にモダンなカフェやレストランが軒を連ねた。ハヴェルが旅行中に見た、サンフランシスコの有名なクリフ・ハウスのコピーであった。庭園都市はプラハのシックな生活の中心地となった。上の方では、少し後に、R・Aドゥヴォルスキーや彼のバンドプレーヤーが優雅な音色を聞かせてくれたトリロビット・バー、あるいは下の方では、崖の麓で、スイミングプールが造られ、若手女

12 （原注）保護領では、一九三九年に一一〇一本の映画、一九四二年に一一八一本、一九四三年に一一九五本の映画が上映された。プラハだけでも、映画館の数は増加し（一九三九年の一〇八軒から一九四四年の一一一軒）、観客動員数は約二倍に増加した。連合軍の空爆が激化して多くの映画館が破壊される一九四四年までは、ドイツでも増え続けていた。

性スターたちの姿が見られた。

一九三一―三三年に、ハヴェル家は、それまで大きなビアガーデンや別荘風の住宅が立ち並んでいたところに、新しいプロダクションの中心としてバランドフ映画撮影所を設立した。そこで製作された最初のチェコ映画はスリラーであったが、その作品はベルリンでヒトラーが権力の座に就く一週間前の一九三三年一月末に完成した。製作活動の監督は、ヴァーツラフの兄弟ミロシュであった。ミロシュは、最初にアメリカの西部劇をプラハ映画館に輸入し、AB映画会社を組織したりして、一九二〇年代初めから映画業界で活動してきた。彼はまた、ルツェルナ・フィルムグループのオーナーであり、プラハのダウンタウンにある豪奢なルツェルナ映画館の共同所有者でもあった。一九三九年に、ドイツ人が取り上げようと画策したときに、彼は先頭に立って抵抗し戦った。

チェコ・ファシストは、映画は権力操作の手段として、非常に重要であると考えていたドイツ占領者と同じ考えをもっていた。そして国防軍がプラハに侵攻して二四時間後には、彼らは、大きな映画館や配給会社を含めて、全映画産業を制圧しようとした。その指導者ガイダ将軍は、石炭市場における集会で新しい寄木細工の政府を急いで樹立すべきであると訴えたが、同調者はほとんどいなかった。それにもめげず、彼はバランドフ・スタジオを接収する詳細なプランを掲げて走り、まさに一九三九年三月一六日の朝に、プロダクション・アシスタント、ヨゼフ・クラウスと、他の二人のファシストを現場に派遣した。クラウスは直ちに理事長を解雇し、ユダヤ系の二人の重役ヴァルター・ショルシュとイジー・ヴァイスに対して、建物から退去するよう要求した。スタッフや技術係は抗議した。するとガイダは、ファシスト組織の昔のメンバー、ズデニェク・ザースチェラ博士、映画監督ヴァーツラフ・ビノヴェッツ、そして画家のヤン・トゥラから成るグループを派遣し、クラウスと合流して反撃を試みた。その間に、事態を電話で聞き知ったミロシュ・ハヴェルは、ザースチェラに対して事業に不法な介入をしないよう要請した。ファシストは暴力的ではあったが自分たちの取った行動に関して確信を欠いていたので退散した。ビノヴェッツだけは居残ってその日の午後管理者会議に連なったが、会議では彼に相談することはないと言われた。ミロシュ・ハヴェルは、これらのファシスト素人集団をやりこめるだけの権威をもっていたが、相手がドイツ人となると事情は別であった。

その事件から一カ月後、総督府はヘルマン・グレスゲン

（一月にナチ党員に登録されたばかり）というザール地方ドイツ人を保護領における映画製作関連全般の特別コミッショナーに任命した。綱領的覚書の中で、彼は、映画は民族によってとても大事にされているチェコ文化のひとつの表現形式であるが、年に五〇本の映画製作は多すぎると苦言を呈した。ドイツの同業者は、チェコの製作映画を減らし、ドイツ映画に余地を与えるべきであると主張していた。それを実現するための最も実践的な方法は、全ての映画会社をドイツ人の管理下に置いて、そのシェアの大半を握ることであろう。一年以上、勇敢なミロシュ・ハヴェルは、グレスゲンと、ゲシュタポを含むその同盟者からの情け容赦のない圧力を受け続けた。ゲシュタポは彼の身柄を拘束し、バランドフにある彼の事務所を家宅捜索し、そして、法的収用にかなりのベテランであったマックス・ヴィンクラーの経営するカウツィオ信託会社からも圧力を受けた。グレスゲンは、ＡＢはユダヤ人の事業であると論じた。なぜなら、ハヴェルのユダヤ人の友人オスヴァルト・コセクが監督を務めていたし、彼はプラハの最も重要な映画館のいくつかを所有していたという理由からであった。しかし、ハヴェルは、三月一六日に、コセクの名前は管理者会議のリストから削除されていることを指摘した（彼はアメリカに渡った）。グレスゲンは、法律発令の日付変更をもって応えたが、ハヴェルは抵抗を続けた。フランクと大統領ハーハはＡＢ資本を増やすべきか否かの論争で介入し、最終的にカウツィオ信託会社とハヴェルの弁護士が一九四〇年四月二六日に合意に達して契約書に署名した。

契約書にはハヴェルがＡＢ株の五一％をカウツィオ信託会社に移すことが明記された。分割払いで、六八八万五〇〇〇チェコ・クラウンを支払い、少なくとも年に五本のチェコ映画製作をバランドフ・スタジオで行うこと、そしてルツェルナ映画グループに関してはミロシュ・ハヴェルの自由裁量とし、もしも製作費用がかさむ場合には更なる信用貸しを認める、と明記された。ハヴェルは直ちに演出家委員会を立ち上げた。最も重要なチェコ人作家からなるルツェルナ・グループのメンバーが、ライヒに徴兵されないようにするためであった。

控えめに言っても、状況は流動的であった。ヴィンクラーはドイツの映画会社の全てを集中的に掌握しようと躍起になっていた。ＵＦＡ、トビス、テラ、バヴァリア、そしてウィーン・フィルムを、政治経済的にひとつ屋根の下に束ねようとしていた。新しい法人はＵＦＡと呼ばれていたが、もはや旧映画会社とは似ても似つかぬものであった。占領地域に手を広げ、ベルリンだけでも五〇〇〇人を超える人々を雇う超組織体であった。一九四一年一一月、プラハ郊外のホスティヴァシュ・スタジオを含むＡＢグループの新しいドイツ人監督委員会で、この会社の名前をプラハ・フィルムとすることが即決された。新しいホールが建設され、映写機を備え、一九四三年のムッソリーニ失脚後にドイツ人によってちびちびと運び出されていたパリやローマのチネシッタの撮影道具がプラハに移された。一九四四年までに、連合軍の空爆によってベルリンの映画スタジオが破壊された後、ゲッベルスは一一月にプラハを視察し、ここは将来のドイツ映画のメトロポリスであると厳粛に宣言した。同じ頃、作家や俳優たちはチェコの地下で定期的に会合を持ち、ライヒ敗北後に出現するであろう新しい社会主義体制の下で、あるべきチェコ映画産業の国有化政策を議論していた。

チェコ人はドイツ人やオーストリア人と一緒に映画を製作した。あるいは一九二〇年代後半や一九三〇年代前半の映画では、同一脚本の違う言語版であったりした。そして彼らにとっても、ＵＦＡとの契約はハリウッドへの大きな第一歩であるとも考えられていた。キュートなコメディアン、アニー・オンドラ（あるいはオンドラーコヴァー）はポーランド生まれで、（最初の）夫は俳優で監督のカレル・ラマチュであったが、一九二〇年代の初めごろプラハで一緒に働き始め、彼女がアルフレッド・ヒッチコック監督のスリラーを含めてイギリス映画に頻繁に出演するようになってから、一九三〇年にベルリンで彼ら自身のプロダクション会社を設立した。彼女がドイツのボクシング・チャンピオン、マックス・シュメリングと結婚して、彼らの道は別れてしまった。（戦後、シュメリングは地方のコカ・コーラ代理人となった。）若いチェコ人女優リーダ・バーロヴァーの登場によって、状況は一変した。彼女は一九三一年にプラハで女優生活を始め、一九三四年にＵＦＡと契約し、ベルリンで憧れの的であったグスタフ・フレーリッヒと共演した（彼らは、映画の中でも私的にも恋人同士であった）。彼女に魅惑されたゲッベルスは、このヴィーナスと結婚するためなら妻マグダと離婚して、党の地位をなげうって大使として東京で暮らしたいと願い出た。このスキャンダルはドイツの歴史に一石を投じるものであった。ヒトラーの説得によって、ゲッベルスはマグダと子供たちのもとに留まった。そしてバーロヴァーは速やかにライヒから故国に送還された。プラハで彼女はいくつかの映画に出演したが、ミロシュ・ハヴェルの庇護の下にあって、当時の作品は彼女の絶頂期であった。しかし、ドイツからの圧力で彼女はイタリアに移り、戦争後期に再び帰国するまでに、チネシッタでいくつかのマイナーな役を務めた。

ペトロ・ベドナジークの優れた実証的研究によって、ドイツ占領者当局が、何人かの受託者や特別委員との紛擾を抱えていたことが明らかになった。プラハでは、特に、映画産業に関係するケースであった。劇場の世界と違って、映画産業は複雑紊乱な組織や事務所を抱え、有名スターの魅力、高額のサラリー、緩慢な金融、ルツェルナ・バーにおける連夜のパーティなど、あらゆる種類の人々が寄り集まり、酒豪の目撃証言によれば、全員が汚職や蔓延るブラック・マーケットから免れるという訳にはいかなかった。カトリック人民党出身のヘルマン・グレスゲンは、極めて典型的な渡り政治家であった。自分の勘定を払わず、教師やジャーナリストとしての以前の生活に戻ることができなくなり、プラハに移ってもなお以前の派手な生活を続けた。自分自身のスーツその他の取得物は言うに及ばず、スターのアディナ・マンドロヴァーに四着の毛皮のコートを献上したが、それらに対して支払いをしなかった。ミロシュ・ハヴェルとの重要な契約交渉が済むと、彼の上役は直ちにグレスゲンを解雇した。長い訴訟の末に、彼はベルリンの裁判所から六か月の禁固刑を言い渡され、その後、二度と映画産業に復帰することはなかった。

バランドフ・スタジオの最初のドイツ人受託者となったカール・シュルツは、一九二〇年代から映画業界で飯を食っていたが、バヴァリア・AGを経てプラハにやってきた。一九四二年、シュルツは、コニャック、食料、織物を含む配給品をチェコ人使用人から購入して、ベルリンで歓心を買いたい人々に安い値段で転売するなど、ブラックマーケットでの活動のために取り調べを受けた。彼はその差額をプラハ・フィルムの資金で埋め合わせをしたのであった。彼は、カウツィオ信託会社の相棒マックス・ヴィンクラーとともに、ベルリンの裁判所から禁固九か月を言い渡された。ヴィンクラーは、戦後に、デュッセルドルフの文化経済映画会社AGのオーナーとして再登場した。

プラハの映画ファン、特に若い世代は、映画の国際的なレパートリーが鑑賞できることについて何らの不満もなかった。そしてアメリカ映画が、ベルリンやライヒのその他の都市と同じように、プラハで観ることができるようになった。少なくとも、一九四一年一二月、すなわちパールハーバーまでは。一九三〇年代半ば、アメリカ輸入版はチェコのマーケットを支配していた(一九三八年に五四%)が、第二共和国になってドイツの作品がトップに躍り出た。アメリカの作品は二番に落ち（三七％）、そして、数年前からチェコの作品は三番（一七％）であった。第二共和国において、民族主義と反ユダヤ主義の感情が強まり、早くも一九三八年一〇月には、プラハの映画は、あまりにインターナショナルな響きの強いタイトルはチェコ語風に名前が変えられた。ハリウッドはマーイ（五月）に、アルファはアレシュ（有名なチェコ人画家の名前）に、フェニックスはブラニーク（チェコの神話における有名な丘）に、アドリアはアドリエに、そしてアポロは、適当な民族主義的粉飾で、アメリカに変えられた。最新のダウンタウン映画は、もともとはブロードウェイと呼ばれたが、最初に、その場所の名前からナ・プシーコピェに変えられたが、後に、ドイツ人の拘りでヴィクトリアと呼ばれた。ミュンヘン後、ユダヤ人俳優フーゴー・ハースの出演した映画は上映されなくなった。その中には、カレル・チャペックの反ファシズム作品の『白いプラハ』も含まれていたが、人々は、平和主義の『至上の栄光』[13]および『ガンガ・ディン』[14]を観た。これらは最初、上映禁止とされたが、人々の絶賛を受けて公開された。一九三八年のクリスマスに、『世紀の楽団』[15]がお祭り的に封切られた。そして後に、レスリー・ハワード（彼はブダペシュト生まれであった）が、『ピグマリオン』のヒギンス教授（言語学者）役で絶賛された。

チェコの映画製作は、共和国の困難な時代でも力強かった――一九三七年に四九本、一九三八年と一九三九年にそ

13　No Greater Glory：一九三四年、アメリカのフランク・ボーゼイギ監督による、ハンガリーのフェレンツ・モルナールの小説『ポール街の少年たち』を基に製作された寓話的反戦映画。

14　ガンガ・ディン：G スティーヴンス監督製作、C グラントら主演の米国の冒険映画（一九三九）.

15　『世紀の楽団』(Alexander' s Ragtime Band) は、一九三八年に製作・公開されたアメリカ合衆国の映画である。アーヴィング・バーリンの原案による自身の楽曲を盛り込んだミュージカル映画であり、ヘンリー・キングが監督、タイロン・パワーとアリス・フェイ、ドン・アメチーが主演した。四人とも前年の『シカゴ』に次ぐ顔合わせとなった。

れぞれ四一本――が、その後は急激に減少し、一九四二年に一〇本だけ、一九四四年に一一本であった。一九四五年には一本だけ作られたが、上映されたのは戦後になってからであった。

ハイドリッヒのプラハ着任後は、「民族の自治」あるいは「民族文化の自治」という控えめな言葉ですら口にすることが憚られた。そこで、プロデューサー、脚本家、そして俳優たちはドイツ民族主義の議論を裏返すことで、しぶとくチェコ人の利益を守った。チェコ人の映画製作者が、自分たちの国の独立を守るために選んだ様々な方法の中には、うまくいったものもあった。過去のチェコ人の生活を描いた歴史的農民のお涙頂戴映画よりも、純粋な娯楽映画(ファシスト・イタリアで、上流階級の世界に関するコメディは、白い電話映画と呼ばれた)の方がましだった。機知、皮肉、そして優雅さを武器にした、侵略戦争の世界に対する抗議の意味を含んだ戦いであった。

保護領で製作された最も人気のあった映画は、音楽家フランチシェク・クモフについての伝記映画であった。彼は第一次世界大戦以前の数十年間に、チェコ民謡を作り、彼自身のオーケストラで演奏し、中東欧全体で有名になった。(オーストリアでは、その同時期に、映画監督ヴィリィ・フォルストが、プロシアとは異なるポピュラーなウィーンの音楽家の才能を賛美した多くの映画を製作した。)『チェコの音楽家フランチシェク・クモフ』がホスティヴァジ・スタジオで、小さなエレクタ・フィルム・グループによって製作され、一九四〇年二月九日にリリースされた。これは、新たな観客動員数記録を打ち立てた。三人の脚本家の合作となったシナリオは、若き教師クモフの物語である。彼は教師としての仕事よりも音楽を好んでおり、学校長はこれが気に食わなかった。彼は停職を言い渡され、コリーンの小さな町に引っ越す。しかしそこで彼のオーケストラ演奏は地域の聴衆を魅了する。そしてまもなく世界中を旅することになる(ツァーリ・ロシアのニジニ・ノヴゴロドも訪れたが、映画の中では触れられていない)。ヴラジミール・スラヴィーンスキーは経験豊富な映画監督であったが、これは彼の最高傑作ではなかった。前半において、クモフが学校を去る場面だけでなく、校長の娘との別れの場面は十分にドラマティックであったが、後半における音楽の演奏やクモフが故郷――両親、妻、そして三人の娘たち――に錦を飾る場面はおよそドラマティックとは言いがたく、中産階級の神聖視とは言えるが、不世出の天才の正当な評価とは言えなかった。

実を言うと、批評家たちは、映画の成功した理由には共感したが、映画に高い芸術的価値を認めたわけではなかった。オットー・ラードルは、『映画批評』の中で、この映画の称賛に値するものはその音楽にあり、優れた演技ではないと論評した。保守的な『ヴェンコフ』の中で、A・Mブロウシルは、俳優の中には素人のような演技者もいた（校長の娘役のヤナ・エベルトヴァーのことではない）ことを指摘した。そして、「ナーロドニー・リスティ」（民族新聞）は、クモフの泣き虫の母親役の有名女優エラ・ノロヴァーを酷評したが、クモフの妻役ジタ・カバートヴァーと、クモフの父親役（国民劇場の）ヤロスラフ・ヴォイタの演技を絶賛した。もちろん、誰もがこの素晴らしい映画を観て、古いメロディを口ずさみながら清々しい気分で映画館を後にした。プラハの観客は間違いなくそのように感じた。三軒のメジャーな映画館は、同時期にその映画を数か月間上映し、プラハだけで三三万七〇〇〇枚のチケットを売り上げた。一九四〇年の国民俳優賞はヤロスラフ・ヴォイタに授与された。劇中、クモフについてどのように思い感じるかを観客に伝えることがヴォイタに要求されたが、クモフ自身を演じていたオトマル・コルベラージに対してではなかった。コルベラージの演技は弱々しい印象を与えたのであった。

種々の異質な専門家が集まって共同制作した優雅なコメディ『青い少女』は、色褪せない絶大な魅力を持ち続けた作品であった。『青い少女』は、ルツェルナ・フィルムがミロシュ・ハヴェルのAB―バランドフ・スタジオで制作し、一九四〇年一月二六日にリリースされ、大いなる評価を得て成功を収めた。（今でも、土曜日の午後早くに、「現代の映画」シリーズで、チェコテレビが放映している。）視聴者の平均年齢は八〇歳前後である。）これは一種のピグマリオン物語である[16]。すなわち、古い絵の物語を映画化したものである。物語はボヘミアの城から始まる。そこのアンティークな家具がオークションで売られている。誰も、若い女性を描いた一七世紀の肖像画に値をつけようとしない。なぜなら、その絵は呪われているという噂があるからである。オークションの監事である弁護士カラス博士は、絵を家に持ち帰る。彼はその肖像画の婦人に心を奪われ、ある夜、絵の婦人にキスをする。すると彼女が額から出てきて歩き回り、魅力をふりまき、非の打ち所がない古チェコ語をしゃべり、「ブランカ＝ブランケンブルク伯爵夫人」

16　自作の彫像に恋したキプロスの王。

と自己紹介し、もう絵の中には戻りたくないと言う。彼女に恋した弁護士は、多くの賞賛者が見守る中、この三一八歳の女性の手を取って、彼女は外国帰りの彼のいとこであると皆の前で紹介する。賞賛者のひとりが、その場に相応しい歴史的服装で、アンティークなマンドリンを奏でながら彼女に求愛した。ブランカは節度のある女性であった。彼女は、ヴラスタに学生であることを打ち明ける。ヴラスタは、弁護士の友人たちに手の込んだジョークを演じるように頼まれていたのであったが、このカップルは電撃結婚することになった。結婚相手として独身男性に目を付けていた若い未亡人にとって大変残念なことであった。

大方の批評家を驚かせたのは、チェコ映画のプロデューサーは、シリアスで下層階級を扱った作品か、あるいは悲劇への強い傾斜を持ちながら、「魅力的な小品」を軽快で快活、そして優美なものに仕上げることができるということであった。A・Mブロウシルは、ヤン・ザーズヴォルカによる建築物の内部や、白黒のコントラストを際立たせるための薄明かりを巧みに利用したヤン・ロートのカメラワークを含めて、スクリーンの優れた絵画的趣向を認めた。批評家たちは、映画の大部分は最も人気のあった時代衣装で演じるドラマの歴史主義的な捩じりの効いたパロディであることを理解していなかった。観衆は、いかに英雄主義であれ、愛国的高潔さであれ、映画を通じて過去に向きあった。「映画批評」に、忘れがたいジャズ風のテーマソング『青い少女』（S・Eノヴァーチェク作曲、K・Mワロー作詩）は流行遅れであるという論評があったが、この歌が不滅のエヴァーグリーンとなったことを考慮すれば、この論評はどうみても的外れであったとしか言いようがない。全ての配役は、それぞれのもてる才能を最大限に発揮する機会を得た。マイナスになる役柄ではなかった。弁護士を演じたオルドジフ・ノヴィーは、タキシードの上着の名前になり、モーリス・シュヴァリエを思わせる自虐性を備えていた。リーダ・バーロヴァーは、言語学の学生としてよりも、黒い瞳のブランカを演じていた。洗練されたナタシャ・ゴロヴァーは、失望した若い未亡人役。家政婦として、永遠のアントニエ・ネドシンスカー。そして、弁護士の秘書として、静かで滑稽なインドジフ・ラーズニチュカ。

しかし、戦前のパリをしばしば訪れ、いくつかのシャンソンをちりばめた軽快で親しみやすいコメディを愛していたオルドジフ・ノヴィーは、ヴラスタ・ブリアンの大衆的魅力を欠いていた。ブリアンは、彼自身の劇場だけでなく、保護領時代にリリースされた八本の映画においても、争う余地のないコメディ王として君臨した。彼はプラハの郊外における庶民的なバラエティ・ショーの出身で、彼の友人たちによれば、彼の色盲は、言語に対する素晴らしい音感、不適切な語法を模倣する才能、そして日常チェコ語をまねる超人的な能力によって相殺されていた。彼の最初の映画は一九二三年にリリースされた。アニー・オンドラおよびラマチとの合作であった。その後彼はその時の路線を貫いた。数年にわたって、彼は着実にそしてグロテスクな程にすぐにそれと分かるチェコの人格を作り上げた。男の看護師（一九三九年の『彼は切符売り場に立った』の中で）、門付け歌手（一九三九年の『街で歌う』）、下級官僚（一九四〇年の『地下墓地』）、あるいは、時間に間に合わない汽車の切符を買った男（一九四一年の、『駅長』）。何百万という大衆的エンターテイナーであったが、プライベートでは、逆説的であるが、「一匹狼」で陰気であった。彼は仲間からは好かれなかった。彼らは、彼の派手なライフスタイル（白い車、大きな邸宅、テニスへの情熱、そして狩猟小屋）が気に食わなかった。一九四五年五月以降、彼は大きな代価を支払わねばならなかった。

保護領時代における政治的に最も曖昧な映画は、フランチシェク・チャープの『ヤン・チムブラ』であった。バランドフ・スタジオにおけるルツェルナ・フィルム製作、一九四一年一一月二一日にリリースされ、クリスマス商戦に間に合った映画であった。シナリオは、カトリック神父でヴィレッジストーリーの多作の作家Ｊ・Šバールの小説に基づいていた。この映画は、その距離感はどうであれ、後々まで議論の的となった。映画の中で、長い兵役を終えた二人の友人が故郷の南ボヘミアの村に帰ってきた。ヨセフは農場の遺産を相続するマリヤーンカと結婚したが、貧しく土地を持たないヤン・チムブラは、農場労働者として重労働を強いられた。今まで通り、ヤンは、みんなに（他の村の若者を除く）、正直さ、知性、そして勇敢さで感銘を与える。彼の友人の死に際に、ヤン・チムブラは、マリヤーンカと子供たちの面倒をみると約束する。そして、ある時、彼らを山火事から救い、マリヤーンカとヤンはめでたく結婚し、村を挙げての祝福を受けた。この映画には、評判の悪いユダヤ人の宿屋の主人の話が含まれている。彼は豊満な黒い髪のウェイトレスを雇い、正直者の農民の息子たちに法外な利子で金を貸す。腹を立てた村の女たちが結束して、ウェイトレスの少女を虐め、宿屋に火をつけ、そしてユダヤ人を村から追い払う。

チェコとドイツの両方の映画の伝統的な類型に拘って、

この血と土の類の映画を論難するのは不必要であろう。農民とその妻たちは日曜日の礼服に身を包み、ヤン・チムブラは耕す前に春の土の香りを嗅ぐ。力強い雲が地平線上に湧く。チムブラがプラハの街を散歩している時、チェコ人の歴史の愛国的モニュメントとして、フラチャニー城、大聖堂の内部、そしてカレル橋を賛美する場面では、イデオロギー的要素が顕現する。しかし、実際のところ、これらのモニュメントは、ルクセンブルグ家、ポーランド人、そしてハプスブルク王朝の人々やその建築家によって創られた共通の歴史のシンボルでもある。不幸なことに、チェコ人農民の女たちがユダヤ人の宿に向かって行進する場面は、一九四〇年一一月末に『ヤン・チムブラ』の一年前にプラハで上演されたヴァイト・ハーラン主演のドイツ映画『ユダヤ人ジュス』におけるヴュルテムベルク市民の反乱シーンに酷似している。スカートをまくりあげて、棘のあるイラクサでウェイトレスを鞭打ち、宿を破壊する農民女性の顔を、カメラは、愛情を込めて映し出している。

一九四五年のプラハ解放の直後、フランチシェク・チャープは映画作品調査委員会に呼び出され、その一年後には国家安全委員会に呼び出され、『ヤン・チムブラ』の「ポグロムのシーン」について尋問を受けた。ドイツの裁判所がヴァイト・ハーランと『ユダヤ人ジュス』の審理を何年も経ってから開始したのとは対照的に、直ちに状況調査に着手したことは、チェコ人の意図として高く評価されよう。（ただし、チャープもハーランもともに免責されたが。）チャープは、二つの議論を結び付けて自己弁護した。このシーンは元々バールの小説に書かれていること、そしてドイツ人のバランドフ「管財人」の強弁によって映画の中に挿入されたと。驚いたことに、二人のチェコの証人――そのうちの一人は、専門の文学史家であった――は、ポグロムシーンは小説から採られたものであったと認めた。確かにバールは、ユダヤ人は「血、言語そして宗教において」異なると信じていたが、彼がユダヤ人に対する暴力を擁護していなかったことは明白であった。小説の中で、ソロモン・シュタイナーの店と宿は、もともと、鉄道で働いている多くのイタリア人やドイツ人の客で賑わっていた。鉄道の仕事が無くなると、シュタイナー（映画では、陳腐なユダヤ人像を表現して、フランチシェク・ロランドがその役を演じた）の店は閑散となった。なぜなら、天使のような妻に守られたチェコ人農民は彼の店を贔屓にすることはないし、彼が店をたたむ決心をしたとき、農民たちは彼を駅まで送り届け、シュタイナーは汽車に乗ってどこか他の場所での開業を目指した。ストッキングを大いに露出したウェイトレス（映画では、国民劇場のスタニスラヴァ・ストロバホヴァーが演じた）は、とっくに町を去っていた。なぜなら、小説の中では、チェコ農民の若者は彼女の魅力に対する免疫ができていたし、村の妻たちには彼女に狼藉を働く理由がないからである。

ヤン・チムブラをめぐる公的議論は、左翼系週刊誌『クルトゥルニ・ポリティカ』（文化的政策）で続いていた。一九四五年一二月末、映画制作再開のために亡命地ロンドンからプラハに戻ったイジー・ヴァイスは、再建共和国における映画事業を手掛けていたシュールレアリスト詩人で共産主義者ヴィーチェスラフ・ネズヴァルに宛てた公開書簡を発表した。ヴァイスは、バランドフの仲間について書くつもりはないことを表明した。しかし彼は、ヴァーツラフ広場にある小さな映画館で『ヤン・チムブラ』を鑑賞し、ユダヤ系のチェコスロヴァキア兵士も観客席にいたが、チェコ映画に登場した最初の反ユダヤ的シーンに直面し、映画の終了後に観客席から反ユダヤ的発言があったことについては黙って見過ごすことが出来ないと付け加えた。彼は自問せざるを得なかった、「ドイツの獣が私の母親をアウシュヴィッツで殺し」、ユダヤ人に黄色い星を付けさせた時に、『ヤン・チムブラ』のプロデューサーは、この反ユダヤ主義映画を制作した後で、なぜ映画の制作が再び許されたのか、と。ヴァイスは、チャープに対して強い言葉を用いたことを謝罪しなかった。そして彼は、大衆小説および映画作家のヤロスラフ・ジャークによって全面的に支持された。論争が続く中で、読者からの手紙が二通紹介された。それらは、田舎におけるユダヤ人の胡散臭い商売を暴露する手紙であった。

チャープは、クーデターによる共産党の権力奪取後にプラハを去り、西ドイツで映画制作を続けた。その中に、『ハゲワシ（強欲）のヴァリー』という定評のお涙ちょうだい物がある。その後ユーゴスラヴィアに移り、チトーの映画を立て続けに制作した。そして一九七九年に、ポルトロシュで死んだ。イジー・ヴァイスは、一九六八年に二度目の出国をし、ニューヨークのハンター・カレッジで教鞭をとった。ドイツ占領下のチェコスロヴァキアを描いた映画をもうひとつ制作した（西ドイツ＝フランス共同制作）。そして、二〇〇四年、カリフォルニアのサンタ・バーバラで、九一歳の生涯を閉じた。『ヤン・チムブラ』が、今日でも市場に出ており、反ユダヤ的シーンについては一言も触れることなく、「チェコ映画撮影術の至宝」として映画ファンに推奨されているのは、いくら控えめに言っても、奇妙なことである。

保護領時代に制作された最後の映画は、ヴァーツラフ・クルシュカの『川の魔力』であった。この作品の上映は解放後であった。最初は全国三〇の映画館で、そしてプラハでは、一九四六年一月二五日に封切りであった。この映画は、チェコ映画制作史上、第三帝国最後の数か月に制作され、終焉後に上映されたドイツ映画『橋の下で』に対応している。『川の魔力』は、クルシュカの故郷、南ボヘミアを美しく描くことによって、血と土の光景へと堕することを免れたのであった。風景、とりわけ川（オタヴァ川とサーザヴァ川がひとつに合流する）が、歴史や国の運命としてではなく、個人の運命に沿って映し出されているからである。

クルシュカは小説家としてスタートした。プラハから遠く離れたところで、彼の生涯の精神的指導者となった、生命と感覚的アナーキーの詩人フラーニャ・シュラーメクから多くを学んだ。彼が映画の中で何らかのイデオロギーに頼っているとすれば、それは抒情的人民主義である。ブルジョワ市民よりも、川岸にたむろする人々、放浪者、漁師、農場労働者、そして製粉業者を好んだ。川は流れ続け、神秘的に若返り、絶えることがない。生きた水の近くに留まれば、道を過つこともない。年老いた商業カウンセラー、コハークの身の上におとぎ話のような変化が起こる。ある日、彼は威張り散らす妻を捨てて、物寂しい家を飛び出し、若き日の思い出の地、南ボヘミアをあてどもなく彷徨った。シュールレアリスト詩人フランチシェク・リストパッドは、「ムラーダー・フロンタ」（若者の戦線）の書評の中で、クルシュカの作品について、「年配の紳士のための映画」であると皮肉っぽく書いた。しかしクルシュカはリアリストではなかった。現実世界に対して彼はほとんど関心がなかった。保護領時代における映画制作者の数少ない象徴主義者のひとりで、彼は、非日常的なカメラアングルを実験的に試みていた。重ね合わせを繰り返して、違ったショットを組み合わせた。そして真に抒情的方法で、少数の幸せな人にしか聞こえない川の声を聴きながら仕事をしたのであった。クルシュカのその後の傑作は、『川の上の月』（一九五三年）、同名タイトルのフラーニャ・シュラーメクの劇作の映画版であった。生涯、自分で役柄を選び通したダナ・メドジツカーが若い女性の役を演じた（恐らく、彼女はチェコ映画界で初めてのフェミニストであった）。一九五〇年代の後半までに、クルシュカが、「個人主義」やその他の罪状を挙げて彼を非難した共産主義批評家と深刻なトラブルに陥ったことは、驚くに当たらない。彼は芸術家であり続けた。彼は孤高の芸術家であった。そして一九六九年に死んだ。その年には、若い世代が強硬路線の人に戦いを挑み始めた。

――――――

ドイツ占領期のチェコ映画制作史をたどるとき、利敵協力者、密告者、ファシスト、そして民族の名誉毀損者に対して、一九四五年五月のプラハ解放後に起こった百万人以上の市民に影響を及ぼした革命的報復を考慮に入れなければ、理解を誤るであろう。脚光を浴びていた人々が真っ先に逮捕された。少なくとも、その中の一人は回想記の中で書いた、街で群衆からリンチを受けるよりも監獄の中のほうが安全である、と。リーダ・バーロヴァーは、一九四四年、ローマからプラハに戻った。そこでは、ハンス・アルベルスが彼女にバイエルンに行くよう忠告した。忠告に従って一九四五年の春にバイエルンに行くと、彼女はたちどころにアメリカ対敵情報活動将校に逮捕され、ミュンヘンで投獄された。そしてプラハに送還された。そこでは、彼女は反逆罪で告訴される危険性があった。彼女の母親は尋問を受けている時に心臓発作を起こして死んだ。そして有能な女優であった妹ゾルカ・ヤヌーは窓から飛び降りて自殺した。リーダ・バーロヴァーの後半生は、憂鬱な映画を思わせる。一九四七年、彼女は釈放された。獄中における彼女の日課は、警官の食堂のメニューをタイプする仕事であった。そして、散々トラブルを巻き起こした末に、新しい夫ヤンと一緒にプラハを去り、オーストリアに移住した。彼女はザルツブルクに居を構え、離婚後に再婚し、再び多くの映画をイタリア――フェリーニの『青春群像』――、そしてスペインで制作した。一九九〇年四月に、束の間、プラハに戻った。その後、幾度か、束の間の滞在を繰り返した。二〇〇〇年、ザルツブルクで一人静かに死んだ。数か月後、プラハにおける彼女の灰の改葬に参列したのは一握りの人々だけであった。

地方の鉄道検査官の気ままな娘、アディナ・マンドロヴァーは、著名人や富裕層などの上流社会の生活に憧れていた。一九三二年から一九四三年まで、彼女は四五本のチェコ映画に出演した。フーゴー・ハースやオルドジフ・ノヴィ、毒気の無いドイツ・コメディで喜劇俳優ハインツ・リューマンらと共演し、一九四三年、国民映画賞を受賞した。彼女は映画の内外で妖婦を演じた。チェコの恋人をほったらかしにして、ドイツ・バランドフ管財人と余りに親しかったり、一九四五年五月には投獄されて、K・H フランクの情婦として告発された。釈放後、彼女はイギリスのパスポートを持った空軍パイロットと結婚してイギリスに渡り、舞台や映画に戻る努力を重ねたが、一九六六年、『ハロー・ドーリー』の出演要請を受けてプラハに招待されたときには、もはや役柄の勉強を仕上げることができなかった。彼女は八一歳でプラハに戻って死んだ。彼女の機知に富んだ正直な回想記が一九九〇年に出版された。

ナタシャ・ゴロヴァーは、一九三〇年代から四〇年代のチェコスロヴァキアの若い映画スターの中で、とりわけフラッパー（現代娘）、給仕、あるいは洗練されたティーンエイジャーとしての役回りで注目された聡明な女優であった。彼女は、カレル大学の著名なチェコの歴史家の孫娘であった。そして彼女自身は、舞台、モダンダンス、あるいは映画の世界と縁を切るべきかどうかを長いこと躊躇していた。彼女はパリで研究生活を送り、よくプラハの彼女のもとを訪れたトリスタン・ツァラと恋に落ちた。その後、ドイツ・バランドフ管財人のひとりで、プラハで研究生活を送っていた北モラヴィア出身のヴィルヘルム・シェーネル博士と恋に落ちた。一九四五年五月、彼女は解放されたテレジーンの看護師として志願し、そこで猖獗を極めていた腸チフスに彼女自身も罹病した。懲罰裁判では無罪となり、チェコ市民権は短期間シェーネル（彼は後にウィーンのUFAコーポレーションの代表になる）に戻されたが、ナタシャ・ゴロヴァーは地方の劇場に飛ばされ、時々、映画やテレビに出演することがあった。彼女は、一九八八年に、七六歳で、救恤施設において他界した。

ヴラスタ・ブリアンは、一九四五年五月に逮捕された。そして彼の罪状を取り調べた検察官が、人民裁判にかけるに値しないと裁定した、九月まで拘束された。しかしながら法的審理はこれで終わりではなく、秘密警察による介入の始まりであった。人民裁判は免れたが、ブリアンは、一九四六年の刑罰委員会によって、一九四七年の特別刑罰委員会によって裁かれた。彼の以前の無罪判決は取り消され、公序良俗違反の罪で、罰金五〇万クラウンの科料および禁錮三カ月の実刑が言い渡された。判決理由は、彼のドイツ人との社会的関係は「必要限度を超えていた」というものであった。彼が、ヤン・マサリクをやり玉に挙げた反ユダヤ主義的寸劇を演じたことは言及されなかった。彼は、一九五三年以後、散発的に演技を許されたが、多かれ少なかれ、失意のうちに一九六二年に死んだ。名誉回復は、ようやく一九九四年であった。

一九四五年六月三〇日、ヴァーツラフ・コペツキーは、共産主義者文化相ミロシュ・ハヴェルを公然と攻撃した。そして一〇月、特別委員会は、コペツキーに対して今後の映画界での活動を禁止する決定を下した。彼は懲罰裁判にかけられることになったが、訴訟手続きが一九四七年一二月に停止された。その後、彼はオーストリアに逃走した。彼は、オーストリアでソヴィエト警察によって逮捕されプラハに連れ戻された。そこで、彼は二年以上の強制労働の判決を受けた。一九五二年、彼はドイツ連邦共和国に逃走することに成功し、ミュンヘンで起業してチェコ料理の人気レストランを開店した。その店は、俳優、知識人、そしてラジオ・フリー・ヨーロッパの従業員に人気があった。彼は古い信託会社と争って、一つのケースに勝利したが、彼の共同経営者は、彼を欺いて利益を奪い、彼が一九六八年の初めに死んだとき、彼が弟に残したものは一七一ドイツマルク、一五ペニッヒ（一〇〇分の一マルク）だけであった。その年の四月初め、彼の遺灰はヴィノフラディ・セメトリーにあるプラハの彼の家族の墓に移された。その時の写真には、まばらな人込みの中に、サングラスをかけ、ロングハアースタイルで、チェコ共和国の将来の大統領となる、彼の甥の姿が写っている。

テレジーンとの通信（個人史）

私たちは、テレジーンに移送された祖母、叔母イルマ、そして母に何が起こっているのかほとんど知らなかった。プラハでは様々な噂が流れていた。テレジーンや、もっと東の収容所から出された前刷りの葉書きを受け取る人もいた。無事に届くことを期待して小包が送られた。何が真実であり、真実でないのかを推測することは困難であった。テレジーンの日常生活がうまく回るようになればコミュニケーションももっと取りやすくなるだろうと多くの人は期待した。あるいは、当地の小さなSS分遣隊をサポートするよう命令を受けたチェコ国家警察の特別派遣部隊に望みをつないだ。歴史家ミロスラフ・カールニーは、そのようなチェコ警察官の戦時行動を分析した。彼らは高給取りであったが、彼らの中の三%は、被収容者を援助したという理由で戦時中にドイツ当局によって逮捕された。この数字には、到着した荷物をチェック（「水門」と呼ばれていた）した時に被収容者の煙草、宝石、あるいは香水を着服したとして短期間収監された一六人は含まれていない。一四人の警察官は、ユダヤ人を様々なやり方で助けたという理由で重い懲役判決が下され、ラーヴェンスブリュック、マウトハウゼンあるいはテレジーン小砦の強制収容所に送られた。そして、彼らのほとんどは、一九四五年五月以降に生還したが、ヴィレーム・ヴラフとJ・Aチェルニーの二人は、小砦で非業の死を遂げた。

私は父の行動をよく知らなかった。いつも謎であった。親切な警察署を通じての手紙のやりとりは、大変高くついた。一九四二年と四三年の数か月間、断片的に手紙が届き、私たちは母に返事を書いた。私は時々、詩を同封した。一九四二年六月二〇日、移送列車でプラハからテレジーンに移送された七五歳の祖母は、二、三週間かそこらで死んだ。この時に移送された人々のうち、九二八人が帰らぬ人となり、七三人が生き残った。「彼女は壁にもたれ掛ったかと思うと、動かなくなった」と聞いたのは、その時だったか、後になってからであったか、定かには憶えていない。だが私たちは、少なくとも、彼女が何かを患っているようなことはなかったと感じた。母は、一九四二年七月二三日、移送列車で移送された。この時の人々は、九四七人が帰らぬ人となり、五二人が生き残った。しかし私たちは長い間、彼女の状態を知らなかった。父が善良なチェコ人警察官と接触をもち（お金に糸目を付けなかった）、母が胃を患っており、特別な薬が必要であることを聞き出した。闇市でスイスの薬剤（チバであったと思う）を入手するのは簡単ではなかったし、薬剤が無事に母に届いたかどうかも分からなかった。ある日父は、母が出血性潰瘍で治療もできないまま死んだという報せを受けた。かなり後になってから、私は、プラハユダヤ人共同体から、母が一九四三年六月二六日、五一歳で死んだという文書を受け取った。

四年後に、私は、テレジーンでの母の様子を聞くことになった。それも、もっとも意外な場所、プラハの文化省においてた。私はウィーンでフランツ・カフカについての講演を依頼された。占領下のウィーンへ行くために、チェコ共和国からの出国ヴィザを取得する必要があった。まずは、文化省から始め、次に、ソヴィエト軍令部の窓口の順で手続きが必要であった。共産主義者に占められた文化省の小さなオフィスに招かれた時、私にはヴィザを取得できる可能性はほとんどないと諦めていた。カフカは同志たちにとって文化的英雄ではなかったし、ブラウスに党の徽章を着けた厳格な顔の女性は、カフカを気に入っているようには思えなかった。しかし、彼女が請願書にある私の名前を見た時、彼女は突然人柄が変わった。彼女は、数か月間、私の母と同じ藁の上で過ごしていたと私に言った。私の手紙や詩の全てを一緒に読んだこと、家からの手紙が届いた時、どんなにか母が幸せであったかを語ってくれた。私は直ちに承認印をもらった。一旦チェコの同志が私の旅行を承認すると、ソヴィエトの文書は単なる形式に過ぎなかった。こうして私は、一九四七年の夏、飢えた戦後のウィーンで、カフカについての初めての講演を行うことができた。私は後日、母と彼女の形見は全て焼かれ、灰はボール紙に入れられた後、テレジーンの近くを流れるオージェ川に捨てられたことを知った。灰は流れて、大きなエルベ川に合流し、流れに乗って広々とした北海の自由にたどりついたであろうと、心に描いた。

収容所と刑務所にて（個人史）

一九四四年九月の終わりごろ、私は、ゲシュタポから半ユダヤ人の移送命令を受け取った。いくつかのグループが、少し前から、プラハの二〇マイルほど南にあるベネショフの近くの収容所に送られていたので、私もそこに送られるものと漠然と考えていた。出発は急な話であった。出発の一週間前に、私の本屋の仕事を引き継ぐために、ウィーンからチェコ人の若者がやってきた。私は彼に仕事内容を教えた。二人のゲシュタポがレザーコートに身を包んでやってきた時、私は奥の部屋に追いやられて、ヨセフは床を掃くふりをしながら、彼らに媚へつらう女主人との会話を盗み聞きした。（彼らは私のことについて話をしていたので、ヨセフは用心するよう私に言った。）私は愚かにも、彼らが単に私をチェックするために来たものだと思い込んでいた。しかし状況はもっと複雑であった。私は、ベネショフの近くに移送されるものと信じていたが、それは間違っていた。そこは、周知の通り、有名なテノール歌手ヤーラ・ポスピーシルがときどき彼の仲間の囚人を慰問に訪れ、オペレッタの舞台で流行歌を歌った（一九四三年）場所であった。

一〇月初め、私たちはフラチャニィ丘にある小さなヴィラに集合した。ほとんどの若者や中年男はチェコ語やドイツ語を話していたが、うろうろしたり、ベネショフの近況について会話したりしながら時間を過ごしていた。一度、ゲシュタポの司令官ハンス・ギュンターが顔をだし、一時間ほど状況を冷静に視察した。幸いなことに、暖房設備の奥で、いつも夕方に仕事をしているユダヤ人の若者が帰宅し、わずかなチップで私たちの家族に電話で現在の私たちの状況を伝えてくれた。文学者たちは、自然と、互いに惹かれあったようだ。私が最初に親しくなった人物は、フリードリッヒ・スロッティ教授の息子であった。教授は、ギリシア語の統語論とエトルリア語の研究で有名であった。以前はイェーナ大学に身を置いていたが、プラハの言語学サークルのメンバーのひとりであり、プラハのカレル大学から追放された。戦後、ドイツ民主共和国の最も卓越した言語学者となった。

翌日の早朝に、私たちの汽車はヒベルンスカー鉄道駅を出発した。三〇分も経つと、我々は、ボヘミアの南方ではなく、北方に向かっていることが明らかになった。我々の見識ある技師の委員会の自称「賢人」が、我々の汽車がアウシュヴィッツに向かっていることはありえないと宣言した。我々は、通過する小さな駅名を見ながら、賢人が危険は去ったと言うまで恐怖に慄いていた。我々は、シュレジアのブレスラウに向かっていた。しかしながら町の手前で汽車は突然停止した。我々は、ぞろぞろと汽車から降りた。そこは何もなく、四方の地平線は見渡す限りの平原であった。後から聞いたところでは、そこはクライン・シュタインという場所の近くであった。そこに雨露をしのぐためのキャンプを造らねばならなかった。翌日の夜明けの光の中に、キルギス部族民とその家族の住まう平形のテントの集落を間近に見た。彼らはドイツの応援（労働）部隊としてソ連を後にした人々であった。彼らは、空軍の飛行場建設に従事していた。我々もその仕事を強制されることになるが、新しいキルギスの友人ほど意欲的ではなかった。

あの有名なドイツの鉄の組織力は、幸いなことに、どこにも見当たらなかった。全てについて少しずついい加減だった。そして、木造のバラックの壁とベッド（木の箱の上に干し草を敷いたもの）を作り終えると、私たちは平原を横切ってぶらついていた。ひっそりとした古い教会や、宿屋らしきもの、たぶん空軍の売春宿があった。多くのブロンドのレディたちが新鮮なビールを注いでくれたり、その他諸々のサービスをしてくれた。ただし、ライヒスマルクを持っていればの話だが。私は持っていなかった。衛兵は見当たらず、キャンプの指導者になりつつあった我らの賢人は、アウシュヴィッツその他の収容所にいくぐらいならここで働いた方がましだと公言した。私は第一の原則を学んだ、すなわち、夕食のスープは早く並ぶと損だということだった。スープの中身（麺など）は、大きな鍋の底のほうに沈んでいるからであった。我々全員が採石場で働いていた。大きな石を細かく砕石した。時々、キルギスの仲間が、駄馬と二輪荷馬車でやってきて、彼が「満杯だ」と言うまで、我々はシャベルで砕いた石をすくって馬車に積んだ。そして、我々はハンマーやシャベルの上で休憩した。まったく退屈な一日であった。私は思考力を維持するためにイヴァンと協同した。彼は、偶然、以前のプラハのスクールメイトであった。彼は、理由は定かではないが、アラビア語を勉強していた。彼は、複雑なアラビア語の名詞の複数形を教えてくれた。「満杯だ」というアラビア語に対して、キルギス語で返事ができるまでになった。（イヴァンは、戦後にカナダのトロントで歯医者になった。）

私はアラビア語の勉強を続けたかったが、ある日の早朝、グリーンの制服を着た通常のドイツ人警察官が私のベッドの真ん前に現れて、我々の賢人の一人の目の前で私を逮捕し、ゲシュタポの取り調べがあるのでプラハに連れ戻すと言った。彼は私に荷造りをさせると、手錠を取り出して片方の輪を私の手にかけて、他方の輪を彼の自転車にかけた。彼は白転車を押し、私はその横をとぼとぼと歩いた。私たちは驚きの視線の中を、収容所を抜けて行き（ちょっとした栄光であった）、秋の牧草地を歩いてクライン・シュタイン警察署に着いた。そこで、小さな豚箱に入れられた。続く数日間、私はそこで寝起きした。私は「移送」されると聞かされた。令状に署名したゲシュタポ将校による取り調べのために、監視つきで監獄から監獄へと移動を繰り返すであろうと。

翌日、私はパトカーでオッペルンに移送された。そこでは、私は通常の監獄に入れられ、言わば客人であったので、なんの特権もなかった。施設は、ゲシュタポではなく、法務大臣によって厳格かつ守旧の規則に従って運営されていた。昼のポテトは暖かかったし、中庭の散歩に毎日参加し、労働時間のほとんどは紙の封筒はりと、ルーチーンの仕事としてトイレ掃除で過ごした。そして、老年の配膳係が社会民主主義者であると自己紹介し、何か読みたいものがあるかと聞いてきたときに、イギリスの小説なら歓迎だと伝えた。ドイツ語訳ではあったが、ゴールズワージーの本を持ってきてくれたときには彼の勇敢さに感激した。

移送の時に私はナチの体制の弱点を垣間見た。人通りのない早朝に、監獄から駅まで私たちを歩かせたことに驚きはなかった。私は、オッペルン鉄道駅の朝のことを忘れないだろう。監視役の緑の服を着た初老の警官と一緒にそこで汽車を待っている時、近くにいた移送中の三人のイギリス人捕虜に気づいた。栄養十分な血色のよい顔で、清潔な、よくプレスのかかった戦闘服を着ており、彼らを監視している年老いたドイツ人歩兵のよれよれの制服と対照的であった。映画の中でイギリスの将校がするように、彼らは小さなバトンを誇らしげに見せていた。この戦争の勝者と敗者が分かった、と私は独り言を言った。

悲しいかな、その日、私は希望を失った。古めかしい囚人列車は、細かく仕切られており、囚人は各人が狭いスペースに閉じ込められたが、幸いなことに、木製の仕切りが破れて穴が開いていたので私は隣人と話をすることができた。彼は、老いた共産主義者で、グロス・ローゼン強制収容所からアウシュヴィッツに送られるところであり、この列車はそこに向かっているのだ、と言った。彼は、私が移送中に出会った善良な男であった。私が空腹を訴えると、彼は仕切りの穴からパンをくれた。私がパンのかけらを食べている間に、汽車はアウシュヴィッツに到着した。そして、SSに連行されていく恩人の最後の姿をちらりと見た。

私はアウシュヴィッツについて、あまり語ることができない。なぜなら、私は、この小さな町の別の区域――町があった――に連れて行かれたからである。そこで再び小さな監獄に入れられた。この地獄からそれほど遠くない所に、不思議な田園風景を見ることができた。当地を管轄していた警察人事は、警部補、彼の忙しい妻の女警部補、三人のウクライナ人若者であった。そして、警部補は、囚人たちを、泊り客、奴隷、そして買い物をしたり、芝を刈ったり、何か役に立つことをする雑用係であると見做していた。それでも結束が固かった訳ではない。私が空腹を訴えた時、係のウクライナ人が、著名なプラハの作家から記念品としてもらった腕時計と交換で、豊富な蓄えの中からパンの半斤をくれた。私はそのことを、戦時中も戦後も、父に話さなかった。再び、鉄道駅まで歩かされてアウシュヴィッツを後にしたときは、どれほど嬉しかったことだろう。そして一二時間かそこら、ゆっくりとした汽車に乗って、ことあろうに、素晴らしい古都ブルノに着いた。よく知られた地方刑務所ナ・チェイルに入れられた。ここには、古き良き時代には、すりや売春婦が留置されていた。

そこの大きなホールは、留置された囚人が群居する場所であった。そして移送中に、私たちは、長期間取り調べを受けている人、戦争犯罪人、レジスタンスで戦い続けているチェコスロヴァキア軍将校、そして闇市商人といった大層興味深い人々と出会う素晴らしい機会を持ったのであった。冒険譚をしてくれたソヴィエト空軍大尉や、著名なモラヴィアの弁護士であった二人の背の高い、白髪の兄弟――高校時代に、私は、彼らの姪と一度デートしたことがあった――のことをよく憶えている。それを今更、彼らに話すことでもないと思った。週に一度、散髪屋が髭剃りにやってきたが、不幸なことに、彼の剃刀は切れの悪い使い古しであった。私はよく窓の傍に座って、通りの向こうを見やっていた。多目的ホールの崩れかけた建物があった。少年の頃、日曜日になると、私はよくそこの曲芸を見に行ったものであった。そしてしばらくの休憩の後に、ホールの反対側のスクリーンに映画が映しだされた。私はばあやとテーブルに座って、レモネードを啜り、バスター・キートンの映画が始まると、そちらに顔を向けた。ナ・チェイルは活気があったが、移動しなければならなかった。プラハのパンクラーツ刑務所に移送された。そこはゲシュタポが管理しており、私は人生最悪の日々を経験した。

ゲシュタポとの対決（個人史）

移送の途中、私にはゲシュタポとの対決についてじっくりと考える時間があった。そして私は対面時のやりとりをあれこれと想定して、心の中で何度もリハーサルした。ゲシュタポは、少なくとも、私に「非合法活動」というキーワードをくれていた。その言葉は、オッペルンの監房の壁に掛けられた黒板にきれいな字で書かれていた。問題は、「戦争期間中の私のどのような行動が、東の収容所からプラハの収容所に移送するに値する重大なものであったか?」ということだった。私が熱心な読者にトーマス・マンあるいはベルトルト・ブレヒトの本を売ったことを誰かが警察に密告したか? 我々のアパートで詩の朗読会をしていたこと、あるいは、私が精魂込めて抒情詩のアンソロジーをタイピングしていたことを突き止めたか? あるいは、私の友人エリザベトの活動に私が関わっていたと考えたのか、あるいはむしろテレジーンの飢えたユダヤ人のために食糧を確保しようと努めていたアルジビェタのグループに関わっていたと睨んだのであろうか。色々な可能性について考えれば考えるほど、この最後の仮説の可能性が高いと確信するようになった。エリザベト自身は一九四三年に逮捕された。そういえば二人のゲシュタポ隊員が本屋に来ていたのを思い出した——なぜ、本当に?——、そしてまたマルケータを思い出した。彼女は若いチェコ人女性で、本屋に現れてエリザベトと同じようにパンフレットを印刷するつもりなら小さな印刷機を提供するという話をもちかけて、エリザベトの仕事を続けるかどうかを私に聞いてきた。私は、所詮、文学青年であった。

すべては、私がプラハ・アカデミツケー・ギムナジウム（一九三九年）に転校した後に起こった。授業の合間に廊下を行ったり来たりしている時に、同級生とは雰囲気の違う、あるいは私にはそう思えた女の子とすれ違った。彼女は赤みがかったブロンドで、額が高く、少し風変わりな服装をして、いつも一人で歩いていた。放課後、私は彼女と同じ電車で川を渡ってレトナー丘まで行き、そこで電車を降りるとすぐに彼女に声をかけた。私は彼女の家まで一緒に歩いて行ったが、私たちは同じ所をぐるぐると回っていた。彼女はウィーンからやってきた半ユダヤ人であり、彼女の母と暮らしていることが分かった。彼女の父は既に他界していた。彼女はチェコ語に難があったが、一生懸命に努力してぐんぐん上達した。私からの質問を予測したかのように、彼女は、デート、ダンス、あるいは映画鑑賞の時間がほとんどないと言った。

私たちは、ドイツ語かチェコ語をしゃべりながら時々デートした。そんなある日、彼女の母親が私を呼びに来て、彼女たちのアパートにゲシュタポが踏み込んできてエリザベトを逮捕して連れ去ったこと、ゲシュタポがアパートに引き返して来る前にエリザベトの小さな図書室を片付けてほしいと言った。何冊かのマルクス、エンゲルスおよびレーニンの著作をその場で燃やし、何冊かは私が持ち帰った。なんとか間に合った。ゲシュタポは戻って来ると母親も逮捕したのであった。

数か月後、本屋にマルケータが現れ、エリザベトの親友だと自己紹介した。そして、それとなく、彼女のグループのメンバーのひとりとして印刷機を渡す準備が出来ていると言った。私は困惑した。しかしそう長くは続かなかった。私は本能的に何かおかしいと感じた。マルケータは身だしなみがよくとても器量よしであったが、エリザベトの本棚にあったレーニンの経験批判論批判を考慮すれば、エリザベトの親友にしてはインテリジェンスに乏しいと思った。エリザベトの親友にしてはインテリジェンスに乏しいと思った。エリザ地方でのソヴィエトやスロヴァキア人パルチザンの活動に関するマルケータの挑発的なものの言い方は、はっきり言って馬鹿げていた。それは、彼女が私というものを全く分かっていなかったからであった。強制収容所送りの期限が迫っていたので、私は二重のゲームを演じることに決めた。同じ会話の繰り返しを避けることは容易ではなかったが（彼女のシースルーのブラウスは、彼女がもたらすニュースと同じくらい誘惑的であった）、精神的興味、すなわち魂の広い内的領域、とりわけ詩について一心不乱に語り、パルチザンがモラヴィア国境に迫っているとかいないとかというニュースには全く興味を示さない純朴な間抜け役を演じ続けた。私は時々、リルケの『世界内空間』から剽窃したが、彼女は全く理解できなかった。私は彼女とカフェ・ヴルタヴァでジャズを聴いて楽しんだが、彼女は絶えず私の話を形而上学から政治の世界に向けようとしていた。私がこの間抜け役を守り通したことは幸いであった。なぜなら、彼女はゲシュタポのチェコ人エージェントであることが判明したから。

プラハで、私たち囚人はヒベルンスカー鉄道駅行きの隔離車輌に入れられた。七週間前も同じ駅から移送の旅が始まったのであった。早朝の時間、全てが静まり返って遠くの機関車の音も聞こえてきた。六時には、鉄道員が、長いハンマーを持って車輪の点検をしながら車輌に沿ってゆっくりと移動していた。彼がこちらに近づいてきたとき、私は素早く窓を開けて、父に電話をかけてくれるよう彼に囁くと、シャツの中に隠しておいた鉛筆の使い端で電話番号を走り書きしたトイレットペーパーを窓から投げて渡した。彼は車輪を叩きながら遠ざかっていったが、彼は私の願いを聞き届けてくれた。八時に、私たちが鉄道駅を通って行進した時に、父が（いつものガールフレンドと一緒であった）出口の近くで待っていてくれたから。私は再び手錠をかけられた。それでも、パンクラーツ刑務所ではあったが、私が戻ってきたことを報せる機会があった。私の看守はルーマニア出身の人種的にはドイツ人で、SSを志願しており、それに相応しい行動をとっていた。

私が入れられた地下の監房は、一人か二人用の部屋であったが、そこに六人が押し込まれた。私はオッペルンでの独房監禁や、ブルノ刑務所の広いホールで過ごした快適な日々を思い出した。私たちは常に空腹であった。互いに、心地よいレストランでの楽しい豪勢な食事について語り合ったりしたが、現実の共同生活は最悪であった。常に誰かが排尿排便中で、水洗は最小限度であり、私の生活感覚には到底合わなかった。朝、看守がドアを叩くと、年長者が「全員元気」と叫ばねばならなかった。それでも看守は中に入ってきて、私たちの頭を便器の中に突っ込んだり、廊下に連れ出して、特別の体操をさせた——すなわち、壁のところで手を挙げたまま疲れ果てるまで数時間立たせたり、気を失うまで腕立て伏せをさせた揚句に蹴ったり鞭打ったりして蘇生させるのであった。尋問や次の移送先を待つのはもっと酷かった。水曜日の朝には、絶望的な恐怖の場所テレジーンの小砦に送られる囚人の名前が読み上げられた。私の囚人仲間の一人で、スイスへの越境を試みてオーストリアの山中で捕まった年配の学生が名前を読み上げられると、彼は突然蒼白になった。一瞬にして顔色が激変したところは忘れられない。

数日後、私の番が来て、ペチカールナに行くことになった。そこは以前、ペチェック銀行、石炭、そして鉄工業などの企業をテナントとした宮殿のような建物で、現在はゲシュタポの本部が置かれていた。私たちはSS隊員の監視の下、小さな椅子に座って待っていた。それから取調室の前室に上がっていった。もし私が小説家であれば、その部屋でマルケータが爪を研いでいたと書いたかもしれないが、事実はそうではなく、彼女はそこに座って古いタイプライターをパチパチと叩いていた。私は驚いたが、机の後ろにゲシュタポ隊員が現れたので少し失望した。彼はずんぐりした体にぴっちりとした四つボタンの黒いスーツとシャツを着こみ、黒いネクタイを締めていた。軍人らしくない長髪であった。（後年、私はカフカの多くの作品を読んで、私の想像力の中で彼は主人公Kの子分のひとりに似ていると思った。地方のオペレッタのテノール歌手のようであった。）私は、前もって準備していた細やかなスピーチをする暇を与えられなかった。審問官は、なぜ私が逮捕されたと思うかと聞いてきた。私は、オッペルン刑務所の黒板にあった「非合法活動」について語り、前室にいる少女マルケータとの出会いを語った。彼は彼女の仕事をあまり評価していないようであり、肩をすくめただけであった。政治の世界に関心が無いという私の言葉を信じていないようであった。

彼は、私の家族のことを知悉しているようであった――テレジーンで死んだ母、ドレスデンの刑務所にいるおじ――、そして最も強い関心を示したのは、私たちのアパートにおける詩の朗読会のことであった。明らかに誰かがドイツ当局にこの集まりのことを密告したのだ（私は若い俳優を疑ったが、確信はなかった）。ゲシュタポ隊員は、すでに、私の友人で古いボヘミア貴族の家系であるカリに聞き取り調査をしていた。少なくとも、我々の集まりが共産党によって組織されたという結論を導き出すことは出来ないだろう、と私は自分に言い聞かせた。しかしながら私は彼の真意を知らなかったのである。彼は決して声を荒げたり叫んだりしなかった。如何にもプロフェッショナルなやり方で、我々が詠んで議論した詩や詩人について聞き出そうとした。私は、現代詩人ではなく、歴史的な詩人について話した。彼は古風な警官らしい雰囲気を醸成することによって、もし万一ゲシュタポが裁判にかけられた時に、私を証人として使うつもりでいるのではないかと疑うような瞬間が多々あった。尋問は、どちらかというと試験のようであったが、三日後にも繰り返された。私はパンクラーツ刑務所に戻され、半ユダヤ人のもうひとつの収容所に移送される予定であると告げられた。そして一九四五年の一月の前半に移送された。

今となってみれば、プラハのゲシュタポがエリザベトについて私を詰問しなかったのは当然のことだった。ゲシュタポは、彼女と彼女のグループについて私よりも遥かによく知っていたのだった。エリザベトの母親は、刑務所を出てウィーンに戻り、戦後になってから、小さなグループを組織して維持したのはゲシュタポであったことを私に教えてくれた。このような組織はひとつだけに止まらなかった。エリザベトについての研究書『彼女はリーサと呼ばれた』を著わした二人のチェコ人歴史家、アレナ・ハーイコヴァーとドゥシャン・トマーシュクは、ゲシュタポが共産党の古参の党員を情報屋に「豹変させた」可能性を指摘している。いずれにしても、一九四三年八月六日、エリザベトを含むグループのメンバー全員が逮捕された。彼女は最初パンクラーツ刑務所に投獄され、後に、テレジーンの小砦の女性棟に移送された。彼女の親友ハンカは、一九四五年五月一日、突然小砦から釈放されたが、五月三日、エリザベトは中庭に連れ出されて銃殺された。ナチ・テロルのテレジーンにおける最後の犠牲者であった。（K・Hフランクによる処刑命令の伝令者は、他でもない、グループを統括していた「テノール歌手」ゲオルグ・フリードリッヒであった。）私は後に、エリザベトの名前が――チェコ名で、アルジビェタ・シュヴァルツォヴァー――テレジーンゲットーの記念碑に刻まれているのを見た。

もうひとつの強制収容所（個人史）

一九四五年一月の初めごろ、私は、プラハからボヘミア＝ザクセン国境に近い、半ユダヤ人のもうひとつの収容所に移送された。そこで、私は五月初めまで労働した。しかし、四月の末には伐採の仕事を終え、その後は生き残るためにポテト探しをしていた。私が冬の寒い時期に当地にやってきたとき、シベリアに送られた一九世紀の政治犯について読んだ描景をぼんやりと思い浮かべていた。ここは、並大抵の収容所ではなかった。凍てついた厳寒の中、吹きさらしの荒野に建てられた間に合わせの住居群であった。バラック、掘立小屋、がたがたの古びた宿屋、そして、冠雪の丘であった。収容所は、ナチュング村の事務所から、林業を指導していたトート機関[17]によって運営されていた。

しかし、私たちの住まいはヒトや犬から守られてはいなかった。私は、以前の宿屋とカリフ村のダンスホールで、およそ五〇人の男たちと暮らしていた。そこでは、宿屋のおかみさんが日々のスープを作ってくれた。唯一の鉄道駅は警察に見張られていて、雪の中で動いている人物は、数マイル離れたところからでも、白雪の中に黒点として認識できた。郵便局は私たちを国賊として認識しており、手紙は受け付けてくれなかったし、電話の使用も許されなかった。

毎朝、私たちはとぼとぼと二時間歩いて森の空き地まで行き、人付き合いの悪い結核患いのズデーテン人親方の監視下に伐採作業に従事した。彼は、われわれ粋な都会人に、道具の使い方や倒れてくる木の下敷きにならない方法を教

17　トート機関（Organisation Todt）は、ナチス・ドイツにおいて軍部および民間の工事を請け負った機関である。名前は、この機関の創立者であり、技師、さらにドイツの高官となり、軍需大臣となったフリッツ・トートにちなむ。第二次世界大戦前はドイツ国内において、戦時中にはフランスからソビエト連邦にいたる占領地域を含む広範な技術事業を担当し、多数のドイツ国民や外国人に強制労働を行わせたことで知られる。

えてくれた。私たちのうちの二人が、薄切りのパンか、まれにはポテトをトーストする料理番であった。私たちの仕事のペースはゆっくりであった。私たちはいつも、国防軍が、特にアルプス要塞で、連合軍との戦いでいつまで持ち堪えられるか、そして、私たちはドイツの戦争努力に貢献することで罪を犯していないだろうか、といった問題を議論した。幸いなことに、私たちの諮問団（お決まりの技師たち）は、伐採された材木を必要な場所に搬出する手段がないし、ズデーテン人監督官も、材木の搬出予定は全くない、ということを我々に請け合ってくれた。私たちは戦況をかなり知っていた。仲間の中には村の女性と近づきになれた幸せ者がいて（夫は戦場に出ていた）、アンテナを引き、ラジオでいつでもニュースを聴くことができた。私たちの指導者は、数人の共産主義者も含めて、キャンプファイヤーでの話し合いで、戦争の最後の危険な時期にできる限りゆっくりと仕事をする、そしておおっぴらにドイツ人に楯突かないという意見を受け入れた。なぜなら、この収容所は、我々が生き残るための絶好の機会を与えてくれていると考えられたからであった。溝に渡した木で作られた掘り込み便所における悪臭の中での会話は、とても学識のある重要な内容であった。私は毎晩のようにそれに参加して、批評家で哲学者の卵であるエミル・ラドクと、マルクス主義美学、表現主義の劇場、そしてソヴィエト映画について議論した。

私たちのグループの住まいとなっていた小さな旧ダンスホールと、もう一つの他のグループの木製の掘立小屋とのほぼ中間にある丘の上の石造りの家が森林監督所長の住まいであった。彼は、ロマンチックな緑の制服を着て、肩に猟銃を下げて歩き回っていた。彼は青白く、無口で、いつも不安そうに見えたが、私の記憶に間違いがなければ、春の初めごろ、私たちが空腹のどん底にあった時、大袋に入ったジャガイモをくれた。彼は、一九四五年五月以降に、仲間の樵によって書かれたドイツ＝チェコ国境映画の登場人物のひとりとなっていたので、私は彼を憶えている。映画の中では、森林監督所長は不自然な牙から血を滴らせて怒鳴り散らしている典型的な人物である――明らかに、空想的特撮の一例である。

時として、現実は小説よりも奇なりである。ある日、私たちがいつも通りに森に向かって行進していた時、途中で数本の木が生い茂っているところに一人の男が現れて周りを見回していた。都会風のウインターコート、黒いハット、シルクのスカーフ、そしてエレガントなハーフシューズを履いて、まるでプラハのカフェ・サヴァリンから飛び出してきたような出で立ちの男は、なんと私の父であった。私たちは抱き合った。樵仲間が父子の周りに輪を作って通行人から隠してくれた。誰も通らなかったが。父は、ドレスデン刑務所のおじの様子や接近中の連合軍について最新のニュースを教えてくれた。そして、一本のドライサラミをポケットにねじ込んでくれた。私たちは後で、火にあぶり、薄くスライスしてみんなで食べた。世間から隔絶したところに外部から人がやってきたことに驚いた私たちは、父としばらく一緒に歩きながら話をしたが、父は次の曲がり角で登場した時と同じように再び樹間に消えた。

その晩、私たちは藁のベッドで寝たが、行進や伐採の仕事量がいつもに比べて多かったので疲労困憊であった。ある晩、誰かが、起きろ、北の空を見ろと叫んだ。遠くで何かが燃えているようだった。夜半から朝方まで、何時間にも亘って、地平線にかかった雲が黄赤色に染まっていた。私たちは、高いところに登ってこの光景に見入っていた。私たちの指導者は、連合軍の空襲でドレスデンが燃えているに違いない、と言った。そしてそれは当たっていた。一九四五年二月一三日の夜のことであった。一〇〇マイル（約一六〇キロメートル）も離れた所から私たちはこの大火を目撃したのだった。そして、ずっと後になってから知ったことであったが、連合軍の爆撃機はプラハも空襲したのであった。おじカールが、その夜、ドレスデン刑務所から脱走したことも知らなかったし、二月一四日のプラハの空襲でW・Wが即死したことも知らなかった。ドレスデンの大火は収容所生活の終わりを告げる合図であると私たちは確信した。そしてもうひとつの出来事が、私たちの森が歴史の流れから外れていないことを示した。

三月のある日、珍しく、警官とトート機関の人々がやってきた。彼らは私たちに整列するよう命じた（樵仲間の数人は、最悪の事態を恐れて、森の陰に目立たないように隠れた）。そして警官と地元の女性が、私たちひとりひとりをまじまじと観察した。女性は森でレイプされたのであった。そして私たちが真っ先に疑われたのであった。しかし、女性は正直で、私たちの中に犯人はいないと証言した。私たちは解散となった。私たちの見るところ、犯人は国境の山間に隠れているドイツ人脱走兵ではなかっただろうか。

春が間近であった。太陽は時折温かく、雪解けが始まっていた。しかし私たちの空腹は酷くなる一方であった。日々のスープは、日々薄くなり、麺の欠片も見当たらなかった。日々賢人たちによれば、連合軍の戦闘機が低空飛行で汽車に機銃掃射を加え、ドイツ兵や物資（じゃがいも）の輸送を至る所で遮断していた。私たちは火の周りに集まっては、何か食べるものを調達する方法について話し合った。ある者は、夜中に人里離れた所にある孤家に押し入って食糧を手に入れようという提案をしたが、それはまだ時期尚早であるとして没になった。ドイツの体制はまだ維持されていて危険であった。そして唯ひとりのハンブルク共産党員で、革命的なドイツ共産党の裸体主義グループのメンバーであったことを誇りにしていたフランツは、来るべき階級闘争の潜在的同盟者である貧しい人々に対して暴力をもちいることに断固反対であった。

私は、ジャガイモの入手源としては、村の教区教会と村の司祭のコックがベストであるという考えにこだわった。聖職者たちは私たちの苦境に同情するであろうし、そして同様に重要な事であったが、彼らはジャガイモのいっぱい詰まった地下室のある石造建築物の中で暮らしていたのであった。残念なことに、私たちの掘立小屋の近くには、教区教会といっても二つしかなかった。ひとつは村に下ったところ、もうひとつは北に三マイルのところであった。三月のある日曜日、私は森を抜けて、Ｇという隣村まで歩いて行った。私が到着したのはミサが終わった直後であった。石造の牧師館のドアをノックすると、コックと彼女の妹の二人の女性が出迎えてくれた。彼女たちはちょうど早い目のランチの席についたところであった。彼女たちのスープはとても濃厚であった。私が事情を説明すると（多分、掘立小屋のカトリック信者の数を多い目に言った）、彼女たちは紙袋いっぱいのジャガイモをくれた。紙袋はとても重たかった。帰り道、私は小さな池の端で腰を下ろして休憩した。水は清らかで、鳥が一羽飛び回っていた。青空を見上げると幾筋かの雲が浮かんでおり、私は突然、奇妙な感覚に襲われた。平和の前ぶれに戸惑っていたのかもしれない。

もちろん、近くの村の教区教会にも施しを受けに行った。そこでは私をすぐに質素な夕食に招いてくれた。村の牧師は私たちに関する情報を十分に得ており、また崩壊しつつあるナチの体制のことも知っていた。彼は二台の自転車をもっており、一台は教区信者を訪問するために必要であったが、もしも私がいつの日か故郷に戻りたいと思うことがあればという条件付き、すなわち一種の貸与の手続きに則って、他の一台を私に提供してくれた。彼はいつもラジオを聴いていた。そして、シェルナー元帥の軍隊がプラハに向かって南下している、と私に警告してくれた。私は居ても立ってもいられなかった。数日後、彼がヒトラーの自殺を教えてくれたとき、私は、家に戻りたいので自転車を貸してくれと彼に頼んだ。それは結果的に間違いであった。私が、バラックに向かって自転車を押して丘を登っていたとき、私が囚人であると知ったＳＳの一団に捕えられ、三時間以内に銃殺すると言い渡された。私は丘の掘立小屋に自転車ごと閉じ込められた。

私は小屋の中で賢人たちがいつも言っていたことを思い出していた。戦争の最後の日々は最も危険であると。私は時計を持っていなかったので、時間はとてもゆっくりと流れた。様々な危険を乗り越えてきた末にＳＳの一団に捕まるとは、何と馬鹿げたことだと思った。三時間はとっくに過ぎたであろうと思った時分に、木の壁板の隙間から覗いてみると、外には誰もいなかった。兵隊は誰一人として いなかった。自転車を打ちつけてドアをぶち壊し、私は小屋から出た。

強制収容所の私たち半ユダヤ人に真の自由が再び訪れたのは何時であったかを特定するのは難しい。国境に近い山地では、ドイツ人の手先として使われたりして、状況はめまぐるしく変化したからである。連合軍やソ連の戦車がドイツ人を蹴散らし、音楽が鳴り響いて解放された人々が抱き合う姿を映したテクニカラーの画面などなかった。ぼんやりとではあったが、ラジオのニュース速報から、体制が崩壊の一途を辿って追い詰められ、いたるところから連合軍が勝利の進軍を続けているということを、又聞き、その また又聞きで知った。絶望の四月になってもなお私たちは時折伐採に出ることがあった。結核患いのズデーテン人監督官は火の傍で居眠りをしていた。突然、国防軍大隊が村に現れ、私たちは山道に戦車の落とし穴を掘って、それを重たい木で覆う作業を命じられた。統制の緩んだ国防軍分遣隊は、私たちの作業能率のことなどにとりわけ関心はなかった。四八時間後には国防軍は跡形もなく何処かに消えた。

強制収容所中央事務局から、トート機関の官僚の何人かが急に居なくなったということを聞き、私たち囚人は、今後の行動を巡って二つのグループに意見が分かれた。ひとつのグループは、ただちにプラハに向かうべきだと主張し、もうひとつのグループは、現実政治家のいるグループであったが、プラハへの行路はまだシェルナー軍に遮られており、そこを通過できるチャンスはほとんどないという意見であった。何らかの行動は起こさねばならなかった。私たちの仲間の樵が、最後まで残っていたトート機関の役人を絞殺して、中央事務局から私たちの身分証明書を奪い返したとき、私は自転車を教会に返して、現状をこの目で確かめるために谷間の小さな町へ向かって徒歩で出発した。

プラハ蜂起

戦争の最終局面における一九四五年五月五－九日のプラハ蜂起は、あらゆる職業や階層のプラハ市民と同様に、多くの軍事的・政治的グループによって準備された。統一的計画は、少なくとも最初の頃はなかった。解放直前の日々の高揚感は、人々が状況の驚くべき変化に対してみせる激動的な抵抗のひとつの要素であった。合法非合法を問わず、チェコ人とドイツ人の施設における臨時交渉が日夜続いた。将軍アンドレイ・ヴラソフ軍が突如現れた。ドイツ国防軍に合流していたソヴィエト兵が、突然寝返ってドイツ軍に襲いかかった。「人民」の「反ファシスト」闘争の戦略めぐって、ドグマとまでは言えないが、明確な理念を持つチェコ自由主義者と共産主義者との間の潜在的対立があった。そして、最後に、プラハの革命家と、五月一〇日に亡命地ロンドンから帰還したチェコスロヴァキア政府との間の見解の相違などに対する反応であった。

プラハは、ドイツ占領軍に対する大規模な蜂起の烽火をあげなかった。ソ連軍は四月二六日にブルノに入った。四月三〇日にはオストラヴァに入った。五月一日にはモラヴィアの町プシェロフで反乱の火の手が上がった。ここで一旦は国民評議会が主導権を握ったが、戻ってきたドイツ軍によって鎮圧されてしまった。ドイツ軍は評議会のメンバーの何人かを射殺した。一九四五年の冬、プラハでは、ゲシュタポによってスパイを送り込まれて弱体化しながらも命脈を保ったばらばらの抵抗組織を統一する準備が密かに進められていた。そして、二月末までに、チェスカー・ナーロドニー・ラダ（ČNR：チェコ国民評議会）は、脆弱ではあったが、蜂起を指導する包括的政治的組織として出現した。

ČNRは、もともと、オブラナ・ナーロダ（「民族防衛」）の伝統を守っていた三者議会や、自由主義的国民共和国に賛成していたPVVZ（請願委員会）、名目上は社会民主主義を捨てたが実践的には共産主義者であった労働組合中央評議会の代表、一九四五年三月七日のゲシュタポによる突然の手入れで第三中央委員会全員が逮捕された後に急遽設立された共産党第四（臨時）中央委員会の代表団に在籍していた人々から成っていた。ČNRはもともと、少なくとも、帰還したチェコスロヴァキア政府よりも左寄りであった。それゆえに帰還政府が共和国再建にあたって民主主義的政党政治を（保守的な農民党を除いて）復活させること、そしてややあって、その議員資格を拡大すると主張した時に、ČNRのメンバーはあっけにとられたのであった。武器の不足する中、ベネシュ政府に対してイギリス大使フィリップ・ニコルスがチャーチルと一緒になって盛んに干渉したが、ベネシュの態度は煮え切らなかったので、五月三日、共産主義者は同志に武器を構えて待機するよう要請した。

軍事的側面は、政治的側面に劣らず複雑であった。少なくとも、ČNRには依存しない二つの命令系統が、ストライキの準備をしていた。「民族防衛」の最後の生き残り、アレックス・コマンドは、四月の末まで、将軍フランチシェク・スルネチコがボヘミアの田舎からプラハに移ってくるのを待ちかねていた。アレックス・コマンドは、自組織から文民民族委員会を立ち上げたが、すぐに萎んでしまった。スルネチコはČNRの権威を重要視した。ČNRは、五月二日の会議で将軍カレル・クトルヴァシィルをプラハの軍司令官に任命した。ラジオ局と電話交換を確保するための準備が進められた。司令官バルトシュは、以前の税官吏やその他の制服組を動員することに忙しかったが、その間、ČNRは、独自の軍法委員会を設置し、陸軍大尉ヤロミール・ネハンスキーを議長とした。彼は、一九四五年の一月に、ロンドンとの無線通信を確立するためにイギリスから飛行して降下したパラシュート部隊の隊員のひとりであった。問題は、プラハ市民が軍事計画の決まらない愚図ついたČNRの命令を待たずに立ち上がり始めたことであった。カオスの中から、軍事団体や将校たちが協働の意志をもって集まり、軍司令部が出現した。将軍クトルヴァシィルを総司令とし、フランチシェク・ビュルガーを参謀長に据えた。この時までに、街の至る所で蜂起の火の手が上がっていた。

始まりは古典的であった。五月四日、郵便局や鉄道の職員が、恐らくは運輸省の命令に従って、ドイツ語で書かれた掲示や告知を撤去し始めた。市街電車の車掌がドイツ硬貨の受け取りを拒否した。占領体制への反抗的行動の第一歩として、ヴルショヴィツェの郊外を通って帰還する収容所の四人の移送が街頭での抗議行動を引き起こした。五月五日の出来事は決定的な転機となった。多くの団体や

ČNRは、まだ行動の呼びかけを迷っていた。その日の朝、国民劇場を含めてほとんどの公共の建物にチェコスロヴァキアの旗が掲げられた。せっかちなグループのデモ隊がダウンタウンを埋めつくした。午前九時という定例の時間に、アレックス・コマンドは作戦会議を開いた。

フォホヴァ街のラジオ局のアナウンサーがチェコ語だけで放送を始めた。しかしながら、一一時四五分までに、ドイツの防衛強化目的で強力なSS部隊がやってきた。ほぼ同時刻にチェコ保護領警察隊がラジオ局の占拠を命じた。正午ごろ、武装警官が本部からフォホヴァ街に派遣されて激しい戦闘が起こり、一二時三〇分、チェコ人アナウンサーが救援を求めてラジオで呼びかけた：「チェコ人がラジオ局で殺されている！」この呼びかけをプラハ全体が聞いた。そして、この呼びかけがドイツ軍に対する武装蜂起の最初の烽火となり、これに呼応して武器を持った人々が続々と救援に駆けつけた。九〇人のチェコ人がこの戦闘で犠牲になった。奇妙な事に、アレックスとバルトシュは将軍クトルヴァシィルの到着を待っていた。彼が現場に現れたのはようやく二時四〇分であった。この時までに、市民ホールの支配者はすでに変わっていた。合法性を認めるロンドンからの放送に勇気づけられて、ČNRが放送電波を通じて街の闘争市民に呼びかけたのは夕方になってからであった。「文化的世界」を代表して、アルベルト・プラジャーク教授が議長を務めた。第一副議長は共産主義者ヨセフ・スムルコフスキー、第二副議長は社会民主主義者ヨセフ・コトルリー、三人の副議長は、「革命的農民」、カトリック、そして国民自由主義者（ベネシュの党に属していた社会学者オタカル・マホトカであった）を代表していた。急進的な労働組合員が総書記であった。

当初、ドイツ人は、チェコ人と同じように決定的な戦闘状態に入ることを躊躇していた。プラハには、国防軍が八〇〇〇人以上、SSは四〇〇〇人以上駐留していた。しかしその日の朝、彼らは自分たちの立場を維持したうえで彼らの作戦上の最高責任者として誰をたてるのかという問題に取り組まねばならなかった。（それは将軍ルドルフ・トゥーサンであった。）フランクとSDは、ゲシュタポと協働して、保護領政府の残留者と最後の交渉、すなわち直ちに最後の保護領政府を樹立しようと躍起になっていた。しかし、保護領政府の首班リヒャルト・ビーネルトは、一月にシティーホールで逮捕されて獄中にあった。ゲシュタポは著名なチェコ人政治犯を集めて打開策を協議しようとしたが、囚人の誰一人として話し合いに出てくる者はいなかった。だれもこんな風にドイツ人に利用されることを望まなかったからであった。ドイツ人とチェコ人の交渉は昼間から始まって深夜過ぎまで続けられた。ČNRは、純粋に技術的な理由でフランクとの関係樹立に失敗した。その他の地方のグループや司令官は、相対するドイツ人に代表を送って休戦の条件を多面的に話し合った。深夜、将軍クトルヴァシィルや陸軍大尉ネハンスキーを含む重要なチェコ代表が、SS将軍カール・フリードリッヒ・フォン・ピュックラーとの交渉に臨んだが、チェコ人代表はドイツ人の厚顔無恥な最後通牒の受諾を拒否した。

プラハにとっての本格的戦闘は、真夜中から数時間後、五月六日に始まった。国防軍とSS軍の四列縦隊が周辺地域からプラハに侵攻してきた。チェコ放送は、アメリカやイギリス空軍に、SS戦車が進軍中のベネショフからプラハに通じる道路を爆撃するよう懸命に呼びかけたが、応答はなかった。激しい雨の中、街中いたるところにバリケードが築かれた。夜明けとともに、郊外の道路では流血の戦闘が起こった。フランクの事務所とČNRとの交渉は続いていた。都市の中心への空襲が繰り返された。午後遅くに、空爆でフォホヴァ街のラジオ局は破壊されたが、放送はストラシュニツェ発信装置で続けられた。

その時、突然、ロシア解放軍と呼ばれ、一九四三年から赤軍と戦うために国防軍に協力していた将軍A・Aヴラソフ指揮下のロシア軍が寝返った。帰還チェコスロヴァキア政府はヴラソフ軍を承認しないと宣言したので、ČNRは錯綜した状況に置かれた。ヴラソフ軍を代表する将軍S・Kブニャチェンコの代理として、陸軍大尉R・Lアントノフとの熱を帯びた交渉が始まった。その結果、ヴラソフ軍はチェコ軍の指揮に「完全に従って」ドイツ軍と戦うという合意に達した。そして直ちに、SS侵略軍と、フフレやズブラスラフといった周辺の町の近郊で勇敢な戦闘状態に入った。第一副議長ヨセフ・スムルコフスキーは、アメリカ軍は戦場の都市からほんの五〇キロのところにいると宣言した。そしてアメリカ軍戦車部隊の応援はいまかいまかと待たれていた。しかしバルトシュ司令官は、参謀の責任者であったが、アメリカ軍の動きについては何の情報も得ていなかった。

五月七日、プラハ蜂起は危機的状況に突入した。ほとんどの軍はプラハへと通じる場所に陣取ったが、戦車を含むミロヴィツェからの縦隊は、ヴルタヴァ川に近接する都市の西方カルリーンへの道を進軍していた。そして、ヒベルンスカー鉄道駅からポジーチィー公園を結ぶ線に接近しつつあった。都市の中心部では、ラジオ局の建物で激戦が続いていた。民族博物館の近くの鉄道本駅で、ドイツ軍は交通局で働いていたチェコ人全員をとらえることに成功した。一方、チェコ守備隊は貨物置場に立てこもって、雨霰のような機関銃掃射に耐えながら彼らの持ち場を死守していた。

ヴラソフ軍の兵士は勇敢に戦ったが、彼らの指揮官同士や、彼らの指揮官とČNRとの間の確執が次第にひどくなった。ヴラソフの使者が、アメリカ軍はプラハに援軍を送らないことを確かめたとき、将軍S・Kブニャチェンコは、チェコ人の陣営で戦っている兵士を少数残して、西に向かっての撤退命令を下した。三〇〇人の兵士が戦死した。そして数百人の兵士が負傷した。負傷兵は後から援軍としてやってきたソヴィエト兵に手厚い扱いを受けることはなかった。フランクとČNRの話し合いは続いていた。フランクは政治的決着を望み、ČNRはドイツの全面降伏に固執していた。しかしながら、遠く離れたランス（フランス）で、五月八日の深夜、大提督カール・デーニッツ（ヒトラーが自殺する直前に、その遺書に基づいて大統領になった）政府の代理の立場で、国防軍最高司令官アルフレート・ヨードルが、全ドイツ軍の全ての戦闘行為を停止するという無条件降伏文書に署名した。

プラハ市民は、目の前に迫っていたアメリカ軍が何故やってこないのか理解できなかった。しかし、少なくとも、「ニューヨーク・ヘラルド・トリビューン」の主筆ラッセル・ヒルが、状況を取材して記事を書くために現れた。夜遅く、少佐C・Oダウドの指揮下にアメリカの代表団が、捕虜になったドイツ人将校を連れて到着した。将軍パットンの第三陸軍の先兵隊としてではなく、ドイツ人に無条件降伏を迫るためにドイツ軍の司令部を探していたのであった。後に判明したことであるが、プラハで活動していたアメリカの諜報部員のひとり軍曹クルト・タウプ（彼は、たまたま、ブルノにおけるドイツ社会民主主義者の著名な党員の息子であった）がČNRに明らかにしたことは、アメリカ司令部に使節を送ったが、それに対する返事はなかったということであった。アメリカ人はすでに、ソヴィエト軍が急速に接近していることを知っていたのであった。

誰が最初にベルリンやプラハに入城するかということは、連合軍の参謀部、チャーチル、トルーマン、そしてスターリンらにとって政治的軍事的に最重要の問題であったことなど街頭で戦っていたプラハ市民は知る由もなかった。チャーチルは、ソヴィエト軍よりも先にプラハを占拠するよう、絶えずアメリカ人を急き立てていた。なぜなら、彼は（多くのチェコ人もそうであったが）、アメリカ軍の駐留によってチェコスロヴァキアの戦後は全く違ったものになると確信していたからであった。チャーチルはトルーマンを説得しようとしたが、このアメリカ大統領は、軍事的な問題は将軍たちに一任するつもりであった。そしてアメリカ陸軍参謀総長ジョージ・Cマーシャルは、「アメリカ人の生命を純粋な政治的目的で危険にさらす」つもりはなかった。彼の見解には、陸軍元帥ドワイト・Dアイゼンハワーも同感であった。アイゼンハワーは、進軍中のアメリカ軍はボヘミアの西の停止線を尊重しそこから先のプラハには進軍しないということで、ソヴィエト参謀総長将軍A・Iアントノフと合意していた。チャーチルは今一度トルーマンに働きかけを行ったが徒労に終わった。一九四五年五月四日、将軍パットンがチェコスロヴァキアへの進軍命令を受けた時に、同時に、アイゼンハワーとソヴィエトとが合意した停止ラインを尊重するように念を押されたのであった。その停止ラインは、チェスケー・ブジェヨビツェ（ブドヴァイス）とプルゼニ（ピルゼン）およびカルロヴィー・ヴァリ（カルルスバート）を結ぶ線であった。パットンは日記に書いた、アイゼンハワーは明らかに国際的なもめ事に巻き込まれたくないと思っている、しかし、パットン自身は、個人的に、東進してヴルタヴァ川に至ることは気にならないと。しかしながら、パットンは、彼の個人的考えはどうであれ、（この度は）命令を遵守した。

プラハ蜂起は自然発生的に始まった。亡命チェコスロヴァキア政府あるいは共産主義者は、党工作員の手引きもなく市民が反乱を起こしたことを信じられなかった。連合軍も、同様に、蜂起の強力なエネルギーに驚いた。チェコスロヴァキア政府の共産主義者が蜂起勃発のことを初めて聞いた時、彼らは人民の胸中にある反ファシズム革命の理念通りに事態が動くかどうかという点に強い関心を持った。アメリカ軍がプルゼニ＝カルロヴィ・ヴァリ線を越えて進軍することはないということを何度も確認して、ようやく、スターリンは五月七日に、プラハ作戦の実行を命じた。第一、第二、そして第三ウクライナ軍は、プロシア、ザクセン、そしてモラヴィアでの激戦を戦い抜いて中央ボヘミアに向かって進路をとった。そこは今もドイツ陸軍の支配下にあった。

プラハでは、五月八日の朝も戦闘が続いていた。ドイツ軍の戦車部隊がホレショヴィツェやカルリーンを通って市の中心に迫っていた。午前中の内に戦車は旧市街広場に到達した。シティホールやその他の歴史的建造物が炎に包まれた。意気消沈したチェコ人戦闘員は弾薬が尽きて後退した。パニックに陥った多くの市民はチェコ人の立てこもる場所に逃げ込んだ。しかしながら、アメリカ軍の捕虜になれば部下の命が救えると考えた将軍トゥーサンは、直ちにプラハを去って西に向かった。午前一一時、一人のドイツ人と一人のČNRの代表が会談に臨み、五時間後にドイツ軍の撤退に関する公式の合意に達した。この合意は直ちに実行に移された。小型武器や大型武器がチェコ人の手に渡され、この撤退に同道しないドイツ市民は国際赤十字の手に預けられた。降伏合意文書は、午後四時に署名され、チェコ語とドイツ語で放送された。何千というドイツ人兵士と市民――健康な人や病人、男と女、彼らのなかには、妻子を連れたフランクもいた――の退去は数時間以内に始まり、その行列は延々と夜通し続いた。

真夜中過ぎ、D・Dレリュシェンコ第一陸軍の戦車部隊がプラハ郊外に到着し、将軍P・Sリバルコ部隊がそれに続いた。そして、五月九日の朝から午後にかけて、第二、第四ウクライナ軍の戦車が市街に雪崩れこみ、チェコ人戦闘員と合流してバランドフやその他の場所に立てこもったSS戦闘部隊を激戦の末に破った。歴史家スラニスラフ・ココシュカによると、この戦闘による死者数は、チェコ人が一六九四人、ドイツ人が約一〇〇〇人、ヴラソフ軍が約三〇〇人、そしてソヴィエト軍が約二〇人であった。

プラハ市民は、ソヴィエト兵の到着を、怒涛のような感情の高ぶり、花束、抱擁、旗、そして心底からの感謝の言葉で歓迎した。遠いモラヴィアの村におけるソヴィエト軍の蛮行の噂に留意する理由などなかった。占領と戦争が終わったことの歓びに沸き、古の汎スラヴ主義的希望が溶け合った。路上で、そして公式の祝賀会においても、詩人、政治家、そして将軍たちが、チェコスロヴァキア＝ソヴィエトの兄弟の理念に美酒のごとく酔い痴れたのであった。

五月一〇日、亡命チェコスロヴァキア政府がプラハ空港に到着し、蜂起と抵抗運動の鎮火にむけての諸施策を時を移さずスタートした。強力な共産主義者グループを含んで、注意深く選ばれた政党から成る国民戦線のラインに沿って堅実に組織された政府であった。数日遅れて汽車で到着した大統領ベネシュは、蜂起の輝かしい英雄的行動を称賛した。肩書上は社会民主主義者であるが、実際にはスターリン主義者として活動していた政府の首班ズデニェク・フィーアリンガーは、まずもって、猛火と破壊に晒されていたプラハを解放し古の栄光を救ってくれたソ連に対して国民の謝意を表明した。

　五月一一日、政府閣僚とČNRのメンバーが顔を揃え、一連の会議が持たれた。しかし、ČNRが、権限もはっきりと保証されないある種の地方評議会に成り下がることは既存の結論であった。議長のアルベルト・プラジャークは、自ら大学に戻って講義を再開したい意向を表明した。ČNRのメンバーは次第に信用を失っていった。

　五月三一日、ČNRのメンバーの罪状を公式の調書という形で明示したのは、プラハ駐在ソヴィエト大使でスターリンの番犬V・Aゾリンであった。彼によれば、ČNRは「予めドイツ軍の救済を準備していた」ので、「ソヴィエト軍の共感」を得られなかったし、「チェコスロヴァキア政府」の共感も得られなかった。この最後の陳述はあまりにも不適切であった。告発は、主に同志スムルコフスキーやドイツの降伏文書に署名した者たちに向けられたものであった。一週間以内に、スムルコフスキーとコトルリーは地方評議会での権限を剥奪され、それに続いて五人の将校がチェコスロヴァキア軍におけるその地位を剥奪された。しかしこういった手続きは全て秘密裏に行われた。スムルコフスキーは「健康上の理由で引退」し、コトルリーは外交官としてカナダに送り出された。五人の将校については、少なくとも三人（クトルヴァシィル、ビュルガー、そしてネハンスキー）は救われたが、あとの二人は報いを受けた。一〇月一〇日、スムルコフスキーはČNRの同僚をやり玉に挙げた。蜂起は時期尚早であったとして彼らを非難したのであった。しかし彼は監視対象の人物であった。やがて彼はゲシュタポの手先であったとして投獄され、出獄後は集団農場や官僚組織の行政職に左遷された。

　一年後、ČNRの唯一の女性メンバーで忠実な同志アウグスタ・ミュレロヴァーが回顧録を書いた。彼女は意図的に将軍クトルヴァシィルやコトルリーの活動には触れず、傑出した共産主義者の行動を賛美したのであった。彼女は、蜂起は実際のところ労働組合中央評議会によって指導されたのであってČNRではなかったと宣言したのであった。ČNRといい地方評議会といい、何とも痛ましい姿であった。昨年の精神的権威のぼろぼろの服をまといながら共産主義者の要求を支持していた（例えば、二年計画の成就）。一九四八年二月二一日、ČNRのメンバーは共産主義者の政権奪取を認める宣言書に署名を求められた。しかしながら三人が拒否した。その中にオタカル・マホトカがいた。彼は亡命し、自分の経験を綴ったエッセイを出版した。ČNRはその後も存続したが、共産主義者にとってもはやそれは無害な存在であった。

戦争と平和の狭間で（個人史）

国境の山を下る時に、私には向かっている先が分かっていたので安心感があった。私の学友カリが、もし私にその気があれば私たちが働いていた森の所有者である彼の遠い親戚にあたるＨ公の城に行ってみてはどうかと提案してくれていた。カリからその名前を聞いたとき、私は、どちらかというと懐疑的でそのような上流社会には無縁であると感じていた。その予感はある程度当たってはいたが、外れてもいた。重厚な勝手口の裏戸をノックすると、私は二人の母性的なチェコ人コックの出迎えを受けた。彼女たちは、森で迷った人たちに食べさせることに慣れていた。私は彼女たちにカリの話をした。一人が担当の婦人に話をもって行った。そして戻ってきて、申し訳ないが当家の主人である公は会えないと謝った。彼はちょうど西ボヘミアへの出発準備に追われており、今はアメリカ人訪問客の相手をしているとのことであった。そしてすぐに私の部屋を用意すると言った。隣の小さな部屋であったが、カバーのかけられた立派なベッドがあり、枕も置いてあった。煎じたコーヒーをいただいた。私には天国のように思えた。

しかしそれも長くは続かなかった。ベッドに横になって目を閉じたかと思うと、コックの一人が部屋に入ってきて、一人のドイツ兵が台所の庭に機関銃を据え付けようとしている、どこか他所に行くように言ってくれと私に頼んだ。私も同意見であった。兵士は私と同じくらいの歳に見えた。機関銃を撃てば、敵に気づかれて台所の二人の女性を危険にさらすことになるだろう、と私は彼に言った。彼は優等生のように、これは命令なんだと言ったが、私が台所に戻ってくるともう彼の姿はなかった。二人の愛国的コックたちは、シンガーミシンでチェコスロヴァキアの旗を縫いながら、私にやたらと感謝した。

シェルナー軍の機関銃射撃手は立ち去ったが、それでその日が終わったのではなかった。私は山下りで疲れ切っていたので、白髪のほっそりとした老婦人が静かに部屋に入ってきたとき、私はうとうとしていた。彼女は、伯爵夫人何某（名前を忘れてしまった）と名乗りシュレジアからの難民であると自己紹介した。シュレジアの家族の領地はソヴィエト軍の侵攻によって失われた。明日は主人の公爵と合流するために、アメリカ軍の占領線まで西に向かって旅に出るつもりだと言った。彼女は、彼女に残されたいくつかの財産のことを案じていた。そして私の部屋で、一晩、家族の宝石を守ってくれないかと私に頼んだ。彼女は私に小さな革製のポーチを渡した。最初、私はとまどった。ポーチを受け取り、間もなく再建される共和国の名前ですべてを徴発するか、あるいは彼女の手助けをするか？　迷った。商売気のある父ならば、一〇か二五％の手間賃を要求したであろうと後になって思いついた。しかしその場では私の祖母に似たこの老婦人を助けたいという気持ちが強く働いて、私の功利的考えは退けられた。そして私はポーチを枕の下に置いて寝た。ぐっすりと、戦争の最後の夜であった。

朝になって老婦人が部屋にやってきてポーチを持って帰った。間もなくして、領民を満載した数台の自動車が、カルロヴィ・ヴァリやアメリカの占領地域に向かって猛スピードで去っていった。母性的なコックたちは、あらかじめ十分な朝食を用意してくれていた。卵もあった。もはや公爵も居なくなった。近くのラジオ工場が開放されて、本来国防軍のために製造されていたラジオを地域の市民に無料で配っている、と彼女たちが教えてくれた。私は一目散に工場に走って行き、行列に並んだ。

奇妙な一日であった。紛れもない春であったが、空気は冷たく、店は閉まっており、街は人通りもまばらであった。ラジオ工場で順番を待っている間、誰も口をきかなかった。私は最新のデザインの国防軍用ラジオを受け取り台所に持って帰った。コックたちはターニャやヴラジミールのために朝食の用意をしていた。ターニャは、ウクライナ人の家事手伝いで、ソヴィエト軍がやってきたらどうなるだろうと恐れていた。ヴラジミールは、私と同い年の若者で、近所の本屋の店員をしていた。ヴラジミールは、チェコスロヴァキア共和国魂が生きていることを示すために、ソヴィエト軍が到着する前に何かをするべきであると主張した。そして市場にでかけ警察署を乗っ取ろうと私に持ちかけた。私たちは、コックたちが作ってくれたチェコスロヴァキアの三色旗をリュックに詰めて山を下り、人けの無くなった市場の外縁に陣取った。途中、私たちは、ドイツ兵が撤退中に溝に残していった二台の歩兵砲と弾薬を拾った――大部隊に行き渡るほど多くの武器があった。旺盛な軍人魂をもったヴラジミールは、警察署に向かって歩兵砲をぶっ放した。彼は私に武器弾薬の扱い方を教えてくれた。

私は教わった通りに武器を扱った。

　私たちは撃ちまくった。窓から反撃があった。私たちは溝の中から撃っていたので、護られていたが、飛んできた弾丸がヴラジミールの手に当たった。夥しく出血したが、浅い傷であった。しかし、もはや彼は引き金を引くことができなかった。そこで私は、山から降りてきたパルチザン軍団であるかのように、ばんばんと撃ち続けるしかなかった。警官は散発的に撃ちかえしてきたが、最後にはドアから白旗をあげた。私が撃ち方を止めると、二人の中年のシュポス、すなわち保安警官――普通の警察官――が、白旗を振りながらドアのところに現れすばやく家と家の間に消えていった。もし彼らがSS隊員であれば、私は白旗を持った彼らを撃っていただろう。だが、私は、二人の太鼓腹のシュポスを撃つ気にはならなかった。どちらにせよ私たちは彼らの扱い方を知らなかった。しばらく経ってから、私たちは警察署に入っていった。壁にかかった総統やヒムラーの肖像画を叩き壊し、救急箱を見つけるとヴラジミールの手に包帯を巻いた。

　午後から遠くに砲声が聞こえ、夕方近くまで続いた。雷鳴のようであった。私たちは、署内に三色旗を掲げた。ドアに鍵を掛けようとしていたときに、ドアをノックするものがあり女性の声がした。ドアを開けると三人の看護師が立っていた。糊のきいた看服を着て、一晩匿ってくれと哀願された。ロシア軍が接近中であった。他の女性たちは森の中に逃げ込み、顔に灰を塗りつけて、やつれた老婆に見せようとしたが、結局翌日には病院で働かされていたというのであった。ヴラジミールは、これはきっと報酬を貰えるだろうと言い、彼女らを地下室に匿うことに決めた。そこで彼女らはヴラジミールの傷の手当てをしてくれた。そして、はねぶたを閉じた。階上では警察のラジオが、あまり遠くないアメリカのラジオ局の放送による軍事ニュースやジャズを流していた。そのうちに耳をつんざくような恐ろしい音、爆発音、命令、小銃の発砲音、多くの戦車が動くときの甲高い音やガランガランというキャタピラの音が聞こえてきた。私たちは、これはソヴィエト軍がシェルナー軍の後方部隊と戦っているのだろうと推測した。

　夜明けまでに物音は止んで静まり返り、誰かがドアをノックした。ソ連将校であった。恐らくは、ドイツ警察の窓にかけられたチェコスロヴァキアの三色旗が目に留まったのであろう。彼は、我々を同志でありパルチザンと見做して丁重な挨拶をした。私たちは感激のあまり地下室に残した三人のドイツ人看護師のことをすっかり忘れてしまった。彼は充填した大きなピストルを我々にくれた。弾倉は透かして見えたので、弾丸を確認することができた。私たちは警察署の外に出た。戦争は終わっていた。そして私たちの日に飛び込んできたのは、人間の死体、戦車に踏みつぶされ脳みそが市場のごみと一緒に一面に散らばった景色であった。

革命的報復？

ナチスからの解放といえば、三色旗がはためいて花弁が舞い、ジャケット、ネクタイ、鋼鉄製のヘルメットで身を固めた勇敢な市民がバリケードから身を乗り出して、迫ってくる戦車に狙いを定めているといった情景が思い浮かぶであろう。だが、髪を振り乱したナチスへの協力者あるいは被疑者が、ドイツ兵や市民と同様に、無差別に殺されるとき、プラハ、パリ、その他の都市の街頭や広場で起こったことは語られない。戦争の最後の戦いは、人間性の学校ではなく血の報復であった。ドイツ軍、とりわけＳＳは、郊外の訓練所からプラハへと侵攻した。彼らの戦いは中世的な残虐性を具えていた。プサーリでは一三人のチェコ人が銃殺された。一番若いものは一六歳であった。ブジェジャニでも一三人が殺された。パンクラーツでは、ＳＳ隊員のイェルヒェルが、地下室で三七人を殺した。その中には、六歳から一五歳までの一〇人の子供、一〇人の女性（うち二人は妊婦であった）、一七人の男が含まれていた。そしてある鉄道駅ではチェコ人守備隊が捕えられ、機関銃掃射を浴びて銃殺された。

四月初め、Ｋ・Ｈフランクは、ドイツ人女性、子供、そして老人に、仕事は無いがライヒのあてのある人はプラハから出てもよいという宣言を発した。しかしながら、都市の東部や爆撃を受けた地域の何万という難民は何処に戻ればよいのか分からなかった。ドイツ人の支配権を支えていたのは、その時点では、市内の一万二〇〇〇人の兵士、そして、近くの訓練キャンプや駐屯地の三万人以上の兵士であった。降伏の夜に、恐らくは、二五万人の兵士と市民がプラハを去った。しかし、降伏文書に明記されていた、ドイツ人女性や子供を国際赤十字の保護下に置くという文面は幻想にすぎなかった。（国際赤十字の派遣団はプラハにいたが、テレジーンで手一杯であった。）

占領の終わりは、ドイツ市民の追放の始まりであった。彼らが最初の数時間の間、そして流血の日々を生き延びていた場合の話であるが。報復は理性ではなかった。ある老婦人は窓から放り出された。訪問中のドイツのオーケストラのメンバーは、街中で殴り殺された。彼がチェコ語を話せなかったからであった。ゲシュタポの隊員でないものまで絞首されたり、生きた松明と称して、ガソリンをかけられて火を点けられた者もいた。怒り狂った群衆は病院に雪崩れこみ、部屋から部屋へと咆哮しながら、身動きもままならない犠牲者に襲いかかった。その中の一人の患者はチェコ人で、たまたま作家ミハル・マレシュの父親であったが、そのカルテに出生地がズデーテンと記されていたために犠牲となった。公式発表によれば、五月から一〇月半ばまでの期間に、ボヘミアで三七九五人のドイツ人が自殺した。

プラハの至る所で、ドイツ人は排斥された——映画館、学校、競技場、ガレージ——、そして、近くの田舎の仮設収容所に詰め込まれた。六月までに、約三万人が市外に移送された。「革命防衛隊」（懐疑的な市民からは、「強盗防衛隊」と呼ばれることもある）は、占領軍とともにやってきたライヒ・ドイツ人と、数世代にわたってこの都市に住んできたプラハ生まれのドイツ人との区別をつけなかった。（一九三八年五月二二日の、プラハ市議選では、二万人のドイツ語話者選挙人の四分の一が、民主的市民の反ナチ側に投票したし、全員がユダヤ人でもなかった。）いくつかの団体が数か月以内に連合軍占領下のドイツに移送された。その他の家族は、一年以上もの間、様々な収容所で生き延びて、家畜輸送用貨車に乗せられてボヘミアから追放された。

現在はベルリンの精神分析家であるプラハ生まれのシグリッド・ヨーン＝トゥムラーは、数年前のラジオトークで、多くのドイツ人が共有した彼女の体験談を行った。慎重な言い回しではあったが、プラハからのドイツ人追放は、単純な「意図的行為」ではなく、「先行するナチの侵略の結果」から起こったことであり、彼女自身も追放されたドイツ人の一人であったが、「血も涙も無いナチスによる何百万という人々の殺害」と、「侵略戦争終了後の追放」とは区別すべきであると強調した。ヨーン一家は、空襲の直接の被害はほとんどなかったが、戦争の最後の日々を地下室で過ごした。そして、チェコ人メイドのトンチャが五月八日の朝に去った後、ヨーン夫人と彼女の三人の娘たちは、小さなバッグにいくつかの必需品を詰めておいた。これは決して早すぎることではなかった。というのも、翌日、アパートの管理人が妻と一緒に現れて（彼女は直ぐに、古い柱時計を持ち去った）、直ちにアパートを出て、シュトロスマイェル広場に集まっているドイツ人に合流するよう彼らに告げたからである。幸いなことに、ヨーン夫人はアパートのカギをおじに預けることができたし、親切なチェコ人の助けを得て、後日、子供たちの服を取りに戻ることができた。

シュトロスマイェル広場では、バケツにペンキを入れた男が忙しく歩き回って、ドイツ人の背中に、ハーケンクロイツ（鍵十字）のマークを書いて回っていた。四人たちは、地方の映画館に押し込められ、彼らはそこの座席や廊下で数日間を過ごした。ひとりの男がバルコニーの手すりを越えて飛び降り自殺をした。下にいた人々が怪我をした。ソヴィエト兵がやって来て、その場で女性を捕まえてレイプした。ヨーン夫人は兵士に腕時計を差し出して娘たちを守った。四人たちは、映画館から学校、そしてその後、ロレト修道院に移された。そこから更にレトナー競技場に移されて、青天井のもとに六週間すごした。十分な食料もなく、皮膚病に悩まされた。子供たちは、毎日搬出されるトラックに積まれた剥き出しの死体をしきりと見たがった。

四人はアメリカ人の手に渡されるという噂が広まった。しかしある日、四人たちは鉄道駅まで移動し、汽車でテレジーンの小砦に移送された。シラミで悩まされた女性は、女性、子供、そして男性に分けられた。シラミで悩まされた女性は、女性監視官によって毛を剃られ、シャワー室に入れられた。ある若い女性が、全員ガスで殺されると足をばたつかせながら泣きわめいた。シャワーのノズルから水が出だして、ようやく静まった。検疫収容所で更に四週間過ごした後、一九四六年の秋、ヨーン一家は、最終的にドイツ国境に移送された。そこで汽車を降ろされた時、越境前に彼らがドイツ人であることの印であった白い腕章を外した。彼らは「自由の身になったが、ホームレス」であった。

大量のドイツ人追放という政策は、どの程度実行できたかは別としても、ドイツ人の扱いに迷い続けた亡命政府、あるいはむしろ、甦った共和国大統領ベネシュに対する国内レジスタンス・グループの唯一の勝利であった。亡命政府のメンバーとレジスタンスの活動家はともにミュンヘン協定の悲劇と屈辱を共有したが、その後の彼らの道は別れ、プラハにおける抵抗の日々、続く六年間にわたる凄まじいナチのテロルに直面した国内レジスタンス・グループの経験は、亡命政府がロンドンで空襲にあっていたとしても、覚書きや交渉に明け暮れ、戦後チェコスロヴァキア共和国を多民族国家としてヨーロッパの理念の維持に専心することとは、戦後世界の認識を全く違うものとした。

大統領ベネシュは、ミュンヘン協定によって略奪破壊された共和国の領土的統一の原理を、たとえ自由主義の原理は無理であったとしても、復興の指針として持ち続けていた。それはすなわち、ドイツ人を統一国家の一部として含む共和国の理念であった。彼は、しばらくの間、国境の策定によって、たとえ国境地帯の国土を多少失ってでもチェコスロヴァキアにおけるドイツ人の数を減らすべきか、あるいは、犯罪者ドイツ人をドイツに送り返すべきか迷っていた。事態は複雑であった。西欧のチェコスロヴァキア軍キャンプ――フランスのアグド、イギリスのチャムリー――では、多くの若いユダヤ人兵士が彼らの将校の反ユダヤ主義に対して抗議していた。（チェコスロヴァキア軍の全兵士の一〇％は、海外で、母国語としてドイツ語を使用した。）ベネシュは、長期間、ズデーテン・ドイツ社会民主主義者のヴェンツェル・ヤクシュと議論を続けた。ドイツ人は亡命チェコスロヴァキア国家評議会で多くの議席を占めるであろうという見通しが出されたが、失望して苛立ったヤクシュが、若者に、チェコスロヴァキア軍ではなくイギリス軍に入隊するよう勧告するにいたり、評議会は一九四三年の春に廃止された。亡命政府のメンバーの中で、前大統領の息子ヤン・マサリクや社会民主主義者ルドルフ・ベヒニェは、ドイツ人の集団追放は愚策であり間違っていると考えていたが、ハイドリッヒのテロルやリディツェ村虐殺の時代に、亡命政府のその他のメンバーは、国内からの報道に傾聴したのであった。当時、プラハの非共産主義的国内レジスタンスは、反ファシストであろうとなかろうと、ドイツ人との如何なる関係樹立も否定して、ハイドリッヒ暗殺の前後で、チェコ領内におけるドイツ人の存在は耐え難いと宣言した。そして、戦争終期に、「三人評議会」は、ドイツ人とドイツ語話者のユダヤ人のチェコスロヴァキアへの帰還を歓迎しないというメッセージをロンドンに送った。

プラハのドイツ語話者の知識人や著作家の多くは、自由主義者、左翼、そしてしばしばユダヤ人であったが、亡命中の大統領ベネシュに同調した。彼らは、ドイツの強制収容所から帰国を望んだが、新しい共和国は彼らの受け入れを拒否した。プラハのドイツ文学は有名かつ生産的であったが、少なくとも当分は、海外での活動を余儀なくされた。年配の詩人のひとりパウル・レッピンはプラハ蜂起の三週間前に死んだ（彼の妻は追放され、一年後に死んだ）。表現主義者パウル・アドラーは、混合結婚で何とかプラハで居住していた（全身麻痺であった）が、一九四六年の夏、プラハの近くズブラスラフで死んだ。そしてフランツ・カフカの近くに葬られた。党に忠実な共産主義者はドイツ民主主義共和国で働くことができた。ニューヨークに亡命して、チェコスロヴァキアの重要な作品のアンソロジーを出版したF・Cヴァイスコプフは、チェコスロヴァキア外交部に入り、北京を含む遠隔地に転任した。彼は後年、東ドイツで文学雑誌を編集した。詩人ルイス・フュルンベルクは、ワイマールのゲーテ＝シラー記念研究所の副所長になった。社会主義者で小説家エルンスト・ゾマーは、モラヴィア出身であったが、ロンドンで著作活動を続けた。一九五五年、致死的疾患で死去した。ヨハネス・ウルジディルは、ボヘミアのドイツ人が民主主義の精神で再教育されるという希望を抱き続け、ニューヨークに留まって大衆的な物語や小説をドイツ語で書き続けた。ローマの講演ツアー中に死亡し、一九七〇年一一月、サンピエトロ大寺院の近くの墓地に葬られた。H・Gアドラーは、一九四七年の秋にロンドンに渡り、その地でテレジーンに関するパイオニア的社会学的研究を完成した。詩や小説を書き続け、数々の著名な賞に輝いた。一九八八年、ロンドン亡命中に死去した。

プシェミスル・ピッテルは、保護領時代を生きて、ドイツ人あるいはそれに関連する問題に関して、民族を一括りにして断罪してはならないという信念を持った稀なチェコ人のひとりであった。戦争終了後、彼はテレジーンを訪れ、今やチェコのドイツ人収容所となった施設で子供たちを助け、古い収容所と新しい収容所の両方における非人道的待遇を批判した。ピッテルは、フス派の伝統をひくプロテスタントであった。彼は哲学的には、トルストイ、マサリク、そしてチェコ人哲学者エマヌエル・ラードルに近かったが、学者というよりはむしろ実践家であった。そして、彼は、一九三〇年代の初めに、実状を知るためにドイツを訪問した後、親に見捨てられた子供たちのための家を開設した。その中には、チェコスロヴァキアに流れてきたドイツの政治的難民の子供も含まれていた。一九三八年までに、彼はロキチャニ近郊のミートに、ズデーテン難民やユダヤ人の子供の世話をするための子供サナトリウムを建設した。一九二四年から一九四一年までの期間に出版された彼の雑誌「兄弟」の中で、マサリクを引用しながら、ナショナリズムの悪や反ユダヤ主義の悪について書いた。

プラハ解放直後、ピッテルと彼の妻オルガは、強制収容所から戻ったばかりの医師エミル・ヴォグルやH・Gアドラーを含む数人の友人や助力者と共同して、プラハの南にあるオレショヴィツェ、カメニツェ、シュティジーン、そしてロヨヴィツェの四つの大きな荒廃した城を、出自を問わず捨てられた子供たちのためのホームとして役立てるよう政府を説得した。ピッテルは、テレジーンから二五人の子供を連れてきた。新しい収容所のひとつから、ドイツ人の子供たちと、三人のドイツ人の母親を連れてきた。三年以内に、八〇〇人近い子供たちがこれらの施設で、専門の看護師、教師、そしてソーシャルリーカーの世話を受けた。

ČNRの存立中は、ピッテルは社会委員として活動した。この肩書で彼は新しい収容所の二五か所を訪問した。その中でも最悪の収容所は、以前のロレト修道院の施設、ゲシュタポが混合結婚のパートナーを収容したハギボール・フィールド、そしてレトナー競技場であった。子供たちの数や劣悪な医療現場を注意深く指摘した。ピッテルは、解放後に起こったことを包み隠さず公表し、深く悲しんだ。「水は退いたが、地面は泥に覆われている」と書き、一九四五年九月の一人出版で、もっと具象的な言葉で宣言した、「今日、またもや穢れの無い人々が苦しんでいる。無法な行為、蛮行、そして悪行を犯している人々が我々と同一民族に属していることはとても悲しいことである。SSの連中がやったことをまねるということは、我々が彼らのレベルまで落ちるということである。それはヤン・フスやマサリクの民族に相応しくないし、我々の精神的伝統に反している。」

ピッテルは、後にチェコのゲシュタポ主義と呼ばれることになったチェコ人の異常行動を曇りなく認識していた。しかし共産主義者は彼に悪態をついた。そして彼らが一九四八年のクーデターで政権を取ったときに、彼は逮捕されそうになった。彼は東ドイツを通って、連邦共和国（西ドイツ）に逃げた。そしてニュルンベルク近郊のヴァルカ難民キャンプで、伝道者およびソーシャルワーカーとして働いた。更にラジオ・フリー・ヨーロッパを通じて、故国の聴衆に語りかけた。ヴァルカ・キャンプが閉鎖された後、彼は妻とともに妻の故国スイスに移り、チェコ兄弟団のスイス支部や世界教会協議会で活動を続けた。一九七六年に彼が死ぬ以前に、エルサレムのヤド・ヴァシェム[18]は、彼を「世界の正義」と呼んだ。そして、一九七三年に、西ドイツの連邦功労十字勲章勲一等を授与された。彼自身の国

18　ヤド・ヴァシェムは、ナチス・ドイツによるユダヤ人大虐殺（ホロコースト）の犠牲者達を追悼するための記念館である。イスラエルの首都エルサレムのヘルツルの丘にある。

では、彼の死後一五年経ってようやくマサリク勲章勲三等が授与されたという事実は象徴的であった。

解放の滋味（個人史）

解放された最初の数時間、数日間に、何が起こり、私が何をしていたかを順を追って思い出すのは不可能である。ヴラジミールは警察署に留まると言ったが、私は実質的には路上生活をし、病院で人々に話しかけ、ソヴィエトの宣伝部隊と交渉して町役場書記のような仕事をしたり、散髪屋に入り浸って只で髭を剃ってもらったりして過ごしていた。しかし、いつも頭から離れなかったのは、なんとかもう一度W・Wに会いたいという思いであった。最後には、プラハに戻って大学で学問を始めたいと思った。私は三人の看護師を病院に連れていった。だが院長は、その夜そこに匿って欲しいという彼女たちの扱い方を私に問いかけた。匿うとしても、病院のベッドはソヴィエトの傷病兵に必要とされていたので、私に彼女たちをそこに滞在させる権限があるかどうかを問うたのであった。レニングラードの大学でドイツ語を修得していたインテリの若いソヴィエト将校が、ドイツ人が勝利を放送する時に使っていたラジオ局や広報システムについて私に聞いてきた。私は彼が何を放送したいのか尋ねた。それは前もって録音されていたヒトラー一味の現在・過去・未来に関する演説であった。これは、時と場所を考えれば、見当はずれの内容であった。すなわち、ドイツは敗れたのであり、ましてやここはチェコスロヴァキア共和国であった。私は彼に地図で確認するように言った。演説は、ここから五〇マイル北のザクセンで放送される予定であることが判明した。ソヴィエトの意図に逆らって私が共和国の統一のために仕事をしたのは、これが最初で最後であったろう。若い将校は地図を読みそこなっていたことを認め、彼と彼の小部隊は、「ダズヴィダーニャ」（「さようなら」）という挨拶を残して車に引き返し、いずれ消滅することになる未来の国、東ドイツに向かって消えた。

ソヴィエト軍は、二、三人の活発な交通課婦人警官と入れ替わった。彼女たちは、終日、街角で小さな椅子に座ってヘビーなシガレットをふかしていた。彼女たちは私が差し入れしたリンゴにかぶりついていた。時々、彼女たちは立ち上がると、小さな赤旗を振って気迫のこもった交通整理を行った。これは決して安楽な仕事ではなかった。ある日、突然、武装解除されたハンガリー兵士の一団がブダペシュトを目指して行進してきた。キャンプを張るのであれば南に隣接した大きな都市のほうがよいだろう、ということを彼らに説得するのは至難の業であった。彼らは、現れた時と同じように、忽然と姿を消した。

新来者のひとりは、大きな口髭を生やしたスロヴァキア人で、ドゥフツォフ[19]での強制労働から帰ってきてすぐに馬を徴発し、古い学校の騎兵隊将校のふりをして権威を見せつけながら巧みに馬を操って街を巡回していた。もう一人の新来者は、エミル（あるいはエミレック）であった。彼はドイツの強制労働から戻ってくると、直ちに生活必需品を確保するために、食料や配給の管理官となった。彼は私を白分のアパートに招待した。そこは、ナチが逃亡した後の空部屋で、彼は私にシャンパンを注いでくれた。そして二人のズデーテンの少女を紹介してくれた。彼女たちは、物持ちの彼と一緒に暮らすと決めたのであった。また、中年の社会民主主義者とも会った。彼は一九三〇年代後半から一九四〇年代前半にかけて、ダッハウで過ごしたこともあった。私たちはプラハの状況について延々と議論した。私はT・Gマサリクや多民族共和国について語ったが、彼は、マサリクのいわゆる古風なヒューマニズムについて懐疑的であった。彼の二〇歳の娘は、ロンドンからの放送に注意深く耳を傾けていた政治的現実主義者であったが、新しいチェコスロヴァキア民族主義に対する私の甘い認識を厳しく指摘したのであった。そしてドイツ人の反ファシストは、この体制の下で生き延びることが許されず、背中に精々五〇キロ以下の財産を背負ってこの地を追われるであろうと言った。彼女の予言は正しかった。私の認識は希望的観測に過ぎなかった。一九四八年以後、私が信じていたマサリクの国家は、不幸にして、指針倫理と集団責任を政治的原理とするナチの理念を受け入れるという悲しい現実に打ちひしがれて、亡命者の一人となった私は（ジュネーヴで出版されていたチェコスロヴァキアの雑誌、「スクテチノスト」（「現実」）で働いた）、彼女のことをしばしば思い出していた。

19　ドゥフツォフ（Duchcov）はチェコ北部、ウースチー州テプリツェ郡の町で、人口は九〇〇〇人。エルツ山地のもとにあり、テプリツェからは八㎞西に位置する。陶器の人形で有名。

奇跡的に、電話が所々使えるようになった。私は一刻も早くＷ・Ｗに連絡をつけたかった。彼女が、出身地である山陰のエルベ峡谷のポドモクリィ（ボーデンバッハ）の病院で医療助手として働いていたところまでは知っていた。閉鎖した郵便局の近くに、古めかしい電話交換所を見つけてドアを開けた。手動で交換機を操作していた松葉づえの女の子はびっくりしたに違いなかった。私の身なりは、長髪で、前歯が欠けており（収容所の歯医者は、一本のペンチと一瓶のヨードチンキしか持っていなかったし、自転車のようなペダル式のドリルが置いてあっただけであった）、腰にはロシアの銃をぶらさげていたので、見るからに怖かったであろう。私は病院に長距離電話をしたい、と丁重なドイツ語で彼女に頼んだ。彼女は何度か試みて回線を繋いでくれた。私は、Ｗ・Ｗを呼び出してもらった。対応した看護師が、電話を理事（病院は「慈悲の姉妹」によって経営されていた）に回してくれた。私が同じ質問を繰り返すと、一生忘れられない言葉が返ってきた、「Ｗが二月のプラハの空襲で亡くなったことをご存じないのですか？」私が収容所に向かっているとき、父が私にわざと何も教えてくれなかったことが次第に分かってきた。彼は、Ｗ・Ｗの葬儀を手配し、私の唯一の友人オタカルが葬送に参列したことを後に知った。私はどうやって電話交換所を後にしたか憶えていない。少女の松葉づえの大きな音が響いていた。私の心は空っぽであった。私が生きようとして思い描いた世界はもはや何処にもなかった。

私たちの仮住まいであった警察署に、何の幻想も抱いていない三人の警察官が到着して、管轄の業務を引き継いだ。私は家に帰る潮時だと思った。私は小さなバッグに荷物を詰めた。新しいラジオも持った。母のようなコックたちに別れを告げた。彼女たちに幸いあれ。プラハ行の汽車が出ている駅まで三、四時間歩いた。道路は交通量が多かった。丸刈りにされた囚人を乗せたトラック。ドイツからやってきたチェコ人労働者。拘束されたハンガリー後備軍。行き場のないドイツ人難民。そして溝に捨てられた武器、焼かれた国防軍の車輌、そしてペニスの勃起したまま死んだ馬。私は、背中にＰＯＷと白い文字の書かれた出所の知れないアメリカ軍の大きなコートを着て、各駅停車の汽車に乗った。

ちょうど五か月前にここから旅立った、まさにそのプラハ鉄道駅に降り立った。私は何も考えず市街電車一四番線に乗車した。私の履歴を察した車掌は乗車券を求めなかった。ヴォディチコヴァで電車を降りると、プシチナー通りはすぐであった。私がベルを鳴らすと、みんなはすぐに私であることが分かった。少し足を引きずった父、ちょうどテレジーンから解放されて戻ったばかりで少し青ざめていたが相変わらず活発なおばイルマがいた。そしてしばらくして、三年間のテレジーン要塞やドレスデン監獄での生活で少しやつれていたが、おじカールがやってきた。しばらくキャンプを張っていた食品貯蔵室から二人のポーランド人女性が現れた。彼女たちは、周りの人たちから勧められてワルシャワに行くつもりであった。話すことが山ほどあった。母、祖母、おじカレルと彼の妻や子供たち、彼らはみんなガス室で殺された。W・Wのこと、五月に銃殺されたエリザベトのこと。夏が近づいていたので、おばイルマはテレジーンから持ち帰った夏用の服を私にくれた。それは流行遅れの水着であった。強力な消毒液のせいで、着たとたんにそこらじゅうに発疹が出た。それでもヴルタヴァ川の国民劇場のたもとに浮かんだ筏で、この夏中、水泳を楽しんだので、この水着は重宝することになった。私は、過去のことや現在の自分の境遇を思いながらぼんやりと過ごしていた。大学が再開されたら、すぐにでも哲学の研究に戻りたいと思っていた。

訳者あとがき

底本として、Peter Demetz, "Prague in Danger", New York, 二〇〇八. を用いた。オリジナルは英語で書かれている。巻末にあげられている参考文献は省略した。あまり親しみのない地名や事項については訳注を加えた。

著者のペテル・デメッツは一九二二年プラハ生まれ。チェコ人の父とユダヤ人の母の間に生まれた、ナチのユダヤ法によれば、半ユダヤ人であった。戦争中には、半ユダヤ人として強制収容所や刑務所を転々とし、終戦を迎えた。彼と妻は、戦後のスターリニズムに馴染まず、一八四八年の共産党によるクーデター後、逮捕を免れて、一九四八年に渡米した。

一九五六―一九九一年、イェール大学で教鞭をとった。現在、ドイツ語ドイツ文学の名誉教授。

多くの勲章や賞を受けた。チェコ共和国の最高の栄誉であるメリット勲章を大統領ヴァーツラフ・ハヴェルから受けた（二〇〇〇年）。

主な著書に、『ブレシアの航空ショー、一九〇九年』（二〇〇二年）、『プラハ、暗黒時代と黄金時代』（一九九七年）などがある。

現在：New Brunswick, New Jersey に妻と暮らしている。

現代のわれわれは、ホロコーストに関して、生存者による経験談や本格的な研究書を読むことができる。ある意味では、本書はその中のひとつとみなすことができる。私がこの著作の翻訳を思い立ったのは、チェコのユダヤ人であり、文学史家である著者が、自分の体験を交えながら、ナチス占領下のチェコ人の生活と文化を中心に描いた作品として価値があると思えたからであった。

本書の魅力は何と言っても、ナチス占領下におけるチェコ人の文化的生活の描写である。文学や音楽が、戦争のストイックな環境において果たした意義を伝えてくれる。チェコ人は長年に亘ってゲルマン民族の支配下に置かれてきた。その歴史ゆえに、彼らの言葉や絵画などには、単なるメランコリックな要素だけではなく、常にアイロニーが滲んでいる。そこに弱小民族の生命力が秘められていると感じられる。支配者の強圧的視線ではなく、抑圧からするりと抜けだす術である。それが生活感覚として身についているのかもしれない。

本書は、ミュンヘン協定以後、ヒトラードイツによる占領・保護領となって、ゲルマン民族の支配下に置かれたプラハの戦時中のチェコ人の生活史であるが、その時代背景にある、政治や戦争、パルチザン運動の経緯についてはほとんど触れられていないので、以下に、簡単ではあるが、大戦中のチェコスロヴァキア史の概略を書かせていただいた。概史については、Jaroslav Pánek,Oldřich Tůma et al., A History of the Czech Lands (Prague, 2009)、Hugh Agnew,the Czechs and the Lands of the Bohemian Crown (Stanford,California, 2004) を参照させて頂いた。

付記　ミュンヘン協定から終戦までのチェコスロヴァキア史

一九三八年九月の英、仏、独、伊によるミュンヘン協定に従って、ドイツ軍はチェコスロヴァキアに進軍を開始した。南ボヘミアから侵攻し、一〇月一〇日までに、全ボヘミア、北および南モラヴィアを占領した。そして一一月初めまでに、ドイツ軍は、一〇〇以上のチェコスロヴァキアの諸都市を占領し、事実上、協定で定めた地域外までも併合した。チェコスロヴァキア代表派遣団が、外交交渉によって、この侵攻を阻止しようと試みたが、一九三八年一一月二〇日のチェコスロヴァキア＝ドイツ議定書によって、新しい国境が策定された。

ミュンヘン協定に基づいて、「ズデーテンドイツ地方のドイツ帝国（＝ライヒ）への再統合に関する法令」が発せられた。これはドイツ国法の立場から、「ズデーテンドイツのライヒへの復帰」を明記した法令であった。占領されたチェコの領土は約二万九〇〇〇平方キロメートルであったが、そのうちの七八％は新しく創設されたズデーテンラント大管区に組み込まれた。残りはライヒの属領となった。これによって、およそ三四〇万人のズデーテンドイツ人がライヒに帰属したと考えられている。併合された領土は、面積ではチェコスロヴァキア共和国全土の約三八％、人口では約三六％にのぼった。ライヒに併合された領地は、チェコスロヴァキアのボヘミア、モラヴィア、そしてシュレジアの国境地域であり、戦略上重要な地域であった。ドイツ軍は最初、ズデーテン大管区の行政が安定するまでの二〇日間、軍政をしいた。

一九三八年一〇月一日、ズデーテンドイツ人党指導者コンラート・ヘンラインが、「ズデーテンドイツ地方担当国家弁務官」に任命された。彼は矢継ぎ早に、ズデーテンドイツ人党を除く全ての政党の解体、全ての新聞・雑誌の発行禁止、そしてあらゆる集会禁止を命じた。一〇月末には ズデーテンラント大管区ナチ党が創設され、この党は、ナチズムの全体主義の原理に基づいて、ズデーテンラント大管区のあらゆる分野における最終決定権を与えられた。数か月の短期間に、ズデーテンラント大管区ナチ党の党員数はざっと五二万人に膨れ上がった。一九三八年一二月四日に施行された国会選挙の結果、ズデーテンラントはライヒの一部に生まれ変わった。

保安警察の一部門であった「政治警察局」(ゲシュタポ)は、ナチ党の部隊として国境を越えてチェコスロヴァキアに入り、一九三八年一〇月一日から二〇日までの軍政期に、新体制に対する敵対者の予防的逮捕を遂行した。最初の数か月間に、およそ一万人が逮捕され、その三分の一が強制収容所に送られた。ライヒのニュルンベルク人種法をズデーテンラント大管区に適用し、合法的にユダヤ人を追放した。ユダヤ人追放は、人種的動機に加えて経済的動機に基づいていた。ナチスは、工業、商業、金融、その他の分野におけるユダヤ人の巨大な資本に目をつけていた。反ユダヤ主義の活発なキャンペーンは一九三八年末から一九三九年の初めまで続いた。一九三九年の初め頃には、チェコスロヴァキア共和国へのユダヤ人難民の流れが起こった。ナチスは、ズデーテン大管区のユダヤ人を追放して、ユダヤ人の建物、商業、医療や法律事務所などをアーリア人(純系ゲルマン人)のものとした。

ドイツから国防軍や警察隊が押し寄せる前に、およそ一二万のチェコ人が難を逃れて山岳地帯に隠れ住んだ。その他のチェコスロヴァキア市民の多くが財産(特に不動産、家具、商売道具、などなど)を残したまま故郷を去った。難民数は二〇万人に及んだ。占領直後、全てのチェコ人の政党や組織は消滅した。消防隊だけが、ドイツ人の監督下に存続した。チェコ人学校の大半は閉校となり、わずかに残された小学校に対しては、ゲルマン化の目的に沿ったナチのカリキュラムが押し付けられた。チェコ人は、高校や大学などの高等教育を受けることができなくなり、チェコ語の新聞、劇場、ラジオ放送、映画はすべて禁止された。チェコ人は、政治的、経済的、そして文化的生活において、自己表現の場を失ったのであった。そして人権を無視した過酷な労働を強制された。

司法においては、地方裁判所とゲシュタポの両方の裁判権が並列していた。金融業、郵政、労働監督局や法務局の支部、そして地域の福利厚生などの公共施設では、チェコ語表示が廃止されて、ドイツ語表示に変えられた。公の場でのチェコ語使用に対しては罰金が科せられ、公務員はプライベートでもドイツ語使用が義務づけられた。このチェコ語使用禁止令に違反した場合、商業活動の禁止、ライセンスの抹消、挙句の果てに投獄されることもあった。

住人のほとんどに対して、自動的にドイツ帝国（＝ライヒ）の市民権が与えられた。チェコ人は一九四〇年三月までに、財産を残したままであれば、転居を許された。それを拒否して奥地に移動するチェコ市民に対しては、十全なライヒ市民権は与えられなかった。すなわち最低限の財産の保有は許され、クーポン券や給料は支給されたが、職場での昇進昇級はなく、子供に高等教育を受けさせることもできなかった。しかしながら、ライヒ市民と違ってドイツ軍隊の兵役につくことがなかったので、多くの人が戦後に生き残った。

チェコ人学校が閉鎖され、新しく開設された初等学校ではドイツ語教育が行われるようになった。チェコ人教師たちは解雇された。チェコ語の本は公共の図書館から姿を消したり、公開の場で焼かれたりした。チェコ人の文化的生活はあらゆる面で否定された。

ミュンヘン協定後、チェコスロヴァキア共和国は消滅した。主権国家、そして民族的自律も否定されたのであった。民主主義の理念に基づいて建設された、マサリクのチェコスロヴァキア国家理念そのものが崩壊し、地上から姿を消したのであった。

一九三八年一〇月五日、チェコスロヴァキア大統領ベネシュは、ヤン・シロヴィー将軍を首班とする新内閣を指名した。同日、ベネシュは大統領を辞して、一〇月二二日、一市民としてロンドンに亡命した。スロヴァキアでは、一〇月六日、フリンカのスロヴァキア人民党（HSLS）の主導のものに、スロヴァキアの自治権を高らかに宣言し、ヨゼフ・ティソを首班とするスロヴァキア自治政府が組閣された。その三日後には、ザカルパッチャ・ルテニア人がアンジェイ・ブロディを首班とする自治政府を立ち上げた。

一九三八年の一〇月後半から、「新」第二共和国建国への模索が始まった。ルドルフ・ベランを党首とする国民統一党と、アントニーン・ハンプルを党首とする国民労働党による二大政党の確執によって事態は進行した。一一月三〇日、最高裁判所判事エミル・ハーハが新大統領に選ばれた。彼は文学的嗜好の強い文人であった。一二月一日、ルドルフ・ベランを首班とする「中央」新内閣が成立した。

自治政府は、中央政府と共同で、金融、国防、そして外交問題に取り組んでいたが、一二月一五日には、立法権が承認されて、スロヴァキアの自治は独立性を強めた。チェコ＝スロヴァキア第二共和国の誕生であった。

第二共和国は誕生して間もなく、その羽根も乾かないうちに、解体の危機に直面した。一九三九年一月二一日、チェコ中央政府の外相との交渉で、ナチの代表は、チェコ＝スロヴァキア共和国政府に対して、外交政策におけるライヒとの一体化、反コミンテルン条約の締結、ベネシュ体制の遺残物の排除、ニュルンベルク人種法に沿った反ユダヤ法制定、軍事予算削減、そして軍隊の規模を最小限度にすることを強要したのであった。それと同時に、共和国領内に居住するドイツ人の要求を最大限に満たすよう要求した。

一九三九年一月中ごろにスロヴァキア議会の会期が始まると、スロヴァキア自治政府とプラハ中央政府との関係は増悪の一途をたどった。一〇〇〇年来続いてきた、スロヴァキアの分離主義的傾向が益々強まった。この展開はベルリンに好都合であった。一九三九年二月一二日、ヴォイチェフ・トゥカは、自治政府の首相ヨゼフ・ティソの了解を得て、ベルリンでアドルフ・ヒトラーに会い、スロヴァキアの分離活動支援の確約を得た。

プラハの中央政府は、国家の分裂を防ぐために最大限の努力を惜しまなかった。首相ベランは、スロヴァキア側との交渉で合意に達することができなければ、スロヴァキア自治政府の行政権を剥奪し、プラハの意向に沿ったスロヴァキア臨時政府を指名するように大統領ハーハに提言した。軍と警察の武力を用いて分離主義的動きに抑圧を加え、現在のチェコ＝スロヴァキアの法治国家を維持するべきであると。この提案は、スロヴァキアで実行に移され、現存するスロヴァキア政府の代表権廃絶、戒厳令宣告、そして最後には、スロヴァキアの臨時政府が樹立されたが、数日後には倒壊した。ザカルパッチャ・ルテニアへの介入も同様の経過であった。

プラハの「中央」政府が、三月一二日、スロヴァキアの分離を迫るドイツを拒否したとき、ドイツに後押しされたHSLSの急進派は、ヨゼフ・ティソに訴えた。ティソはベルリンに呼ばれ、「スロヴァキア問題」の可及的速やかな解決を求められた。ティソはベルリンで名誉ある国家元首並みの扱いを受け、スロヴァキアの分離を迫られた。しかしティソは問題の深刻さを認識していたので、彼単独で責任を負うことは出来ないと判断し、スロヴァキアの独立と、ドイツの保護領になることを宣言せよというドイツの圧力には屈しなかった。彼は、ブラチスラヴァとプラハに電話することを許され、翌日にスロヴァキア議会を招集するよう要求した。彼はブラチスラヴァに戻り、三月一四日の午前一一時から開かれたスロヴァキア議会でこの問題が議論され、議会はスロヴァキアの独立を決議した。新内閣の首班はティソであった。チェコ＝スロヴァキアは終に分裂した。

ザカルパッチャ・ルテニア政府は、三月一五日の朝、チェコ＝スロヴァキア共和国への忠誠を誓ったが、その数時間後には、スロヴァキア独立宣言の報せを受けて、カルパト＝ウクライナ独立国家を宣言した。しかし、翌日にはハンガリー軍が首都クストを占領し、新独立国家は数時間で消滅したのであった。

ドイツ軍はすでに、モラフスカー・オストラヴァやミーステクを占領し、支配地域を拡大していた。三月一三日、ヒトラーは、ボヘミアやモラヴィア全土の軍事的占領をちらつかせながら大統領ハーハに迫り、ドイツの意向に沿ったドイツ＝チェコ宣言に署名させることに成功した。三月一五日、ドイツ軍はチェコ領土の残りを占領し、三月一六日には、ボヘミアとモラヴィア全土がドイツの保護領となった。

二〇年間続いた、チェコ人とスロヴァキア人の二つの民族による統一国家は瓦解し、二つの国家が誕生した。こうして哲人マサリクの国家理念は、現実の国家としては否定され消滅した。しかしながら、チェコ人の心底に沈んだ彼の理念まで消し去ることはできなかった。

保護領の自治と行政は、ライヒの政治的、軍事的、そして経済的ニーズに合致する限りにおいて認められた。対外的代表権や独自の軍隊、そして立法権も認められなかった。行政については、保護領総督がライヒの利益を守るための行政監督を担った。

K・Hフランクが保護領付次官として実務を担った。一九三九年四月末に、彼は保護領親衛隊および警察高級指導者に任命された。実績を買われて、彼は次第に特権的地位に登り、一九四三年八月二〇日にボヘミア・モラヴィア保護領担当国務相に任ぜられ、事実上、占領体制の最高権威となった。実働の組織として様々な警察や保安施設があった。ゲシュタポ、保安隊、保安警察、クリポなどが暴力装置の核をなしていた。これらが、「ライヒの敵対勢力」の活動に目を光らせていた。

占領直後から、保護領では戦時経済体制が導入された。ドイツは、チェコスロヴァキア共和国時代の輸出品や金準備の剰余を利用して、国際経済での立場を強化した。武器製造の目的で、自国の製造会社と保護領の銀行とを利用した。そして、解隊したチェコスロヴァキア陸軍から武器を調達した。労働力確保のために強制労働体制が敷かれた。チェコ人の領土は、第二次世界大戦を通して、重要なドイツの工業と兵器工廠を提供したのであった。

ユダヤ人が追放されると、ユダヤ人の残された財産はドイツ人の手に落ちた。総督の一九三九年六月政令により、保護領内のユダヤ人住民に対しても、ニュルンベルク法が適用された。「ユダヤ人問題の最終解決」が行動に移され、一九四一年一一月にテレジーンにユダヤ人ゲットーが設置された。ここは、一九四二年一月から一九四四年一〇月にかけて行われた東部の絶滅収容所への大量移送のための中継地に過ぎなかった。チェコ諸邦の人勢のユダヤ人がガス室で殺された。スロヴァキアやザカルパッチャ・ルテニアのユダヤ人も同じ運命をたどった。

人種理論は、暴力的に拉致されたチェコやモラヴィアのロマとシンティに対しても適用された。彼らは、アウシュヴィッツ、ブーヘンヴァルト、そしてラーヴェンスブリュックの絶滅収容所に移送された。およそ四五〇〇人のロマの男女や子どもたち、それに未確認のロマやシンティのうち、生き残ったのは、わずか五三八人であった。

ドイツの保護領となったボヘミアとモラヴィアのチェコ人民の広い層に、自然発生的な反抗的行動がみられるようになった。伝統的な民族文化的遺産を象徴する大きな儀式は、レジスタンス運動を誘発した。詩人K・H・マーハの遺骨のプラハ・スラヴィーン墓地への改葬、ヤン・フス記念祭、ベドジフ・スメタナ記念式典、そして最も有名なのは、ボヘミアとモラヴィア各地での夏季聖地詣と祝祭の折に、占領者への抗議行動がみられた。ミュンヘン協定一周年の一九三九年九月三〇日における公共交通機関のボイコット、一〇月二八日（聖ヴァーツラフの日）の保護領全体における組織的デモなどが盛り上がりを見せた。

医学生ヤン・オプレタルは、一〇月二八日の反ドイツ学生デモに参加し、銃で撃たれて死亡した。彼の葬送は、組織的反逆罪であるとして、一九三九年一一月一七日、チェコ諸大学は閉鎖された。一〇〇〇人以上の大学生が拉致されて、強制収容所に移送された。裁判もなく、学生同盟の九人の職員が処刑された。これは、ライヒによるチェコ人インテリゲンチャ絶滅作戦の一環であった。

レジスタンス運動は、いくつかの中心的な活動拠点が生まれ、地道に組織的な形を整えていった。ロンドン臨時政府のベネシュの側近グループによる組織や、若い政治家、ジャーナリスト、そして国家官僚が集まって作られた「政治センター」がレジスタンス運動の主要な組織であった。もう一つの重要なレジスタンス組織は「我々は忠誠を守る請願委員会（ＰＶＶＺ）」であり、その構成員は政治的社会的に広い層から集まっていた。政治的には中道派であったが、保護領全体に非合法ネットワークを作り上げただけでなく、共和国復活を目指す独自の政治的行動綱領を作成した。いくつかの地下出版雑誌の出版社の周辺に非合法組織が作られ、既存のレジスタンス・ネットワークとオーバーラップしたり、新規のレジスタンス組織の前身ともなった。

これらのレジスタンス組織は、政治的、思想的、そして社会的に多種多様であった。それに、共産主義者の組織がレジスタンス運動に加わった。彼らは、ボリシェヴィキ革命路線を維持しながら、究極の目的に背かない限りで、他のレジスタンス勢力と協力した。独ソ不可侵条約の締結によって、共産主義者は、反ドイツという目標を掲げたレジスタンス運動との連帯を断ち切ってしまった。一九四一年六月、独ソ戦の開始後、コミンテルンの方針転換によって、チェコの共産主義者は孤立した。

占領者の保安・警察組織（ゲシュタポ、ＳＤなど）は、黙って指を銜えていたわけではなかった。一九三九年末から一九四〇年春にかけて、レジスタンス活動員が次々と逮捕され、運動は一時期麻痺状態になった。一九四〇年春、レジスタンス諸組織を糾合した統一司令部「国内レジスタンス中央司令部ÚVOD」が誕生した。この司令部は、ゲシュタポなどの攻撃に耐え抜いた。非合法のネットワークや地下出版、知識人の集会活動は維持発展し、チェコスロヴァキアの戦後再生に関する幅広い政治綱領『自由と新チェコスロヴァキア共和国のために』の作成が着々とすすめられていた。この綱領は保護領内レジスタンス運動の共通の理念となった。

海外でのチェコレジスタンス組織は、海外移住者によって構成され、重要な働きを演じた。ミュンヘン協定直後に起こった最初の亡命者には、著名な政界人、共産主義者、それに人種的迫害を怖れたユダヤ人富裕層が含まれていた。次の移住の波は、一九三九年三月の占領後に起こった。移住者の多くは外国のレジスタンスと合流した。レジスタンス組織から派遣された者、第一次世界大戦以後のフランス外人部隊に倣った者、そして占領者のテロから逃れた者もいた。三つの国に亡命センターが誕生した。ポーランド、フランス、そしてUSAであった。一九三九年、ベネシュがUSAから帰欧して以後、亡命センターは、パリとロンドンに移された。ベテランの政治家や、ベネシュの若いフォロワーたち、一団の上級将校たち、そしてヤン・マサリクが亡命センターに駆けつけた。亡命センターの主要な仕事は政治と軍事の分野であった。

エドヴァルト・ベネシュの基本理念は、ミュンヘン以前のチェコスロヴァキア共和国の法的連続性であった。その目的は、チェコスロヴァキア共和国が一九三八年以前の国境を持つ独立国家として国際社会から承認されることであった。そのために亡命センターは、内外のレジスタンスによる外交的、軍事的活動、そして宣伝活動を指導する立場にあった。

一九三八年一二月、在外の共産主義指導者の活動は、コミンテルンの支配下にあった。一九三九年五月、モスクワをモデルにしたチェコスロヴァキア共産党（ＣＰＣｚ）の外務事務局が設置された。これはフランスの陥落まで活動した。

一九三九年中ごろ、亡命中の政治家がチェコスロヴァキア国民委員会（ČＳＮＶ）の本部をパリに置いて臨時政府をフランスに設立しようとしたが実現しなかった。一九三九年一一月一七日には、フランス政府は条件付きでČＳＮＶを承認したが、亡命政府としては認めなかった。イギリス政府もフランスにならった。

一九三九年一〇月末、ドイツのポーランド侵略戦争の勃発以前にフランスに向かって航行中の海上輸送船内にあった軍隊を核にして軍編制がなされた。将軍レフ・プルハラ指揮下の約一〇〇〇人の兵士からなるチェコスロヴァキア人部隊はポーランド軍の防衛戦に参加し、隊のかなりの部分がポーランド東部戦線での戦いで赤軍に捕えられ、捕虜収容所に移送された。

ほとんどの外国人義勇兵は、一九三九年にフランスに集合した。フランスはそれらの義勇兵を正規軍として編制しなかったので、チェコスロヴァキア義勇兵は外人部隊に編入された。空軍パイロットだけがフランス空軍に編入された。彼らは、一九四〇年の夏に始まったフランス防衛戦で活躍した。

パリ陥落後、四〇〇〇人の兵士がイギリスに渡った。ドイツはイギリスに対する集中攻撃を行った。一九四〇年七月の中頃から、イギリス空軍の編制が急ピッチですすめられた。チェコスロヴァキア人パイロットは、第三一〇戦闘機大隊、第三一一爆撃機大隊、第三一二戦闘機大隊の三つの大隊に編制された。これら以外のチェコスロヴァキア人パイロットは、イギリス人やポーランド人の戦闘機大隊に編入された。

チェコスロヴァキア人兵士やパイロットはヨーロッパや大西洋における戦闘で活躍した。チェコスロヴァキア人独立旅団の歩兵隊はイギリスの海岸線、エアポート、その他の様々な重要拠点を守備した。チェコスロヴァキア人兵士は、中東や北アフリカにおける戦闘にも参加した。パレスチナでは、カレル・クラパーレク中佐が率いるチェコスロヴァキア第一一歩兵大隊の東方部隊が展開した。この部隊は、バルカンを通ってやって来た亡命者、フランス陥落後、西に移動しなかった兵士、そしてソ連の収容所から解放された兵士などで構成されていた。イギリス軍の一部として、彼らは、アレキサンドリアとリビア砂漠に遠征し、一九四一年一〇月の末から、ドイツとイタリア軍に包囲された戦略的港の防衛戦に参加した。一九四二年五月、旅団は第二〇〇チェコスロヴァキア対空連隊として認められた。一九四三年五月、北アフリカ戦線における戦闘が終わったあと、チェコスロヴァキア人兵士はイギリス本土に移動して、地方部隊に編入された。九月初め、チェコスロヴァキア独立機甲部隊が編制され、一九四四年八月にこの機甲部隊は大陸に渡り、ダンケルク要塞都市の包囲作戦で連合軍に合流した。一九四五年五月、連合軍旅団司令官アロイス・リシュカはドイツ国防軍の降伏を受諾した。

一九四〇年夏、イギリスは、チェコスロヴァキア共和国の亡命臨時国家機構として、大統領エドヴァルト・ベネシュ、ヤン・シュラーメク猊下の率いる亡命政府、国務院、大統領と政府の諮問機関を承認したのであった。立法議会を持たなかったので、亡命国家機関は共和国大統領の政令という形で法律を発布した。亡命政府が国際的承認を得ることによって、戦後のチェコスロヴァキア＝ポーランド同盟への道が開かれたが、この構想はソ連の反対にあって実現しなかった。

一九四一年夏の戦況の変化（ソ連侵攻、戦時連立の始まり）によって、チェコスロヴァキア亡命政府承認の必要条件が整った。七月一八日、チェコスロヴァキア＝ソヴィエトの全権公使の交換および戦時相互援助協定の署名という形で実を結んだ。ソヴィエト領内でのチェコスロヴァキア軍編制の承諾も含んでいた。協定は、限定なしで、ミュンヘン以前の形で共和国を承認していた。イギリスそしてアメリカもチェコスロヴァキア亡命政府を承認した。

チェコスロヴァキア＝ソヴィエト協定に基づいて、ソ連領内でチェコスロヴァキア軍の編制が始まった。一九四二年二月初めに、第一チェコスロヴァキア独立野戦大隊が編制された。そして捕虜収容所から解放された、いわゆるチェコスロヴァキア軍団兵、続々と到着しつつあったチェコスロヴァキア市民、恩赦でソ連の監獄や強制収容所から釈放されたザカルパッチャ・ルテニア人などが続々と集まりつつあった。一九四三年三月、ルドヴィーク・スヴォボダ指揮下の大隊が、ソコロヴォのウクライナ人の村を守る戦闘に参加した。五月初め、この戦闘で甚大な被害を被った大隊は、ノヴォホペルスクまで後退した。そこで第一チェコスロヴァキア独立旅団が編制され、一九四三年九月の終わりまで軍事訓練を受けて、再び戦線に送られた。キエフ、ルダ、ビエラ・チェルコフ、そしてザシコフの戦いに戦闘配備された。

一九四一年の夏には、工業・運輸業の分野で、ストライキやデモが頻発した。国内レジスタンス中央司令部ÚVODとチェコスロヴァキア共産党の新しい中央指導部は、一九四一年の末に、統一的レジスタンス組織「チェコスロヴァキア中央革命委員会ÚNRVČ」の設置について合意に達した。この構想は共産主義者にも受け入れられた。

チェコレジスタンス運動は、占領者の神経を逆なでした。穏健な保護領総督コンスタンチン・フォン・ノイラートは事実上の権限を奪われ、厳格で無慈悲な副総督ラインハルト・ハイドリッヒが保護領の実権を握った。ハイドリッヒは、一九四一年九月二七日は、プラハに赴任すると、直ちに戒厳令を布いた。保護領政府の首相アロイス・エリアーシュは、亡命チェコスロヴァキア人やレジスタンス勢力と接触していたとの廉で逮捕され、死刑になった。それに続いて、何百と言う死刑が執行され、多くの民族防衛組織や共産党中央組織の指導者が死刑台送りになった。そして何千という人々が強制収容所に移送された。活動員の大量逮捕により、ÚVODの非合法ネットワークは寸断され、レジスタンス勢力は窒息状態に陥った。保護領内のレジスタンスとロンドンとの地下通信は完全に断たれた。

亡命中のチェコスロヴァキア政府は、無力化した祖国の戦線を立て直すために、優秀なパラシュート部隊を保護領に送り込む決意をした。寸断された祖国のレジスタンス運動のネットワークを再建する目的であった。選ばれた二人の兵士が、一九四二年春にパラシュートで保護領に降り立った。ヤン・クビシュとヨセフ・ガプチークであった。彼らの使命は、秘密指令「アンスロポイド作戦」の実行、すなわち、ラインハルト・ハイドリッヒの暗殺であった。保護領内レジスタンス組織の協力を得て、彼らは、一九四二年五月二七日、ハイドリッヒの暗殺に成功した。

この暗殺は、当時のヨーロッパで、反ナチで連合した民族間に広汎な反応と共感の波を沸き起こした。ヒトラーは半狂乱に陥り、信じがたい報復が行われた。五月二七日の午後には、保護領において占領者による未曽有のテロの嵐が吹き荒れた。一五〇〇人以上の人々が処刑され、暗殺者を匿っていたリディツェ村とレジャーキイ村は徹底的に破壊され、村人は虐殺され、これら二つの村は文字通り地上から消えてしまった。アンスロポイド作戦の実行者は、一九四二年六月一八日、プラハのレスロヴァ通りにある東方正教会に立てこもり、激しい市街戦の末に全員殺された。ÚVODネットワークは縮小せざるをえなかった。レジスタンス勢力は甚大な損害を被ったが、一九四二年秋には、新しいレジスタンス運動が芽生えていた。

一九四二年八月初め頃、チェコスロヴァキアをめぐる国際的状況は新たな局面にさしかかっていた。ミュンヘン協定は、イギリスやフランスにおいて正当性を失った。一九四三年春、アメリカ大統領フランクリン・Dルーズヴェルトは、戦後にチェコスロヴァキアからドイツ人マイノリティを移送することに同意した。スターリンも直ちに同意を表明した。一九四五年夏のポツダム協定では、ポーランド、チェコスロヴァキア、そしてハンガリーからのドイツ人移送が承認された。

ナチスは、チェコ人の文化や生活をゲルマン化する目的で、マスコミや出版物の検閲や発行停止、チェコ人の作品や相応しくない外国人の著書の焚書、映画館や劇場の封鎖を行った。しかし、幾世紀もの間、オーストリアの支配下で厳しい試練を乗り越えてきたチェコ民族は、このようなナチスの施策を難なく潜り抜けた。古典文学だけではなく、多くの愛国主義的な現代文学がチェコ人の手元に届いていた。戦時中に、心理学的手法で書かれた散文が現れ始めた。ヴァーツラフ・ジェザーチの『黒い光』（一九四〇年）、後に映画化されたヤロスラフ・ハヴリーチェクの『ヘリマドト』（一九四〇年）、カレル・コンラートの小説『天蓋の無いベッド』（一九三九年）や、ヤルミラ・グラザロヴァーの主要な作品『降臨』（一九三九年）などである。

チェコとスロヴァキアの民族文学や民間伝承の伝統に刺激された文学作品、ドゥルダのデビュー作『掌の町』（一九四〇年）や、ヨフンの小説『賢者エンゲルベルト』（一九四〇年）が広く読まれた。新世代の詩人も台頭した。カミル・ベドナージュ、ズデニェク・ウルバーネク、イヴァン・ブラトニー、そしてイジー・オルテンであった。

映画は重要な文化的媒体であった。新しいチェコ映画が次々と制作された。検閲やゲルマン化政策に屈することなく、民族問題に焦点を当てた映画が作られた。そして歴史的追想という形で、チェコ民族の民族意識と反抗精神に訴えかけた。コメディ、冒険談、そして犯罪物の映画も数多く作られ、保護領における抑圧的な日常生活からのストレス解放に奉仕した。同様の流れは舞台や音楽にもあった。芸術家の作品には民族の将来に対する不安が表現されていた。画家や彫刻家は、古典主義とモダニズムの両方の芸術運動に関わっていた。

一九四三年の後半になると、枢軸国に敗北の兆しが見え始めた。一九四三年一二月、ベネシュはモスクワを訪問し、チェコスロヴァキア＝ソヴィエト友好、相互援助戦後協力条約が締結され、ソ連は、チェコスロヴァキアの戦後の独立を支援し、ドイツとの関係において再生チェコスロヴァキア共和国の安全保障を約束した。これは、東西の協力体制を前提とし、チェコスロヴァキア共和国の戦後国内政治が共産主義者の協力の下に進められることを示すものであった。この条約締結は、結果的には、チェコスロヴァキアの戦後民主化への躓きの石となった。

戦後共和国の建設は、民族戦線の原則に基づくという点では一致していた。共産主義者は、裏切り者の財産没収や、巨大財閥や株式会社の国有化を要求した。ベネシュはこれらの意見に理解を示したが、新しい統治機構――国民委員会――の性格と権威に関して、様々な争点が明らかになり、ベネシュは、この委員会はソヴィエトの傀儡であり、共産主義者による権力奪取のための道具に過ぎないのではないかという疑いを抱いた。戦後共和国におけるスロヴァキア民族の立場に関して、共産主義者は、スロヴァキア民族の特殊性を認めるべきだというスロヴァキア人の独立要求を正当であると認めたが、ベネシュは、チェコスロヴァキア民族という統一理念を支持し続けた。

この条約をめぐる交渉過程の中で、チェコスロヴァキアの立場はソヴィエトの勢力圏に取り込まれていった。海外や国内のレジスタンス運動において、共産主義者による無制限の支配権が確立されていった。戦争の終盤になって、戦線の移動、国際関係の変化、そして社会全体の左傾化などが、共産主義者の存在感を大いに高めた。全体主義に対する嫌悪感が、社会主義と民主主義への親和性を強めたのであった。

一九四三年の初めに、ドイツ軍は、スターリングラードで赤軍に決定的な敗北を喫した。それを機に、非合法ネットワークの新生やレジスタンス運動の再生がみられた。第三次中央指導部によって指揮された共産主義者は、権力闘争の新しい戦術を保護領で活かそうとしていた。チェコスロヴァキア共産党の海外指導部は、パルチザン活動を、武力闘争の形ではなく、共産主義の政治的影響力を拡大するための道具、そして眼前の民族戦線、戦後の国家権力をコントロールするための手段として利用した。一九四三年、ブルディ地方とモラヴィアで、共産主義者のイニシアチブによるパルチザン部隊が立ち上がった。チェコスロヴァキア共産党の海外指導者がこれらの部隊を指揮した。しかしながら、パルチザン運動は、一九四三年の終わりから一九四四年秋にかけて、占領者による返り討ちにあった。

ロンドンのチェコスロヴァキア軍も、一九四四年の初めには活動を強化し始めた。チェコスロヴァキア人パラシュート部隊は、イギリス人と協力して組織されたパラシュート部隊に編入された。彼らは故国に着地すると直ぐにロンドンと連絡を取り合い、国内の地下組織と協力して、活発な通信網を作り出した。一九四四年九月中ごろ、ウォルフラム・パラシュート機動部隊は、保護領とスロヴァキアにまたがる北部地域で、パルチザングループの中核的指導部の建設に着手した。

チェコスロヴァキアの国内と国外のレジスタンス勢力の成立過程は共通したものがなく、統一は容易でなかった。スロヴァキアは、対ソ連戦争に参加した東部戦線において敗北し、経済情勢の悪化、スロヴァキア社会の混乱、ユダヤ市民の処遇などで、ブラチスラヴァ政府の政策は、ロンドンの臨時政府の方針と矛盾していた。一九四三年一二月、スロヴァキアの将来を憂えた農民党、民主主義者、そして共産主義者の指導者が語り合って、市民レジスタンスの諸団体の連帯を目的とするスロヴァキア民族評議会（ＳＮＣ）を結成した。ＳＮＣは、ドイツとスロヴァキア国内の独裁制に対する戦いを表明し、ロンドンのチェコスロヴァキア政府や、全ての海外のチェコスロヴァキア・レジスタンス運動と協力することを宣言した。しかしながら、同時に、戦後復興の目標として、チェコ人とスロヴァキア人の二つの民族の平等に基づく統一国家建設を掲げた。

スロヴァキア軍を核とするスロヴァキアにおける蜂起は、ソ連軍が国境に接近したときに起こすべく準備が進められていた。同じ頃、全く別個に、ロンドンの臨時政府も蜂起の準備を進めていた。しかし、両者ともに準備が整う前に蜂起の火の手が上がった。一九四四年八月半ば、中東部スロヴァキアのパルチザン軍団が、マーチンにおいてドイツ軍使節団を捕獲して武装解除した。SNCは、このパルチザン軍団の勝手な行動を抑制することができなかった。一九四四年八月二九日、ドイツ軍はパルチザン鎮圧の名目でスロヴァキア国境を越えて進軍を開始した。蜂起勢力は、果敢に戦ってバンスカー・ビストリツァを中心に広い地域を防衛したが、前線の後方を包囲されて孤立してしまった。九月の末には、スロヴァキア・パルチザン軍団を援護するために、第二チェコスロヴァキア独立落下傘旅団と、第一独立チェコスロヴァキア航空戦闘連隊が戦闘に参加した。さらに、一〇月初め、ロンドンから派遣されたルドルフ・ヴィエスト将軍指揮下の第一チェコスロヴァキア軍が加勢に向かった。

蜂起勢力は重砲を装備していなかった。一九四四年一〇月一八〜二〇日に、重装備で優るドイツ軍はチェコ＝スロヴァキア連合軍に総攻撃をかけた。一〇月二七日、蜂起の中心地バンスカー・ビストリツァが陥落した。翌日、ヴィエスト将軍は「ゲリラ戦」に切り替えた。反乱軍は見かけ上、忽然と姿を消した。続く数か月間、スロヴァキアでは激烈な戦闘が繰り広げられた。無力なスロヴァキア当局が手をこまねいて見守る中、占領者ドイツ人の大規模なテロが行われ、ソ連軍の到着まで続いた。パルチザン指導部は、共産主義者、ソ連のパルチザン指揮者、軍指導者によって構成されていた。スロヴァキアの蜂起は、民族の深刻な分裂状態を露呈することになった。パルチザン運動の活動家は、独立スロヴァキア共和国の理念を拒否し、チェコ人とスロヴァキア人の統一国家を理想とした。軍事的には敗北したが、蜂起は対ドイツ戦の勝利に寄与したし、戦後のチェコスロヴァキアにおけるひとつの重要な政治勢力へと結実した。

一九四四年九月八日から、ソ連軍はスロヴァキアの蜂起を支援するために、カルパチア・ドゥクラ作戦を展開した。この作戦に参加した部隊は、一九四四年の春に、第一チェコスロヴァキア独立旅団を核にして、チェコ人住民や、以前は赤軍やソ連パルチザン部隊に所属していたスロヴァキア人兵士を加えて、一万六千人の兵士を擁するまでになっていた。ソヴィエトの作戦命令に従って、ルドヴィーク・スヴォボダが、ドゥクラ作戦の指揮をとった。しかしながら、この作戦はドイツ軍の防衛に阻まれて、ソ連軍と第一チェコスロヴァキア軍は敗北を喫して甚大な損害を被った。

一九四四年一〇月六日、チェコスロヴァキア軍兵士が祖国に進軍したとき、数千人の死傷者が出た。ソヴィエト＝チェコスロヴァキア連合軍は、北東スロヴァキアでの厳しい冬の戦いに突入した。一九四四年一二月、オンダヴァ川の砦が陥落した。リプトフスキー・ミクラーシュ、マラー・ファトラ山の戦いでは、さらに多くの犠牲者が出た。一九四五年四月末、ソヴィエト軍の戦車旅団と混成空軍が合流して、北部モラヴィアの工業地域が解放された。蜂起の火の手を合図に、残った軍がモラヴィアやボヘミアの解放に参加した。

ボヘミアとモラヴィア地方の保護領では、ゲシュタポの干渉や逮捕によって、一九四四年から四五年にかけての冬に、パルチザン運動は一過性に下火となったが、パルチザンの息の根を完全に止めることはできなかった。

一九四四年の末、そして一九四五年の二月と三月には、米英連合の協力を得て、ロンドン臨時政府国防省のチェコスロヴァキア課報部員が故国に潜入し、反乱軍におけるチェコ国民評議会の役割を果たした。しかしながら、ソ連から圧倒的多数のパルチザン運動員が、ボヘミアやモラヴィアに送り込まれた。戦後復興におけるソ連の影響力を確実なものにするためであった。一九四五年四月末、パルチザンの支配地域が、西部を除くモラヴィア全体に拡大した。パルチザン運動は、いたるところでモラヴィアやボヘミアの反乱や解放運動に影響を与えた。

一九四五年の四月末、保護領域内での戦闘は最終段階を迎えた。東部前線は、ブルノ＝ヴィシュコフ＝ジリナ線とオストラヴァとの間を移動しつつあった。西部戦線では、四月一八日、アメリカの戦闘部隊がミュンヘン以前の国境を越えて東進してきた。ドイツ軍司令部や保護領管轄当局は、内部の不安を抑えるために躍起になっていた。一九四五年四月二五日、保護領内の全ての指令部は、ドイツ中央軍集団司令官フェルディナント・シェルナー陸軍元帥の指揮下に置かれた。これとは別に、占領地行政府の代表、とりわけＫ・Ｈフランクは、反乱の暴発を抑えるために、政治的外交政策（アメリカと交渉するために、新しい保護領政府を樹立することを含めて）によって、軍事的敗北の後始末を画策していた。

武装蜂起の準備は、チェコ国民評議会、軍部、共産主義者、そしてパルチザンでそれぞれに進められていたが、横のつながりを欠き、グループ間の協力体制はとれなかった。

五月一日、戦争終結の情報を得たプフェロフのパルチザン勢力が武装蜂起したが、これは占領者によって鎮圧された。しかしそれを皮切りに、武装蜂起が中部・東部ボヘミア、クルコノシェ、ブルディそしてプルゼニ地域へと拡大した。前線に近い北東・南部モラヴィアのパルチザン勢力は、西進してきた赤軍、ルーマニア兵士およびポーランド兵士の先進部隊と連絡を取り合うことに成功し、フセチーンでは、第一チェコスロヴァキア軍団と共同作戦を展開した。

五月五日、プラハの武装蜂起では、チェコ国民評議会（CNC）と、大プラハ軍司令部、運輸局とラジオ局の従業員たちが協力体制をとった。チェコラジオ局は、プラハやその他の保護領地域に向かって蜂起を呼びかけた。プラハの反乱軍は、奇襲作戦によって勝利を重ね、ドイツ軍は守勢にまわった。同日、第三アメリカ軍がボヘミアの地に足を踏み入れ、ドマズリツェ、タホフ、そしてクラトヴィを通過し、翌日には、ストラコニツェ、プルゼニ、そしてマリアーンスケー・ラーズニェを制圧した。そしてソヴィエト軍は、プラハでの軍事行動を五月六日に開始すると通告してきた。アレクセイ・インノケンチエヴィッチ・アントノフ将軍は、アメリカ軍に、チェスケー・ブジェヨヴィツェ＝プルゼニ＝カルロヴィ・ヴァリのラインで進軍を停止するよう要求した。アイゼンハワーはこれを了承した。彼は、プラハの解放がチェコスロヴァキアの戦後にとって重要な意味を持つことは理解していたが、ソ連との戦争協力に失敗すれば、戦争終結に不可欠な、対日本戦におけるソ連の協力が得られなくなることを危惧したのであった。

プラハやその他の地域での蜂起は、ドイツ軍の東部戦線からの退路を脅かすことになった。五月六日、孤立状態になったドイツ軍を救出するために、ボヘミアに駐留していたSS部隊や国防軍がプラハに突入した。ドイツ軍は捕虜や市民に襲い掛かり、血を流し、略奪の限りをつくした。続く数日間、ドイツ軍の蹂躙したプラハやその周辺地域は、危機的状況にあった。五月六日の午後、ヴラソフ軍（それまではドイツ側で戦っていたロシア解放軍）や第一師団（司令官セルゲイ・ブニャチェンコ）が、プラハの戦闘に参加し、五月七日、ヴルタヴァ川左岸の反乱軍に合流して、ドイツ軍の暴虐を押し止めた。

五月七日、ライヒの代表が、ランスで無条件降伏文書に署名した。それは、五月九日午前〇時をもって発効することになった。しかしながら、プラハではバリケード上で戦闘が続いていた。五月八日、ランス降伏文書の結果と赤軍接近のニュースが伝えられたが、いまだに予断を許さない戦闘が至る所で続いていた。五月八日午後、CNCの代表とドイツ側のルドルフ・トゥーサン将軍が、プラハとその周辺におけるドイツ軍の降伏手順文書に署名し、ドイツ軍の西方撤退が認められたのであった。それでもなお、とりわけプラハの中心地では、敵の無秩序な撤退によって、予期しない衝突による死傷者を出す危険性があった。CNC総会が降伏文書を正式に承認したにもかかわらず、小競り合いが続いていた。降伏文書の内容を知らなかったり、ドイツ軍兵士が我先にプラハから脱出しようとしたりしたことによるものであった。

ドイツが無条件降伏した日の、五月九日早朝、ソ連軍戦車隊が、北西方向からプラハに入った。他の戦車隊が北から入り、それらの後ろに赤軍の主力戦車部隊が続いた。点状に残されたドイツ兵の抵抗を掃討し、逃走経路を封鎖するためであった。その日の日没までに、第一、第二、および第四ウクライナ戦線の諸部隊がプラハに入城した。同日、最初のチェコスロヴァキア在外兵士がプラハに降り立った。第一チェコスロヴァキア混成航空部隊がクベリ空港に着陸し、翌日には、第一チェコスロヴァキア戦車旅団が国境を越えて祖国に到着した。五月一〇日、一九四五年四月初めに東スロヴァキアのコシツェで創設されたチェコスロヴァキア政府がプラハに移り、翌日、CNCから行政権を引き継いだ。

ヨーロッパ大陸の戦争は終結した。念願のチェコスロヴァキア共和国再建というレジスタンスの基本的目標は達成されたが、戦後チェコスロヴァキア共和国の方向性は、この戦争の終結の仕方に色濃く刻まれ、いばらの道を歩むことになったのである。

謝辞

この翻訳の出版にあたっては、牧歌舎の竹林哲巳氏、田村公生氏および植竹佑太氏に大変お世話になった。心から感謝したい。

地名や人名については、不明なものもあり、語学力の及ばない点も多々あろうかと思う。お気づきの点があれば、ご指摘いただければと思う。

訳者

【訳者プロフィール】

山下　貞雄（やました・さだお）

1950 年　熊本県生まれ
1976 年　京都大学文学部卒業
1986 年　京都府立医科大学卒業
現在はフリーの産婦人科医

【著書・訳書】
『母と子の糖尿病』（近代文藝社、2005 年）
『ナチズムの前衛』（翻訳、新生出版、2007 年）
『チェコ革命』（翻訳、牧歌舎、2011 年）
『カレル・ハヴリーチェク伝』（牧歌舎、2015 年）

危機のプラハ
2021 年 1 月 15 日　初版第 1 刷発行

著　者　ペテル・デメッツ
訳　者　山下　貞雄
発行所　株式会社 牧歌舎 東京本部
〒 101-0064　東京都千代田区神田猿楽町 2-5-8 サブビル 2F
TEL 03-6423-2271　FAX 03-6423-2272
http://bokkasha.com　代表：竹林　哲己
発売元　株式会社 星雲社（共同出版社・流通責任出版社）
〒 112-0005 東京都文京区水道 1-3-30
TEL 03-3868-3275　FAX 03-3868-6588
印刷・製本　株式会社ダイビ

ISBN978-4-434-28429-8　C0022

PRAGUE IN DANGER by Peter Demetz